# *O som do nosso coração*

# EMMA COOPER

# *O som do nosso coração*

Tradução de
Raquel Zampil

1ª edição

EDITORA RECORD
RIO DE JANEIRO • SÃO PAULO
2020

**EDITORA-EXECUTIVA**
Renata Pettengill

**SUBGERENTE EDITORIAL**
Mariana Ferreira

**ASSISTENTE EDITORIAL**
Pedro de Lima

**AUXILIAR EDITORIAL**
Clara Alves

**REVISÃO**
Marco Aurélio Souza
Renato Carvalho

**DIAGRAMAÇÃO**
Beatriz Carvalho
Juliana Brandt

**CAPA**
Capa adaptada do design original de
Heike Schuüssler

**TÍTULO ORIGINAL**
*The Song of Us*

---

CIP-BRASIL. CATALOGAÇÃO NA PUBLICAÇÃO
SINDICATO NACIONAL DOS EDITORES DE LIVROS, RJ

C788s
    Cooper, Emma
      O som do nosso coração / Emma Cooper; tradução de Raquel Zampil. – 1ª ed. – Rio de Janeiro: Record, 2020.

      Tradução de: The Song of Us
      ISBN 978-85-01-11721-2

      1. Romance inglês. I. Zampil, Raquel. II. Título.

20-62217
                          CDD: 823
                          CDU: 82-31(410.1)

Vanessa Mafra Xavier Salgado – Bibliotecária – CRB-7/6644

Copyright © 2018 Emma Cooper

Publicado originalmente em 2018 por Headline Review,
um selo da HEADLINE PUBLISHING GROUP.

Texto revisado segundo o novo Acordo Ortográfico da Língua Portuguesa.

Todos os direitos reservados. Proibida a reprodução, no todo ou em parte, através de quaisquer meios. Os direitos morais da autora foram assegurados.

Direitos exclusivos de publicação em língua portuguesa somente para o Brasil
adquiridos pela
EDITORA RECORD LTDA.
Rua Argentina, 171 – Rio de Janeiro, RJ – 20921-380 – Tel.: (21) 2585-2000,
que se reserva a propriedade literária desta tradução.

---

Impresso no Brasil

ISBN 978-85-01-11721-2

Seja um leitor preferencial Record.
Cadastre-se no site www.record.com.br
e receba informações sobre nossos
lançamentos e nossas promoções.

Atendimento e venda direta ao leitor:
sac@record.com.br

*Por nós*

# I

# Melody

Nossa vida — não importa o que aconteça entre o início e o fim — começa e termina com uma batida do coração: nosso próprio ritmo, nossa própria música. Uma música pode subir e descer como o ar em nossos pulmões; pode começar com uma única e solitária nota e então se expandir a cada verso: uma família de sons. Para mim, porém, uma música tem um significado mais profundo.

— Deu 87,66 — anuncia a caixa do supermercado, me enchendo de pavor.

Sei que, do seu ponto de vista, isso não parece nada assim tão terrível. Uma quantia respeitável para a compra semanal de uma família de três pessoas. Afinal, a caixa com uma aparência masculina não está insinuando que estou na minha última semana de vida ou que minha saia está presa na calcinha. O problema, na verdade, se encontra no meu saldo bancário; sei que hoje, dia 21 de fevereiro, meu saldo bancário oscila em uma corda bamba de oitenta libras.

Ouço os primeiros acordes de "Can't Buy Me Love", dos Beatles. Isso pode até não parecer nada de mais para você. Supermercados no mundo todo colocam músicas de fundo; os ritmos alegres guiam os passos do consumidor de olhos vazios. Mas esse é o motivo pelo qual as poucas palavras da caixa me enchem de medo: eu tento explicar a difícil situação de minha conta bancária.

— Como? — me pergunta a caixa de rosto ensebado, ligeiramente alarmada, como era de se esperar. Veja bem, o problema é que não estou explicando minha situação com ombros caídos e uma expressão de "a vida às vezes te coloca para baixo".

Não. Não estou simplesmente ouvindo o clássico dos Beatles: eu comecei a cantar a música — teatralmente. Talvez você esteja se perguntando por que estou cantando Beatles — com entusiasmo — para uma caixa de supermercado? Bem, a resposta é: eu não sei. De fato, já consultei diversos médicos nos últimos dois anos e nenhum deles conseguiu descobrir. Nenhum dos clínicos, especialistas ou psiquiatras (que, aliás, foram muitos).

Vou te contar o que de fato eu sei.

Era uma manhã gelada e tempestuosa de janeiro — até aí, nada digno de nota. Não havia nada especial no fato de que era o dia da coleta do lixo, ou de eu estar na rua de galochas, o roupão rosa-pastel amarrado ao redor da minha pancinha cheia de comidas de Natal, tentando arrastar a lixeira de rodinhas pelo caminho da garagem. Digo que não havia nada de especial nisso porque minha vida, mesmo naquela época, já era desorganizada. Caótica. Negligente. Se eu fosse a pessoa controlada e organizada que tenho a intenção de ser a cada Ano-Novo, então minha lixeira já estaria do lado de fora de casa: um bravo soldado enfrentando as intempéries, esperando seu estripamento com firme altivez. Se eu fosse essa pessoa, não teria ficado sem o produto para derreter neve no dia anterior e não teria usado água quente para descongelar o vidro do carro. Não haveria uma fina camada de gelo junto ao meio-fio. Eu não teria escorregado e batido a cabeça ao me estatelar no chão. Não teria havido um grito estridente da minha filha de 11 anos quando me encontrou sangrando e inconsciente, vinte minutos depois. Aflito e desajeitado, meu filho não teria entrado em pânico ao tentar encontrar meu pulso fraco, usando apenas seus conhecimentos de escoteiro, e — naturalmente — eu não estaria caída no chão, com minha própria urina congelando nas minhas pernas enquanto meus filhos esperavam uma eternidade pela chegada da ambulância: lágrimas, medo e o excesso de responsabilidade sacudindo seus corpos desajeitados e em crescimento, enquanto debatiam, ansiosos, quantas compressões torácicas deveriam aplicar em mim.

Agora, aqui no supermercado, eu me superei de verdade, ao explicar para a caixa sobre todas as coisas que não posso comprar: minha voz provoca uma onda de desconforto pelo estabelecimento. Fico vendo — como fiz tantas vezes antes — as expressões, primeiro de choque, em seguida de mal-estar e, finalmente, divertimento, passando pelo rosto cheio de desdém das pessoas. Vamos lá, seja sincero: como você reagiria? Desviaria o olhar? Apontaria e zombaria? Imagine-se aqui, agora, parado na fila atrás de mim. Em uma quinta-feira qualquer, no horário de almoço, uma morena baixinha, de uns 30 e poucos anos, está cantando "Can't Buy Me Love" a plenos pulmões, no caixa do mercado. Além do fato de ela não ser uma cantora incrível — embora afinada, ainda bem —, olhe só para as expressões faciais e os gestos das mãos! Vai lá, diz a verdade, você ia ficar boquiaberto, não ia? Eu ficaria! Olhe só para mim! Como é possível alguém arregalar tanto os olhos a ponto de parecer que eles vão pular do globo ocular e aterrissar, em toda a sua glória esférica, nos ladrilhos sujos? Ah, aqui vou eu, reforçando repetidas vezes que não me preocupo com coisas materiais porque isso não pode mesmo conquistar afeto; você percebeu como minha bunda está balançando como um pêndulo? E olha só o meu dedo indicador, sacudindo na frente do rosto gorducho da caixa! Você notou o quanto ela ficou vermelha? Veja como ela se remexe no banco, pressionando freneticamente o botão para chamar alguém, qualquer um, que leve essa mulher maluca embora. Era de se esperar que, com um bigode desses, ela teria um pouco mais de compaixão pelo incomum. Ou ela nunca ouviu falar em depilação? Ah, meu Deus, será que estou prestes a girar? Sim, aqui vou eu, as mãos estendidas como um guarda de trânsito demente enquanto dou uma volta completa, e será que acabei de...? Sim. Acabei de dar um soquinho no ar. Você viu? Eu, de fato, dei um soquinho no ar enquanto cantava a nota final.

Silêncio. Nem um pio de uma criança birrenta. Nem mesmo o bipe de uma máquina. Tudo que consigo ouvir é o que resta da minha autoestima se espatifando em caquinhos.

Um segundo, dois segundos, três segundos. E lá vamos nós. Três segundos é todo o tempo que os britânicos precisam para fechar os olhos, os ouvidos e a boca para algo. Mas eu sei que as pessoas estão escondendo risadinhas por trás das mãos, enviando mensagens para os amigos, subindo vídeos meus para o YouTube (sim, isso já aconteceu — dezenove vezes, da última vez que meus filhos tecnologicamente talentosos verificaram), guardando a história para contar aos amigos amanhã à noite enquanto tomam umas.

Ofegante, remexo na bolsa e, com a mão trêmula — sem dúvida um efeito colateral de tanto sacudir o dedo —, tento pegar meu cartão de débito.

— Desculpa — murmuro —, mas posso tirar a carne? Eu, hã, eu — inspiro — acho que o cartão não vai... — Fique. Calma.

Por razões que os talentosos médicos deste país não conseguem explicar, meu "problema" parece ser desencadeado pelo estresse. Ou seja, eu não sou um ato de música e dança o tempo todo. Quando os sintomas começaram a se apresentar — primeiro na forma de "I Will Survive", da Gloria Gaynor, rapidamente seguida por um número final de "Crazy", da Patsy Cline —, eu não dançava, de jeito nenhum. Só cantava. Minha voz, uma fera aprisionada, arranhando e se contorcendo para fora de mim: desesperada para ser ouvida; desesperada para escapar; desesperada para destruir. A dança é algo bem recente. O Dr. Ashley sugeriu que essa pode ser uma forma de o meu subconsciente controlar as situações que estão fora do meu controle, ao transformar minha explosão em um "ato mais aceitável". Exatamente como rebolar ao som de "Boom! Shake the Room" em pleno vestiário do clube pode consistir em um ato mais aceitável, eu não sei. Na maior parte do tempo, sou perfeitamente normal.

Tento dirigir a — olho seu crachá — "Sue" um sorriso tranquilizador.

Desconfortável, ela assente lentamente, tirando a carne da sacola, mantendo o contato visual, como se eu tivesse acabado de sacar uma arma, em vez de prestar uma homenagem sincera a John e Paul. Fique calma. Respire. Ela parece um garoto e seu nome é Sue... Ah, droga. Não pense em Johnny Cash, mantenha a calma. Vou ficar bem desde que nada mais aconteça. Respire. Não pense nisso. Enquanto entrego a ela meu cartão de débito, posso ouvir as perguntas no ar e os comentários abafados de "pirada" com um "maluca" de acompanhamento. Posso senti-la latente em mim: a compulsão — o alívio que meu corpo avariado está desesperado em ter. Não pense nisso, não pense nisso. Fecho os olhos brevemente e me concentro no som da minha respiração. Ficarei bem desde que eu não pense naquela música, mas está tudo bem. Estou me acalmando, viu? Se continuar pensando em outra coisa, logo estarei longe daqui, em casa. Minha aflição não será nada mais que uma história para os outros devorarem.

— É sério? — Ela dirige um sorrisinho aos outros clientes. — Melody? Seu nome é Melody?

— Aham.

Eu sei; a ironia não me passou despercebida. Dos psiquiatras que consultei, vários sugeriram que esse pode ser um elo genuíno entre meu subconsciente e meu "problema". Outro sorrisinho superior de "estamos todos juntos nisto" quase me manda para um território perigoso, mas continuo focada na respiração. Continue pensando no que vou tomar no chá e "Sue" logo não será nada mais que uma lembrança distante. Sue. Sue. Sue.

— Vai pagar em *cash*?

Ai, bosta.


— Mãe?!

Tiro a cabeça do vapor e espio pela cortina do boxe, os cabelos ainda com espuma e cheirando a maçã.

— Estou no banho! — grito, enquanto o barulho dos passos de Rose, minha filha, subindo correndo a escada penetra meu pomar de vapor.

A porta se abre.

— Por que você está tomando banho? São três e meia da tarde.

— Cuspida — replico, me permitindo um último jato de água quente.

— Ah. No ônibus?

— Supermercado.

— Ai. Serviço completo ou só uma frase?

Fecho os registros e estendo a mão para pegar a toalha. Rose me entrega uma roxa, à qual um banho também faria bem. Ainda assim, me enrolo nela e ponho os pés no piso cinza imitando ardósia.

— Duas.

Olho para ela envergonhada, minha linda ruivinha.

— Duas frases? Não foi tão ruim assim.

— Músicas.

Ela se encolhe visivelmente.

— Tinha algum conhecido lá?

Pego uma toalha menor e esfrego meus cabelos curtos com ela.

— Acho que não.

— Então por que cuspiram?

— "A Boy Named Sue."

— Não conheço essa.

— É sobre um garoto que recebe do pai o nome Sue para fazer com que ele seja durão, o que não teria problema se a caixa não se chamasse Sue e não tivesse uma clara aversão a depilar o buço.

— Entendo. Estilo?

— Country.

— Ah, caramba. Passos de dança?

Paro de enxugar o cabelo por um momento. Fios curtos se projetam em ângulos opostos. Mordo o lábio inferior enquanto relembro tudo, consternada. Rose me olha sem expressão, lentamente processando seu vago conhecimento de música country.

— Ah, não. Não acredito! Mãe! Você fez a dança country?

— Eu nem sabia que conseguia fazer. — Jogo a toalha no chão. — É impressionante, de verdade. — Pego a escova de cabelos e me penteio. —

Comecei todos aqueles passos que eu costumava fazer com uns 10 anos. Eu tinha esquecido o quanto é divertido fingir que laço alguma coisa. Na verdade, procurei no Google, e parece que eu fiz todos os passinhos da coreografia.

— Caraca.

— Não fale palavrão.

— "Caraca" não é palavrão. "Caralho" é que é.

— Verdade.

A porta do primeiro andar bate e o som de heavy metal através dos fones de ouvido anuncia a chegada do meu filho, Flynn. Outra porta bate, e ele desaparece em seu quarto. Olho para Rose, em expectativa.

— Como ele está? Você o viu na escola hoje? — Ela encontra algo que parece iogurte seco em um dos azulejos brancos e volta toda a sua atenção para a substância. — Rose?

— Acho que você precisa comprar um pouco mais de antisséptico — é a resposta dela.

Ótimo. Ele andou brigando de novo.

É agora que digo a vocês que não sou uma mãe ruim. Sem dúvida, alguns de vocês têm filhos muitíssimo bem-comportados que nem sonhariam em dizer "caralho" ou se meter em uma briga. Àqueles que podem, com toda a franqueza, dizer que os filhos aprenderam a respeitar tanto vocês como as outras pessoas e sabem claramente os limites do que é certo e errado — a obrigação do cantinho do pensamento a partir dos 2 anos; os quadros de recompensa que elogiam o bom comportamento e os domingos passados jogando Monopoly e assistindo a filmes da Disney —, permitam-me, por favor, apresentar minha defesa. Meus filhos já sentiram emoções que a maior parte de vocês só vivencia em idades mais avançadas; emoções que alguns de vocês podem nunca vir a sentir. Vamos começar com o terror. Puro e absoluto terror.

Quando Rose tinha 2 anos, e Flynn, 5, Dev — meu marido — os levou para passar o dia no zoológico de Chester. Eu fiquei em casa; nossa máquina de lavar roupas havia quebrado e eu estava esperando o técnico vir consertá-la. No caminho de casa, eles pararam para Dev comprar um analgésico — ele havia tomado algumas cervejas na noite anterior enquanto assistia ao jogo de rúgbi — e refrigerante com batata chips para Flynn. Dev pedira um gole para ajudar a engolir os comprimidos, pôs algumas músicas infantis para distrair Rose, e então partiram, a caminho de casa, na intenção de chegar a tempo de colocar Rose para dormir na hora de sempre, às sete. Mas eles não chegaram em casa a tempo da hora de Rose dormir porque, às sete, Flynn estava sendo levado de helicóptero com graves ferimentos no rosto e na cabeça. Dev ficou observando — segurando no colo uma Rose confusa, cansada e perturbada —, enquanto a maca era levada para dentro da escuridão de março. Rose não sofreu nada, pois estava bem protegida pelo cinto do carro, e Dev teve apenas um pequeno corte acima do olho direito, causado por um pedaço do para-brisa estilhaçado. Flynn, no entanto... Flynn não havia recolocado o cinto depois de passar a Coca para Dev. E, quando Dev desviou o olhar por um segundo para repetir "Brilha Brilha Estrelinha", não percebeu a curva acentuada à direita, em frente ao carvalho. Ele não sabia que Flynn estava sendo lançado para a frente a mais de cinquenta quilômetros por hora nem que, pelo resto da vida, seu filho ficaria cego de um olho e teria uma cicatriz cruzando um lado do rosto que ele estaria sempre tentando esconder.

E o que dizer de devastação? Quantos de vocês podem dizer, com toda a honestidade, que já se sentiram verdadeiramente devastados? Imagine como seria se seu pai desaparecesse. Assim, sem deixar nenhum vestígio.

O ano do acidente foi o mais sombrio de nossa vida. Dev tinha pesadelos constantemente e discutíamos por qualquer coisa. O custo das idas ao hospital, das tarifas do estacionamento do hospital, as birras típicas das crianças de 2 anos. Qualquer coisa era motivo para brigarmos. Mas havia também momentos de extrema angústia em que nosso desespero se transformava em um amor tão poderoso que nos dominava completamente: ficávamos agarrados a noite toda, sussurrando um para o outro palavras de adoração, como se pudéssemos nos consertar com amor. E então, um dia, ele não estava mais lá. Puf! Sumiu. Como Keyser Söze.

Além disso, tem também o sentimento de vergonha. Imagine ver sua mãe em uma reunião de pais irromper em uma interpretação de "Baby Got Back". Eu fiz isso. "Contei" à rechonchuda professora de matemática de Rose, sem meios-termos, que eu gostava de bumbum grande e não podia mentir em relação a isso. Como eu disse. Vergonha.

Hesitante, bato na porta de Flynn.

— Posso entrar?

— Não se você for me dar um esporro.

— Não fale esporro — retruco enquanto abro a porta.

Ele está sentado na cama, recostado na cabeceira de metal, o headphone em um dos ouvidos, os cabelos castanhos compridos e ondulados cobrindo o lado esquerdo do rosto, vestido de preto dos pés à cabeça.

— Deixe-me ver. — Passo por cima dos entulhos adolescentes formados por pacotes de batata chips e roupas sujas e pego a mão dele. — Ah, Flynn. — Os nós dos dedos de sua mão direita estão em carne viva. — O que aconteceu?

Ele dá de ombros.

— O de sempre. Rob me chamou de Quasímodo, então eu meti a porrada nele.

— Não fale porrada.

— Ok. Eu meti... o soco nele.

Balanço a cabeça enquanto ele abre um breve sorriso.

— Fiz uma dança country no mercado — conto a ele.

— Legal.

— Meus movimentos foram um arraso...

— Não fala "arraso".

— Mandei ver?

— Mãe, isso aí pode dar a entender outra coisa...

— MANHÊÊÊÊÊÊÊÊÊÊ! — Nós dois nos viramos para Rose, que entra em disparada pela porta, os cabelos ruivos voando atrás dela. — Entrei no site e tem uma pessoa que se encaixa na descrição do papai!

— Rose — eu a interrompo. Já passamos por isso tantas vezes: a esperança, o otimismo, o desejo de consertar o que não tem conserto. — Se acalme. Lembre-se de que existem muitas pessoas que se encaixam na descrição do seu pai.

— Mas dessa vez é diferente.

Como eu posso dizer a eles? Como posso dizer que Dev está morto? Quando sou a única pessoa que sabe disso?

# 2

# Rose

*21 de fevereiro*

Resolvi escrever um diário. Tudo bem em começar no meio do mês? Acho que sim. De qualquer forma, eu sou a única que vai ler. Minha "terapeuta" sugeriu que isso poderia me ajudar a organizar os pensamentos, então aqui vai. Não entendo por que mamãe não está mais animada. Sei que já pensei que tínhamos encontrado papai antes, mas dessa vez é diferente.

Embora Megan compreenda que quero encontrar meu pai (quero dizer, ela deveria, pois sou sua melhor amiga desde que tínhamos 3 anos), sei que acha que sou esquisita, e consigo entender suas razões. Enquanto a maior parte da turma fica no Instagram na hora do intervalo, eu fico no www.mymissingfamily.co.uk, então eu entendo. De verdade. Ouvi Becca Grimstone dizer a Ben Stone (que sempre tira meleca e come quando acha que ninguém está olhando — eca!) que eu era uma ruiva maluca, obcecada por pessoas mortas. Piranha ridícula. Mamãe diz que as pessoas que falam coisas horríveis no fundo só estão com inveja da gente. É, sei. Tenho certeza de que a Becca, que já tem seios grandes, traços perfeitos e está entre os melhores da turma, sente mesmo inveja de mim. Eu sou ruiva, muito mais inteligente do que todo mundo da sala, e não estou sendo convencida, só estou apontando os fatos... Minha professora de matemática chegou a chorar na última reunião de pais quando disse que achava que estava me "decepcionando" ao não me dar tarefas ainda mais desafiadoras — o governo é culpado de muitas coisas. A Sra. Turner está por um fio, na minha opinião, e sou EU que vou para a terapia?! Mamãe foi solidária com ela e com sua "carga de trabalho"; com isso quero dizer que ela cantou "Nine to Five", de Dolly sei lá o quê. Graças a Deus nossa reunião foi numa sala separada depois do incidente de "Baby Got Back", portanto só a professora viu. O que eu ia dizendo? Ah, sim, também sou a irmã do — segundo o próprio — garoto mais antissocial da escola. ALÉM DISSO, Becca sabe que papai nos deixou e que minha mãe... bem, não faz sentido falarmos disso, não é?

As noites estão ficando piores. Como podemos dizer a ela que a razão de parecermos tão cansados não é porque ficamos acordados madrugada adentro mexendo em nossos tablets, mas porque temos que ouvir toda noite uma trilha sonora de seus sonhos? Ontem, por exemplo. Ela começou baixinho com "Shake It Off". Taylor Swift não é uma das minhas favoritas, especialmente à uma e meia da manhã. Às vezes são só trechos de músicas, que mudam com a mesma rapidez de seus sonhos. Sabemos quando ela está tendo um pesadelo porque "Wake Me Up Before You Go-Go" começa. Mas o pior é quando ela repete. Como ontem à noite. Entre duas e cinco tivemos "Don't Stop Believin'". Três vezes eu e meu irmão nos cruzamos no patamar da escada. Cabelos desgrenhados e resmungos de irritação se tornaram uma coisa comum enquanto tentamos sutilmente perturbá-la o suficiente para fazê-la se calar. Se tivermos um teste no dia seguinte ou algo assim, nos revezamos dormindo no andar de baixo. Isso meio que funciona, mesmo que a gente tenha que colocar o alarme para tocar às seis e meia, para acordar antes da mamãe.

No dia em que a cantoria noturna começou, Flynn disse à mamãe que estava cansado demais para ir à escola porque a interpretação dela de "Sweet Dreams (Are Made of This)" durara horas. Mamãe ficou tão chateada que passou a manhã inteira chorando e ficou tão irritada consigo mesma que começou um *mash-up* do Eminem. O que não foi nada bom. É pior quando ela não conhece as músicas muito bem porque inventa as letras e, como não é a maior fã do Eminem, nesse dia, as letras estavam tão misturadas que parecia uma mãe gângster de meia-idade com síndrome de Tourette. Então, é isso. A gente não conta mais para ela.

Seja como for, voltemos ao papai. Pode parecer estranho que eu seja tão obcecada em encontrá-lo quando não consigo nem me lembrar dele, mas é como se lembrasse. Como se o conhecesse, quero dizer. Mamãe fala sobre ele o tempo todo e também tem os vídeos caseiros que vi, tipo, umas cem vezes. Mamãe está bem diferente neles, as unhas sempre pintadas de vermelho-escuro e o cabelo todo esvoaçante (era comprido de verdade naquela época, chegava quase à bunda) e bonita. Ela ainda é bonita, eu acho, mesmo com o cabelo curto, mais comprido na frente. Ela não é como a mãe de Megan, com aquele bronzeado artificial, vestida da cabeça aos pés com roupas e sapatos de marca. Mamãe é simples e bonita ao mesmo tempo. A maquiagem que ela usa é legal, e seus olhos têm essa estranha cor entre verde e cinza e são bem separados, um pouco como um ET, mas bonitos mesmo assim. Papai também é bonito, acho. Ele tinha aquele queixo com covinha. Mamãe disse que ela costumava se referir a ele como queixo de bumbum. Os cabelos dele eram cacheados, na altura dos ombros, castanho-avermelhados (é o que mamãe sempre coloca nos formulários de pessoas desaparecidas). O cabelo é uma das coisas sobre as quais mamãe estava sempre falando nos formulários de pessoas desaparecidas que ela guarda. Sério, ela tem um daqueles arquivos antigos na garagem com todos os formulários, relatórios e tudo mais. É um negócio muito louco. Ele era alto, tipo mais de 1,80 metro, e bem magro.

Eles se amavam. Mamãe e papai. Dá para ver nos vídeos. Ele está sempre fazendo ela rir, e eles estão SEMPRE se tocando. Não de um jeito bizarro, só, você sabe, mão no joelho ou carinho no braço. Desse jeito. E eles dançavam muito. A vovó diz que, quando ele desapareceu, mamãe passou meses e meses procurando por ele sem parar.

Ela visitou todas as agências de pessoas desaparecidas que pôde e até contratou um detetive particular. Vovó disse que a polícia ficou meio de saco cheio dela no fim porque ela ligava pelo menos duas vezes por dia para ver se tinha surgido alguma novidade. Simplesmente se recusava a parar de procurar. Eu me lembro, quando tinha 6 anos, de passar o que pareciam dias presa na cadeirinha do carro enquanto percorríamos as ruas de Londres observando os sem-teto. Até que tudo parou. Era como se ela tivesse desistido. É por isso que eu não entendo por que ela não está animada desta vez. Mamãe conta que ele tinha uma tatuagem de três andorinhas no ombro esquerdo, representando nós três... e esse cara — o do www.mymissingfamily.co.uk tem essa tatuagem.

De qualquer forma, já chega por hoje. Ainda quero dar uma olhada nos sapatos para a escola no site da Shoehome. Mamãe tem que me levar para comprar sapatos (ai), e eu quero entrar e sair antes que ela se estresse e cante "The Hills Are Alive", como da última vez.

# 3

# Melody

— Sapato brogue? Ele não está um pouco... você sabe, fora de moda? — Internamente, me encolho diante da expressão irritada no rosto da minha filha. Está claro que falhei de alguma forma... outra vez.

Você se lembra daquele instante prodigioso quando a mais inócua das coisas — uma linhazinha cor-de-rosa — sorri para você? Aquela linhazinha cor-de-rosa, trazendo uma notícia que se infiltra em sua consciência: um quebra-cabeça do seu passado, presente e futuro, um universo de correntes elétricas fundindo seus pensamentos com suas emoções, enquanto uma imagem dessa minúscula entidade engole você por inteiro. Sua mente se torna uma colagem de minúsculos dedinhos, pezinhos, cabelinhos, pequenas preocupações que crescem em simples sincronia à medida que você — e seu mundo — se expande e você se pergunta: sou forte o bastante para conter esse amor infinito e intenso? Acaricio essa lembrança fugazmente enquanto a linhazinha cor-de-rosa puxa o cabelo para trás, o prende com um nó e suspira.

— Podemos só comprar esse e ir embora? Ele é o único de que gostei na loja inteira — anuncia ela, enquanto me abaixo para pegar um par de sapatos pretos de verniz que é parecido com o antigo, que agora está pequeno no pé dela.

Quando me levanto, a vejo correndo os olhos pela loja, avaliando o ambiente em busca de ameaças — não a ameaça de um perigo desconhecido ou batedores de carteira: não, minha Rosa Vermelha está procurando ameaças que possam atrapalhar suas chances de escapar sem ser reconhecida. Eu sou a ameaça, sempre invadindo seu lindo anonimato.

Lentamente, o botão latejante começa a se desenroscar, projetando-se da semente. Pulsando em meu estômago, começa a se estirar nos raios de minha ansiedade enquanto eu me dou conta da razão de Rose ter selecionado tão rápido o sapato que ela quer: ela já o havia escolhido. Antes. No momento que começo a ouvir a introdução de um órgão de igreja trepidar dentro de mim, me dou conta de que é tarde demais. Olho para Rose em pânico e vejo a cor sumir de seu rosto. Ela sabe que está vindo.

— Ah, não, mãe, agora não.

Observo, impotente, minha vibrante Rosa Vermelha empalidecer. Ela olha na direção de um grupo de adolescentes se acotovelando diante da porta da sapataria.

Vai, vai, VAI. Pratico a palavra em minha boca antes que a haste possa cravar seus espinhos em meu subconsciente.

— Vai. — Com alívio, pronuncio a palavra antes de tentar apertar os lábios, inspirando pelo nariz e tentando expirar pela boca, os lábios franzidos em posição de assovio, enquanto tento me acalmar Mas não adianta. Já posso ouvir os últimos acordes da introdução.

Rose solta o cabelo e tenta cobrir o rosto com ele enquanto pega a mochila jeans e a pendura no ombro.

*"And did those feeeet... in ancient time,*
*Walk upon England's moun-tains green..."*
[E aqueles pééééés... em tempos passados,
Andaram pelo verde das mon-tanhas da Inglaterra...]

Minha voz se solta do meu corpo e sinto o sabor do doce alívio que isso traz, junto com o horror e a vergonha no rosto da minha filha, enquanto ela olha por cima do ombro para mim, com uma mistura de decepção, pena e a mais absoluta vergonha. Quanto a mim, paro com as costas empertigadas, a mão ainda segurando o sapato preto escolar — que agora uso como a batuta de um maestro —, sacudindo-o e agitando-o de um lado para o outro, à la Harry Potter. Começo a desenhar um oito suavemente no ar com a mão livre, o polegar e o indicador unidos enquanto inicio a apresentação — e só posso supor que é isso que meu subconsciente pense que seja — da seção de cordas.

*"And was the ho...ly Lamb of God*
*On England's pleasant pastures seen?"*
[E foi o sagra...do Cordeiro de Deus
Visto nos aprazíveis pastos da Inglaterra?]

Meu lábio inferior começa a tremer enquanto registro a agonia em cada passo que Rose dá em direção à porta: em direção a seus colegas.

*"And did the Count-en-ance Divine,*
*Shine forth up-on our clouded hills?"*
[E o Sem-blan-te Divino brilhou
Nas nuvens acima de nossas colinas?]

Um cutucão, um sorrisinho e pescoços esticados nos rodeiam.

*"And was Jerusalem builded here?*
*Among those dark Sa-tanic Mills?"*
[E foi Jerusalém construída aqui?
Entre esses escuros Moinhos Sa-tânicos?]

No momento em que estou trazendo meu arco de ouro incandescente e minhas flechas do desejo, Rose já está quase do lado de fora da loja. Com lágrimas de remorso, continuo apresentando várias partes da orquestra da minha mente com minha batuta de verniz.

*"I will not ceeeease, from mental fight,*
*Nor shall my sworrrrrrd sleep in my hand!"*
[Não vou descansaaaar da luta mental,
Tampouco a espaaaada dormirá em minha mão!]

Vejo o garoto que estuda na escola de Rose desde o jardim de infância. O que lhe deu o apelido de "Peixinho Dourado", um nome que se referia — é claro — aos seus cabelos ruivos e lábios cheios. Percebo com irritação que ele se transformou em um jovem atraente: sorriso torto, olhos azuis brilhantes e um daqueles topetes penteados que parecem ser o hit do momento. Ele sorri para ela e cutuca o amigo menos atraente e cheio de espinhas.

Rose ajeita a bolsa, mantém a cabeça baixa enquanto se vira para a esquerda, passando pelo cesto de promoções de tênis para educação física, e já está quase passando pela porta.

*"Till we have buiiiiiiiillt..."*
[Até termos construíííííído...]

Estreito os olhos.

*"Jer-us-a-lem!"*
[Je-ru-sa-lém!]

Levo o braço para trás.

*"In England's greeeeen and plea-sannnn-t land."*
[Nas terras veeeerdes e apra-zííí-veis da Inglaterra.]

E, com minha nota final, atiro com boa pontaria a batuta pela loja, passando pelas botas de grife falsas, e acerto a testa entre aqueles olhos azuis cintilantes e assustados.

Com o floreio de um maestro, eu me curvo, mas infelizmente não sou recepcionada com uma cascata de rosas vermelhas aos meus pés, e sim com um olhar de ódio da minha filha antes que ela atravesse, aos trancos, o grupo de adolescentes e mergulhe no mar de consumidores daquele sábado.

Noite de sábado e eu estou fazendo o quê? Sentada no meu quarto, vestida com meu velho pijama de lã com estampa de cãezinhos terrier, bebendo chá e mexendo em meu laptop. Clico duas vezes na informação que deixou Rose tão animada e encaro os detalhes novamente.

**Gênero:** Masculino

**Faixa etária:** 30-40

**Etnia:** Branco (europeu)

**Altura:** 1,88m

**Constituição física:** Magro

**Data em que foi encontrado:** 20/02/16

**Circunstâncias:** Homem encontrado caído do lado de fora de um shopping, Taunton, às 16:00. Mais tarde desapareceu do Musgrove Park Hospital. Nome sugerido: Tom. Usava uma pulseira de prata gravada.

**Cabelo:** Escuro, curto, aproximadamente 1 cm

**Cor dos olhos:** Verdes

**Traços distintivos:** Tatuagem — ombro esquerdo — 3 andorinhas, sombreadas em azul-escuro

**Roupas**

**Chapéu:** De lã — cinza

**Casaco:** Marrom-escuro com logo no peito, à direita

**Camisa/Blusa:** Camisa xadrez verde forrada

**Calça:** Jeans — marrom-escuro, bom estado

**Calçado:** Botas — de camurça, cano curto, marrom

**Posses:** Uma cédula de dez libras, 2 de £2

**Sudoeste da Inglaterra**

**20/02/16 Polícia de Avon e Somerset**

A cor dos olhos não bate; não pode ser ele... exceto que, quando ele estava cansado ou se havia chorado, eles tendiam a adquirir um tom verde-mar, e não azul/cinza. Azul/cinza. Estou tão acostumada a descrevê-los assim. É frustrante quando você preenche formulário atrás de formulário, a ponto de ficar reduzido a isso. Você não pode dizer que os olhos do seu amado são da cor do Mar de Gales em um dia de verão, ou que enrugam dos lados quando ele vê você chegando, ou que se semicerram quando ele está comendo algo gostoso, ou que se enchem de lágrimas à menção do King Kong. Azul/cinza. Coço a parte posterior da cabeça e me pergunto onde é que fica Taunton, no momento em que ouço uma batida na porta do quarto. O que estou fazendo? Ele está morto. Mas, mesmo assim, posso sentir a velha força da esperança, uma corda na qual me agarrei por tanto tempo que me custou meus amigos e, no fim, por um curto período, minha sanidade. Essa corda me balançava, me levando e me tirando da insônia e do mundo sombrio das pessoas desaparecidas, de autorizações e dias em que eu esquecia de uniformes de educação física e lancheiras. Meus amigos, principalmente pais dos amigos de Flynn, começaram a manter distância à medida que minha aparência foi se tornando mais desleixada, minha concentração, mais errática.

Minhas amigas mais próximas, amigas com quem bebi pela primeira vez — uma garrafa do licor de café Tia Maria, roubada da casa da avó de Pauline —, amigas a quem contei, animada, quando dei meu primeiro beijo e depois quando levei meu primeiro fora, e com quem abri os resultados das provas de conclusão do segundo grau, ainda mantiveram contato, mas tanto Pauline como Emily moram em lados opostos do país e, portanto, não viram a mulher em que eu me transformara.

Ainda assim, trocamos mensagens: espero que você esteja bem, Ben deu os primeiros passinhos, estou grávida de novo, precisamos nos encontrar logo, ah, meu Deus, é mesmo? Você está bem? Vamos nos encontrar logo... e então nos encontramos. Saímos para tomar uns drinques e jantar, mas eu estava tão nervosa depois de tanto tempo sem vê-las que cantei o tema inteiro de *Friends* antes de deixarmos o bar e levarmos as bebidas para a mesa. O peso sempre fora uma preocupação para Pauline e, antes que me desse conta, eu estava cantando "Fat Bottomed Girls", do Queen. Ela tentou fingir que não tinha ficado chateada, mas, quando comecei "Whole Lotta Rosie", eu soube que precisava ir embora. Não era justo com elas. Eu odiava vê-las correndo os olhos pelo bar, constrangidas, porém mais do que isso, odiava o fato de ter magoado uma de minhas amigas mais queridas. Eu sabia que era melhor não me encontrar mais com elas, não responder mais as mensagens, não chamá-las mais de amigas.

— Mãe?

Fecho o laptop e rapidamente o enfio embaixo da cama.

— Entre. O que você ainda está fazendo acordado, Flynn? São onze e meia.

— Você está hã... — Ele move a cabeça na minha direção. Franzo a testa, de maneira questionadora.

— O quê?

Só então me dou conta de que minha boca está seca, e minha garganta, irritada. Eu estava cantando. Acontece, às vezes. Eu me distraio a ponto de não perceber o que estou fazendo. Como você pode não perceber?, você deve estar se perguntando. Muito simples. É como ter uma música grudada na cabeça. Por exemplo, pense naquela canção da Kylie Minogue "Can't Get You Out of My Head", sabe? Consegue ouvi-la em toda a sua glória? Ótimo. Agora note como você ainda está sentado em uma posição relaxada. Você ainda está inspirando e expirando, e eu apostaria que você provavelmente piscou algumas vezes também. Está vendo? É fácil continuar fazendo suas coisas, mesmo com Kylie dançando como um robô em algum lugar no seu hipocampo. Você ouve a música, fica irritado, mas ainda consegue viver seu dia sem que ela tenha algum impacto no mundo externo. É exatamente o que acontece comigo, só que eu vocalizo. Maldita Kylie, agora está grudada na minha cabeça também.

— Desculpa. Vou fazer um chá de camomila. — Eu me espreguiço e sorrio para meu menino. — Você está bem?

Ele dá de ombros e se recosta no batente, mordendo a parte interna do polegar. Inclino a cabeça e dou um tapinha no espaço ao meu lado na cama. Ele caminha devagar em minha direção e se joga, todo cotovelos, pomo de adão e desodorante Lynx.

— O que foi?

— Eu... — começa ele, a voz grave de adolescente expressando sua frase aos tropeços — nós, hã, temos uma reunião na escola na segunda de manhã.

— Ok.

— Não vai ser uma reunião muito boa, então talvez você queira, você sabe, tomar um pouco daquele troço.

Com "aquele troço" ele quer dizer minha "medicação". Venho tentando diferentes combinações de remédios ansiolíticos. Até agora já tentei: sementes de aipo, matricária e raiz de valeriana, para citar apenas alguns. Desisti dos medicamentos de verdade; eu tinha a sensação de que estava em um constante estado de inconsciência, sempre me equilibrando à beira do sono, cambaleando em torno das margens da vida, mas sem tomar parte nela. Às vezes, tomo alguns jatos do floral emergencial Rescue Remedy, quando sei que vou passar por uma situação estressante. Parece ajudar. Da última vez que tive que ligar para a companhia de gás, só cantei a primeira parte de "Jumpin' Jack Flash", e não toda a "You're the One That I Want" que a companhia de eletricidade teve que suportar.

— Ok. Você prefere que seja por telefone?

— Não, não me importo, você sabe. — Ele me dirige um sorriso de lado. — Eu já sou esquisito. Na pior das hipóteses, você ser estranha só vai me deixar melhor na fita. — Dou um tapa em seu braço quando ele começa a escorregar para fora da cama.

— Recebi uma ligação no outro dia de um supervisor de apoio comportamental. Ele diz que pode ajudar você a se sentir mais tranquilo. Quem sabe não é disso que precisa?

Ele dá de ombros antes de mudar de assunto.

— Ah, vovó ligou mais cedo. Pediu pra você ligar de volta porque ela não consegue se decidir entre as cortinas de xadrez vermelho ou as... — Ele olha para o alto, tentando lembrar os detalhes. — Verdes? Não. Roxas? Não sei. Bem, alguma coisa assim.

Minha mãe e eu sempre fomos o oposto uma da outra. A casa dela é imaculada, a minha é uma zona; ela vive cercada de amigos, eu não tenho nenhum; ela corre, eu fico sentada. A vida dela sempre girou em torno de si mesma; durante toda a minha infância, as necessidades de mamãe vinham antes de mim. Desse jeito, parece que é uma péssima pessoa. Mas ela não foi — não é — uma mãe ruim. Eu sempre tive roupas limpas, sapatos escolares de boa qualidade; eu era bem-educada. Sempre me senti amada, nunca achei que não pudesse contar com ela e sempre me senti segura. Mas... Na minha primeira peça na escola, mamãe estava ajudando uma amiga a se mudar. No meu primeiro coração partido, mamãe teve que sair; é a inauguração da nova biblioteca e você vai ficar bem, tem muitos outros peixes no mar. Na minha festa de noivado, é claro que vou, mas prometi ao reverendo Daniel que ajudaria com o bingo. Ela me ama, mas é como se eu fosse um quadradinho ticado em uma lista de coisas a fazer: encontrar um bom partido, mais velho — ok; ter filho — ok; filiar-se ao Instituto de Mulheres — ok.

Meu pai já tinha passado dos 50 quando nasci. Eu mal me lembro dele afora a impressão de ser um homem bastante insípido e levemente desapontado com a vida. Ele se retirou da minha vida e foi para uma casa de repouso quando a demência se manifestou. Não posso dizer que isso teve um efeito dramático em mim; era como se eu fosse um bichinho de estimação. Um rápido carinho na cabeça quando eu me comportava bem, uma cara feia se eu o desagradasse.

A única coisa em que minha mãe e eu concordamos é em relação a meus filhos. Flynn e Rose não têm defeitos aos olhos dela. Presentes de aniversário e de Natal são sempre perfeitos, escolhidos com muito cuidado. Ela os mima, arranja desculpas quando eles se comportam mal, culpando a escola, a falta de sono, o tempo. Eles também a amam. Horas jogando cartas e montando quebra-cabeça, coisa que ela nunca fez comigo, cimentaram seu relacionamento.

Uma noite, depois de dividirmos uma garrafa de vinho, ela me falou: "É diferente com os netos, você vai ver; seus erros não têm importância porque eles voltam para casa depois do fim de semana." Eu me pergunto se ela estava tão preocupada em ser a mãe perfeita que isso a impediu de *ser* a mãe perfeita.

— Tudo bem. Ligo para ela amanhã. — Sorrio para Flynn quando ele alcança a porta, fechando-a em silêncio ao passar.

— Sra. King? — Recebo um aperto de mão flácido do diretor sem queixo, o Sr. Smythe.

Sinceramente, isso é o melhor que o senhor pode fazer?, tenho vontade de perguntar. Se um peixe pudesse apertar mãos, seria essa a sensação. Qual a dificuldade de dar um aperto de mão firme? E não só é mole como um espinafre murcho, como a palma está virada para baixo. Bem, não sou nenhuma psicóloga, mas certamente um aperto de mão úmido e submisso não é um bom sinal para um homem que tem a educação de seu filho em suas palmas aquáticas. Enquanto dirijo um sorriso falso para seus olhos vítreos e embaçados, percebo que ele de fato tem cara de peixe. A boca pende aberta, e os olhos vidrados são separados demais para que alguém possa achá-los atraentes. Me afasto de seu toque pegajoso e me viro para o outro homem, que presumo ser o coordenador da série de Flynn. O Sr. Greene segura minha mão e a balança com entusiasmo. Esse é um aperto de mão que tenta estabelecer uma conexão comigo. Ele diz: "Ei, já somos parceiros", mas não sou sua parceira, nem perto disso. Ele é alto, magro e rijo, e tem manchas amarelas nas axilas na camisa xadrez azul. Corro os olhos pela sala azul-acinzentada e caminho em direção ao par de cadeiras diante da mesa plana, em tons de faia.

— Sentem-se — acrescenta ele. Flynn está alheio às apresentações formais; eu o ouço suspirar ao descer o corpo esguio na cadeira. — Então — começa o Sr. Greene, esticando-se brevemente na ponta dos pés, as mãos agora nos bolsos, antes de se sentar ao lado do Sr. Cara de Peixe, e eu me pergunto quem de fato é o responsável por esta escola.

— Então — replico, os lábios formando uma linha fina.

— Estou certo de que sabe a razão de estarmos aqui. O comportamento de Flynn. — Ouço um clique baixinho quando a porta atrás de mim se abre e fecha, permitindo a entrada de outra pessoa na sala. Isso me enerva por um momento, sabendo que um novo participante desse pequeno *tête-à-tête* se encontra fora do meu campo de visão.

Aperto os lábios com força quando a palavra "Quasímodo" reverbera em meu cérebro.

— O comportamento de Flynn? — pergunto, erguendo as sobrancelhas.

— Não sei se está ciente disso, Sra. King, mas seu filho atacou um de nossos alunos notáveis.

— Alunos notáveis? — pergunto, confusa.

— Sim. Rob Hunt. Ele é um de nossos confiáveis.

— Confiáveis?

— Isso. Ele tem um futuro excepcionalmente brilhante e infelizmente... os recentes atos de agressão de seu filho podem ter prejudicado as chances de ele ser selecionado para o próximo filme de *Star Wars*.

— Oi? — Posso sentir todo o meu corpo começar a vibrar, uma fúria de crescendos, baladas elétricas e músicas de academia explodindo pelo meu corpo. Sequências de jazz e blues seguem de mãos dadas pela minha cabeça e então evaporam, meu cérebro incapaz de ligar uma nota a outra.

— *Star Wars?* — Inclino a cabeça. — *Star Wars?* — repito, dessa vez em um tom agressivo.

O Sr. Greene fica na ponta dos pés novamente e Cara de Peixe permanece sentado, piscando.

— É um filme de George Lucas — explica ele.

— Na verdade, agora é da Disney — acrescenta uma voz incorpórea vinda de trás de mim.

Furiosa demais para desviar os olhos de Greene, não dou corda ao debate.

— O senhor me chamou aqui para discutir como meu filho destruiu a chance de alguém de ser um Stormtrooper?

— Ele é baixo demais para ser um Stormtrooper — intervém Flynn.

— Verdade — concorda a voz.

Flynn dá uma risadinha.

— Podemos parar de falar de Stormtroopers? — pergunto um tanto histericamente.

— Sra. King. O fato é que o seu filho — Greene me dirige um olhar condescendente — parece não ter os instrumentos sociais que lhe permitiriam distinguir claramente o certo do errado.

— Bem, ele só tem *um* olho funcionando — a voz sem corpo acrescenta novamente atrás de mim. Espantada, vejo Flynn levar a mão acima do ombro esquerdo para receber um cumprimento com a mão espalmada, um *high-five* vindo de trás. Esse gesto foi tão relaxado, tão natural, que vejo meus pensamentos se inclinarem na direção dessa nova dimensão do meu filho. Cara de Peixe e Greene trocam um olhar tenso e aborrecido.

Revigorada por essa nova confiança que percebo em Flynn, me agarro ao controle que ainda tenho, antes que essas melodias emaranhadas encontrem um terreno estável.

— Sr. Greene, deixe-me lhe falar sobre o comportamento do meu filho.

Novamente, o olhar condescendente. Qual o problema desse homem?

— Vamos começar pelo início de cada dia... quando ele passa um tempo considerável esfregando vaselina na cicatriz para ajudar a aliviar a rigidez que se forma durante a noite. A isso se segue um grande intervalo de tempo dedicado a arrumar o cabelo sobre o olho para que o lado esquerdo de seu rosto esteja o mais coberto possível. Agora vamos falar sobre o comportamento dele quando chega em casa, depois da escola: ele ajuda a cortar a grama, lava a louça ou conserta as coisas que não consigo alcançar porque é obrigado a ser o homem da casa. Isso para não falar sobre seu comportamento quando a mãe cantou de improviso "I Bet You Look Good on the Dancefloor", do Arctic Monkeys, na reunião da turma...

— Boa música — contribui a voz flutuante.

Prossigo, ignorando-a.

— Ele não morreu de vergonha nem me fuzilou com o olhar, não foi? Ele sorriu e acenou, embora os colegas rissem e gozassem dele. E o que me diz de quando ele teve que chamar uma ambulância enquanto socorria a mãe quando tinha apenas 13 anos?

— Mãe... — Ergo a mão para silenciar Flynn.

— O senhor falou sobre seu "aluno notável"? Meu filho passou por oito cirurgias até agora. Oito. Ele teve o globo projetado da órbita ocular. Sobreviveu a um malar quebrado e cortes severos e cicatrizes. O senhor já teve uma cicatriz que coça tanto que o senhor quer arrancar a própria pele, Sr. Greene?

— Não.

— Meu filho tinha 5 anos. Ele sobreviveu a isso aos 5 anos de idade. Ora, isso é bastante notável, você não acha? O senhor sabe como é difícil fazer coisas simples como atravessar a rua quando se é cego de um olho, Sr. Smythe?

O rosto de peixe pisca sua resposta: não.

— Não se podem ver os objetos até que eles já estejam quase em cima do seu rosto, a menos que você vire a cabeça num ângulo completo de quarenta e cinco graus. Isso é só um exemplo do quanto a vida do meu filho é difícil e continuará a ser. O senhor diz que meu filho prejudicou seriamente outro aluno? Sabe de quantos nomes Flynn é chamado? Sabe quantas vezes eu tenho que ouvi-lo defender os colegas, dizendo que estão só dando umas risadas? Faz ideia do quanto isso prejudica meu filho? E então você vem falar do seu assim chamado "aluno notável"... — Eu olho para Flynn, em busca do nome.

— Rob C. Hunt.

— Tá brincando? — pergunto.

Ouço uma risadinha atrás de mim enquanto ergo a sobrancelha.

— Onde é que eu estava? Ah, sim, Rob C. Hunt, que, segundo o senhor, tem um futuro excepcionalmente brilhante? Eu gostaria de observar que o deboche mais "notável" e original que esse garoto usa é "Quasímodo"... que, incidentalmente, já ouvimos umas seis vezes esse ano.

— Sete — corrige Flynn.

— Sete vezes. Eu gostaria que o senhor passasse mais tempo avaliando quem são os verdadeiros alunos notáveis dessa escola em vez de depositar todas as suas esperanças no próximo Luke Sky Diver.

— Walker — corrigem Flynn e a voz em uníssono. Outro *high-five*.

Flynn tem uma conexão com essa pessoa. Flynn confia nessa pessoa. Essa pessoa conhece meu filho. Essa pessoa pode ajudá-lo. Acalmo minha respiração enquanto notas fortes começam a assumir o controle. Essa pessoa — eu me levanto e olho por sobre o ombro —, essa pessoa... é um gato.

— Acho que encerramos aqui — digo com um guincho.

Puxo Flynn pelo braço, fazendo-o se levantar, e mantenho os lábios apertados: ele percebe minha compostura se desmantelando.

— Sra. King, ainda não discutimos...

Eu escuto:

— Vocês ouviram, cavalheiros, ela disse que acabou — antes que a introdução do saxofone comece, minha cabeça se enchendo com os quadris de Tom Jones girando. Flynn me conduz apressado para fora da sala, fechando a porta rapidamente no momento em que "Sex Bomb" irrompe de minha boca. Eu olho mortificada para ele, meu filho lindo, enquanto explico, com a voz baixa e rouca, como me deixar excitada. Ele ri, murmura "Que nojento" e, balançando a cabeça, pendura a mochila no ombro e segue para o banheiro dos garotos.

— Dum-dum, dum-dum... você é um dum-dum... — canto enquanto sigo pelo corredor cinzento de piso lascado na direção das portas duplas, hesitando de vez em quando ao girar os quadris, e continuo a advertir os passantes, inclusive a recepcionista de 61 anos e cabelos prateados, de que são um dispositivo explosivo prestes a ter a oportunidade de me fazer de fato muito feliz.

# 4

# Flynn

Minha mãe é incrível. Sei que não é o que se espera ouvir de um típico garoto de 16 anos, mas eu não sou o típico garoto de 16 anos. Ela tem essa coisa, eu sei, de cantar na hora errada, e que faz com que pareça totalmente idiota. Sabe, como aquele garoto de Star Wars no YouTube, o que está fingindo ser um Jedi com um cabo de vassoura? Aquele cara foi torturado na escola, o vídeo teve uns trinta milhões de visualizações ou algo assim. Aquele garoto está fazendo terapia e vai ter que continuar pelo resto da vida. Mas mamãe? Ela faz coisas constrangedoras dia sim, dia não. E elas vão parar no YouTube. Muitas delas. Ok, vou dar um exemplo. Uma vez fomos ao aniversário do meu amigo Josh na pizzaria (ela foi só me deixar lá, porque detesta me colocar em qualquer situação que possa me envergonhar, mas, sabe, o que pode ter de estressante em ir comer uma pizza, né?); então ela me deixou lá, mas, como um idiota, esqueci o cartão dele no carro. Ela entrou, me viu, acenou com o cartão e eu me levantei. Então meu outro amigo, Jacob, disse (no sussurro mais alto possível): "Cara, sua mãe é gata." Bem, ok, que nojo, isso não é uma coisa legal de se dizer, nunca, mas o problema é que mamãe ouviu. Acho que ela ficou meio feliz, mas, ao mesmo tempo, eu podia ver os sinais de que ela estava começando a fazer aquela coisa em que parece que precisa fazer xixi e aperta os lábios. Andei o mais rápido que pude em sua direção, mas a essa altura ela já havia começado a cantar aquela música patética dos anos oitenta, o que basicamente significa que ela estava dizendo a Jacob que, se ele acha que ela é sexy e se ele a quer, então deveria dizer isso para ela, sabe? Era daquele tal de Rod Stewart, acho... como eu disse, patética. Ok, sei que de fora pode ter parecido engraçado, principalmente quando ela começou a fingir um striptease, mas não conseguiu passar o cardigã pelo braço porque o botão ficou preso na pulseira do relógio. Quanto mais estressada ficava, mais alto cantava e mais misturava a letra. Quando começou a chamar Jacob de um carregamento de adoçantes, devia ter uns quinze celulares apontados para ela. A última vez que olhei, essa curta cena tinha 2.154 acessos. Como eu disse, constrangedor. Mas, diferentemente do derrotado do Star Wars, ela não faz terapia. Quer dizer, ela chora de vez em quando, mas tem seu próprio jeito de ver a situação. Ela diz que, após o desaparecimento do papai, exceto eu ou Rose morrermos, o pior já aconteceu.

Eis o que me lembro do meu pai. Antes do acidente, lembro que ele era engraçado. Eu me lembro de brincar de Lego com ele por horas. Fazíamos coisas como construir uma torre até ela chegar ao teto. A gente colocava deitada no carpete da sala e tínhamos que chamar mamãe para ajudar a levantar a torre multicolorida e segurá-la para ver se a altura já era suficiente. Eu me lembro de mamãe viajar, por uma noite, acho, e papai me colocar sentado à mesa e fazer essa faixa que dizia "Bem-vinda de volta, mãe". Cada letra ocupava uma folha A4 inteira, e colorimos cada uma delas com padrões diferentes. Levou uma eternidade, mas papai fazia com que fosse divertido, dizendo: "Vamos ver se você consegue desenhar mais círculos na sua letra do que tem na minha. Aposto que você consegue ganhar de mim." Tudo era sempre um jogo: "Aposto que consigo jogar essa embalagem na lixeira antes que você consiga chegar lá com a sua." Lembro que nas manhãs de Natal ele sempre nos fazia esperar fora da sala e então dizia: "Não, ele não veio... vamos voltar para a cama", mas nós sempre sabíamos que ele tinha ido. Eu me lembro de mamãe rindo. Ela ria muito. Eu nunca entendia as coisas engraçadas que papai dizia, mas ela entendia.

Eu me lembro de irmos ao zoológico. De darmos toda a volta, até o outro lado, só porque Rose queria ver os flamingos. Ela até ganhou um enfeite de flamingo para a árvore de Natal comprado na loja de suvenires do zoológico. Eu ganhei um pinguim em um globo de neve. Eu me lembro de querer ficar para ver os pinguins sendo alimentados, mas o tratador estava atrasado e nós tínhamos que ir embora. Com frequência me pergunto como seria minha vida se aquele tratador tivesse chegado na hora certa. Talvez, se ele não tivesse parado para dar informações a alguém quando estava a caminho do cercado, as coisas teriam sido diferentes. Quando eu tinha uns 7 anos, eu fechava os olhos com força na hora de dormir e tentava fazer aquele tratador correr para alimentar os pinguins. Eu o imaginava em disparada com seu balde de peixes, dizendo: "Desculpe, não posso parar para lhe dar informações. Os pinguins estão com fome!" Ele sorria e continuava correndo, derramando água pelas laterais do balde de peixe. Mas, quando eu abria lentamente o olho esquerdo, mantendo o direito fechado, ainda não havia nada além da escuridão.

Eu me lembro do acidente. Me lembro do barulho: parecia um cavalo relinchando por muito tempo. E me lembro de voar e me sentir dormente e leve, mas acho que isso eu posso ter inventado.

Eu me lembro do papai depois do acidente. Mamãe não ria muito naqueles dias. Eles não se olhavam mais da mesma maneira. Me lembro de sentir como se tivesse deixado meu pai chateado. Ele me olhava com aquela expressão estranha, como se eu estivesse tão deformado que ele não suportasse olhar para mim. Uma vez eu o ouvi gritar durante a noite. Comecei a gritar também. Eu não sabia o que era o barulho que havia me acordado. Mamãe me cobriu novamente com o edredom de super-heróis e disse que, às vezes, até os adultos têm pesadelos. Ela acariciou meu cabelo e cantou "Can't Help Falling in Love", do Elvis, até eu começar a cair no sono novamente, mas consigo me lembrar de ouvir papai emitindo um som de lamento ao fundo. Mas o maior medo que já senti não foi no acidente, nem quando percebi que adultos têm pesadelos; foi quando ouvi a voz aguda de Rose chamar meu nome do lado de fora de casa e encontrei mamãe inconsciente, com o sangue empapando o cabelo dela na parte de trás da cabeça. Esse foi o maior medo que já senti na vida — e o maior medo que posso imaginar sentir pelo resto da vida.

O que estou tentando dizer é tudo bem, ter 16 anos é foda, e, não me entenda mal, minha vida está a anos-luz de ser perfeita. Mas eu penso que, se sobrevivi até agora, acho que tenho uma chance muito boa de me virar bem daqui para a frente. Mesmo que imbecis como Rob me ataquem de vez em quando, acho que posso lidar com isso porque sei que posso lidar com a vida. Ela já me deu uma surra, e eu ainda estou bem. Então, quando Rose começa a mexer com essa coisa de pessoas desaparecidas e aparece com a história daquele cara das tatuagens... Eu começo a sentir algo novo. Eu me sinto, não sei... derrotado? Eu posso lidar com a maior parte das coisas que forem jogadas em cima de mim, mas aquele olhar... Aquele olhar que papai costumava me lançar? Acho que eu não poderia lidar com aquilo, mas se eu não lidar... quem vai cuidar de mamãe e de Rose?

# 5

# Melody

Meu Deus, o que aconteceu dessa vez?

Minhas mãos estão ocupadas com os itens indispensáveis da loja da esquina para a semana — exatamente quando vinho tinto e batata Pringles se tornaram itens indispensáveis para mim, não tenho certeza. Empurro a porta da frente com o ombro, enquanto o telefone fixo e o meu celular tocam ao mesmo tempo. Apressada mas com cuidado, ponho as sacolas no chão, bato a porta, empurrando-a com a bunda vestida com uma calça jeans, e, sem fôlego, atendo o telefone de plástico preto, preso à parede, que, de verdade, não pareceria tão deslocado em uma loja de objetos retrô.

— Sra.... King?

— Sim?

— Olá, aqui é da Summerfell Academy. Estou ligando para falar sobre Rose.

Rose? Estou acostumada a receber ligações por causa de Flynn. Isso é novidade.

— Ah, ela está indo mal? — pergunto por cima dos insistentes toques do meu celular.

— Hã, não.

Ah, aposto que é sobre aquela competição da qual ela tem que participar. Ela ficou muito chateada com isso, uma coisa para alunos bem-dotados e talentosos a que precisou ir ano passado. Este ano, porém, colocaram Rose com uma colega que é horrível com ela. Rose queria que eu ligasse para a escola para pedir dispensa, mas eles não foram muito solícitos e basicamente disseram que ela tinha que aceitar.

— Ela, Rose... bem, o diretor, o Sr. Smythe, pediu que a senhora viesse conversar com ele. Hoje, se possível.

— Ah, hã, ok... — Eu mentalmente me recrimino por não ter ido buscar outro frasco do floral emergencial, embora ainda tenha alguns comprimidos de valeriana no armário do banheiro. Vai ter que servir.

— Obrigada. Então pode ser às três?

— Ah, hã, sim, às três.

Então desligo, pego o celular que continua tocando e deslizo a tela enquanto corro até o armário do banheiro no andar de cima.

— Sim? — Posso sentir o batimento cardíaco acelerando, blues elétricos contraindo músculos hardcore, bluegrass tocando alto em ambientes de música de câmara à medida que o rock progressivo silencia, seu ritmo acelerado ameaçando o ska.

— Alô, Sra. King?

— Humhmm. — Mantenho os lábios fechados com uma das mãos e abro o armário, segurando o telefone entre o ombro e a orelha.

— Aqui é o Sr. Greene. Tivemos uma reunião no outro dia. É sobre Flynn. Como não conseguimos concluir a reunião naquele dia... — Idiota condescendente. Posso praticamente "ouvir" sua testa franzida e seu olhar complacente.

— Hummmm — replico, tentando desesperadamente abrir a tampa do frasco de valeriana com apenas uma das mãos.

— Bem, acabamos de ter uma reunião da Liderança *Sênior*, e receio que não tenhamos outra escolha senão suspender Flynn... por dois dias. A senhora pode vir buscá-lo na escola?

— Fnnnt.

— Como?

— Ok — consigo dizer entre os dentes cerrados antes de deslizar a tela do telefone, sumindo com a ligação do arrogante Sr. Greene. Então me sento na lateral da banheira, cantando o refrão de "School's Out" e me perguntando como vou conseguir resolver esse problema. Não dá para dar um tapinha na mão de Flynn e pronto... isso pode destruir suas chances de entrar em uma universidade. E o que foi que aconteceu com Rose?

Sem me dar conta, troco de gêneros musicais e entro na "Beauty School Dropout", declarando que minha história é triste demais para contar, uma adolescente que não está se saindo bem e, quando me levanto, jogando dois comprimidos na boca, eu "lá, lá, lá, lá, lá, lá" de volta à escola de Flynn. Enquanto as últimas frases de sabedoria aconselhando a voltar para o ensino médio morrem, olho para meu celular, que voltou a tocar. Não é um número que eu conheça, então recuso a ligação, preferindo enxugar minhas lágrimas de preocupação e desfrutar de meu silêncio momentâneo.

Ignorando a urgência vibrante do telefone em meu bolso, bato a porta do carro, ouço seu zumbido tranquilizador quando se tranca e ajeito o casaco azul-marinho. Ergo os olhos para a fortaleza com janelas, me perguntando quantos pais já enfrentaram esse mesmo destino. O inocente reflexo do céu azul cobalto, salpicado aqui e ali com nuvens cor de massa de vidraceiro, me faz lembrar que a primavera ainda não chegou, mas já começou sua jornada em direção aos dias quentes em que florescem narcisos. Respiro fundo e devagar, enchendo meus pulmões com uma calma fria, e então lentamente solto as preocupações e ansiedades. Fechando os olhos, contemplo a mim mesma entrando naquele gabinete com confiança e autocontrole, sem canções e constrangimentos. Com passos determinados, atravesso o rangido pesado das portas de entrada e vejo meu lindo menino roendo a unha do polegar, os cabelos escuros ondulados camuflando metade de seu rosto, e todos os conceitos de calma evaporam em uma névoa de fúria. Como podem deixá-lo sentado aqui, um alvo entre uma torrente de adolescentes? Como podem ser tão indiferentes à humilhação a que está sendo submetido, um criminoso em um tronco metafórico enquanto a multidão lança piadinhas como frutas podres? Olho à minha volta enquanto o cheiro de hormônios, insegurança e mágoa subjugam meus sentidos. Ele levanta o olhar, me vê e me dirige um sorriso torto, então dá de ombros e ergue os dois polegares para mim, em um gesto de derrota. Enterrando as unhas na palma das mãos para recompor meu juízo, vou até ele e me sento ao seu lado na fileira de cadeiras azuis, reservadas àqueles que aguardam seu destino determinado pelos poderes educacionais instituídos.

— Ei.

— O que aconteceu? — pergunto.

— Nada.

— Nada?

— Não. Não desde a última vez. Eu estava na aula de artes, eles me chamaram e me prenderam aqui.

— Ah. Pensei que alguma coisa mais pudesse ter acontecido. Há quanto tempo você está aqui?

— Uma hora mais ou menos...

— Uma hora?! Eles disseram que querem suspender você?

— O quê? — A expressão dele se divide entre o horror e a diversão. — Tá de sacanagem! Dylan puxou uma faca para Brandon na semana passada, mas nem assim foi suspenso. Isso não pode ser verdade. Você não estava, sabe, aborrecida quando falaram com você? Talvez tenha entendido errado...

— Bem, eu estava aborrecida, mas não *aborrecida*. O Sr. Greene foi bem claro. Dois dias, ele disse.

— Que merda. — Ele balança a cabeça.

— Pois é — concordei. — Sabe o que está rolando com a Rose?

— A Supergeek? Não, por quê?

— O Sr. Smythe quer falar comigo sobre ela.

— Ela deve ter ganhado uma medalha ou algo assim.

— Hmm. — Coço a parte de trás da cabeça. — Talvez, mas, ah, não sei... é que parecia uma das ligações que recebo sobre você.

Ele cutuca meu braço.

— Desculpa, você entendeu o que eu quis dizer. Vou dar um pulinho no banheiro antes de a gente entrar. Onde fica?

— Só seguir o corredor, perto da sala dos professores.

— É só um minuto. Vou tomar mais umas pastilhas fitoterápicas.

— Drogada — diz ele pelo canto da boca.

— Transgressor — respondo com um sorriso.

Lavo as mãos, arrumo o cabelo e passo um pouco de gloss nos lábios, sorrindo ao ler algumas declarações de amor para as boy bands do momento, com gentis comentários sobre seus talentos "musicais" feitos pelas garotas mais velhas. Com a bolsa a tiracolo, sigo até a porta. Não sei o que me faz parar com a mão na maçaneta grudenta — talvez uma habilidade inata de ouvir o próprio nome acima da costumeira cacofonia da vida escolar —, mas o fato é que paro.

— Rose King... alguma relação com Flynn King? O que tem a mãe que canta? — pergunta uma voz feminina. Posso ouvir o falatório de fundo na sala dos professores. A porta deve estar aberta.

— Sim. — Um comentário abafado dentro da sala faz chegar até mim uma explosão de risos. Ouço alguém mencionar "The Hills Are Alive".

— O que é isso? — Outra voz, mais próxima da porta e masculina.

— Você não ouviu?

Mais vozes abafadas vindas da sala dos professores.

— Smythe ia suspendê-la, mas com o Desafio dos Bem-dotados e Talentosos do Nono Ano se aproximando...

— Ah, entendi, ouvi dizer que temos uma chance esse ano. O velho Smythe está atrás dessa nova biblioteca como prêmio desde que começou a competição. Ela é assim tão brilhante?

— Vamos colocar assim: Jim Boyle está dando a ela questões do último ano para evitar que ela aponte as imprecisões dele em aula. — Ambos riem.

— Deixe-me pegar uma xícara de... — Mas alguém fecha a porta, e não consigo ouvir o restante da frase.

Rose? Suspensa? O que está acontecendo? Hesitante, abro a porta e sigo até Flynn e às respostas. Com um suspiro, me sento ao lado dele enquanto pego impaciente meu telefone e vejo sete ligações perdidas de um número desconhecido. Uma mensagem enviada pelo mesmo número aparece no alto da tela. Corro os olhos pela mensagem e foco nas palavras "política de comportamento" no momento em que meu nome é chamado pela recepcionista e Flynn e eu nos levantamos como os réus que somos.

— Somente a senhora, Sra. King, por ora.

Flynn se joga novamente na cadeira.

— Ah, mas pensei...

— Se pudermos cuidar da questão da Rose *primeiro...* Flynn, logo falaremos com você. — Ela usa um tom que deixa implícito que nem meu filho nem eu somos dignos de sua atenção. Estreito os olhos e concluo nesse instante que não gosto dessa mulher e que gostaria de retirar a oferta que fiz na última vez, de deixá-la me fazer feliz com seu detonador Tom Jones. Ainda assim, sigo sua figura estoica pelo corredor, passando pelas exposições da "Semana da Arte" e pelas estrelas sorridentes, esportivas e manchadas emolduradas, e dobramos uma esquina, seguindo para o gabinete do diretor. Ela bate na porta, abre e me conduz para dentro da sala, onde encontro minha filha, parecendo desesperada. Em sua blusa de uniforme, cuja barra ela enrola sem parar no dedo, há poças de rímel para adolescentes.

— Mãe, eu... — Ela me olha com pânico e culpa antes de soluços silenciosos estremecerem seu corpo. A porta é fechada suavemente atrás de mim. Cara de Peixe me indica a mesma cadeira que ocupei há menos de dois dias.

— Sra. King, receio que tenha más notícias para lhe dar. — Ouço um ruído vindo de Rose que soa como algo entre um gemido e o barulho de um carro velho sendo ligado em um dia frio.

Ah, meu Deus.

— Ela está grávida? — pergunto, um tanto histérica. Por um momento, vejo um vislumbre de minha filha no olhar que ela me dirige. "Fala sério, mãe!" é o que ele diz, o ridículo da minha pergunta estampado em seu rosto. Até onde sei, ela nunca nem beijou na boca.

— Hã, não, não. Receio que seja mais sério do que isso.

— Drogas? — pergunto, num tom ligeiramente mais esperançoso. Dependência química pode ser tratada facilmente. Bebês causam mais dependência, além de ser mais difícil nos livrarmos deles.

— Hã, não, não, nada disso, mas igualmente sério aos olhos da nossa escola.

— Você não está — olho para ela, seu olhar perplexo espelhando minha própria confusão — fugindo para se juntar aos jihadistas, está? — Engulo em seco, imaginando o passaporte de Rose escondido em sua mochila da escola. Veem-se a todo momento notícias de adolescentes sendo seduzidas pela empolgação por terras distantes, até caírem vítimas da radicalização.

Os ombros de Rose se curvam e, por um momento, vejo o olhar de decepção sempre presente em seu rosto lindo e sardento.

— Ah, hã, não, não, não é isso. — Minha mente vasculha as manchetes mais recentes. — Você não está tendo um caso com seu professor de matemática, está?

— Mãe! — interrompe-me ela. — Eu roubei.

É só isso?

Espera aí! Roubou?! Fecho os olhos por um segundo. Inspiro o ar fresco e calmo (embora o ar nessa sala seja tudo, menos fresco — cheira a uma mistura horrenda de café velho e bolas de basquete). Expiro a ansiedade e as preocupações. Roubou. Inspiro o cheiro abafado de bolas de basquete com café. Talvez tenham sido apenas alguns lápis ou coisas assim. Expiro os fardos e a bagagem. Abro os olhos e engulo os primeiros acordes de "I Shot the Sheriff".

— Roubou?

Os lábios de Rose começam a tremer enquanto ela baixa a cabeça, o arrependimento e a desolação claros em seus olhos, que não conseguem sustentar meu olhar. Meu coração se parte pela minha menina inteligente e sensível. Volto minha atenção para Smythe.

— O que exatamente ela roubou?

— Como a senhora sabe, Sra. King, a sua filha é uma aluna brilhante, esforçada e confiável. Portanto, quando ela começou um esquema para arrecadação de fundos, os professores a apoiaram cem por cento. Todos concordamos, quando ela começou a montar sua banca de caridade a cada intervalo, que seria aplaudida por seus esforços. Ela recebeu o prêmio do diretor ainda na semana passada.

— Banca de caridade?

— Sim, por exemplo, na semana passada foi: adivinhe o nome do ursinho, a vinte centavos a tentativa. Um dia dessa semana foi: pinte as unhas por uma libra. Esse foi um sucesso entre a maioria das meninas da escola, e então ontem tivemos um "atire uma esponja molhada nos professores por duas libras", que foi um grande sucesso.

— Ok... para que instituição de caridade era?

— Ajude os Sem-Teto — sussurra Rose. Ela me olha, suplicante, enquanto tento processar as informações.

— Me desculpe, Sr. Smythe, mas estou confusa. Minha filha estava arrecadando dinheiro para caridade, mas o senhor acha que ela estava roubando?

— Infelizmente para Rose, um dos professores a ouviu dizer a uma amiga que estava usando o dinheiro para contratar um detetive particular para encontrar o pai. Quando o professor de sua turma pediu que ela lhe entregasse o dinheiro, ela disse que não podia porque já tinha doado, mas, quando interpelada sobre os detalhes de para onde e quando fez isso, bem, tudo ficou claro. E Rose acabou confessando.

— Eu não estava mentindo, mãe. Se eu não conseguisse o suficiente para um detetive, ia doar para a Ajude os Sem-Teto. Encontrar papai vai ajudá-lo a não ser um sem-teto, não é? Não é exatamente uma fraude.

Fraude?!

— Eu... eu sinto muito, mas — começo a apertar os lábios — o senhor poderia, hummmmmmmmm, me dar um minuto para... — Lançando um olhar de desculpas na direção de Rose, me levanto e saio correndo do gabinete, passando por Flynn, em direção ao banheiro. Consigo me trancar no cubículo grafitado, deslizando o trinco de plástico cinza antes de vomitar a "Gold Digger" de Kanye West. Depois de descer, de ir até lá embaixo (o que não foi nada fácil considerando-se meu minúsculo estúdio de dança), me sinto mais no controle. Abro a porta, ignorando as evidências do esforço físico no meu reflexo suado no espelho, e calmamente volto ao gabinete.

Quando entro, a plateia aumentou, e agora inclui Flynn, o Sr. Greene e o bonitão do outro dia, que Flynn tinha me dito que era o supervisor de apoio comportamental. Ele parece me dirigir um olhar estranho, como se me cobrasse a resposta para uma pergunta que não me foi feita. Ele tem cabelos curtos, escuros, ligeiramente despenteados, é mais alto do que eu havia originalmente imaginado, cerca de 1,80 metro, e está de jeans, camiseta branca e um casaco de tweed. Tem um quê de James McAvoy.

Eu me inclino na frente de Rose e esfrego a parte superior de seus braços.

— Desculpem, eu precisava... vocês sabem... Vai ficar tudo bem, Rose. Vou resolver isso. — Lentamente eu me empertigo, vou até a parede e me recosto. Estou cansada de ficar abaixo do nível dos olhos de todos os outros. Flynn e o supervisor de apoio comportamental bonitão se sentam e Greene assume a mesma posição da última vez, perto do Sr. Smythe.

— Sra. King, esse é — o Sr. Greene faz um gesto quase desdenhoso — Shane Thomas. O supervisor de apoio comportamental de Flynn. Ele recomendou que conversássemos todos juntos. — Pelo tom de voz dele, deduzo que Shane mais insistiu do que sugeriu.

— Prosseguindo de onde estávamos — o Sr. Smythe emite a frase com sua boca de peixe e um ar de tédio —, devido à gravidade das artimanhas de Rose, isso não pode passar impune. Dito isso, está claro que Rose tem plena consciência de seu delito e claramente está muito arrependida. Assim, achamos que ficar sem os intervalos na próxima semana e, obviamente, devolver o dinheiro à instituição de caridade proposta seria justo.

Bem, isso parece, hã, sim, justo. Para ser franca, acho que conseguimos sair de uma enrascada e tanto. O alívio me invade e, quando sorrio para Rose, posso ver que ela está tão perplexa quanto eu. Ela sorri para mim antes de rapidamente mudar a expressão para um estado mais penitente.

— Quanto a Flynn, receio que não possamos ser tão tolerantes.

Idiotas.

— Como falamos ao telefone — interrompe Greene —, achamos que uma suspensão de dois dias é a única opção aqui.

— Posso dar uma palavrinha? — Shane fala com o sotaque suave do sul. Não exatamente um londrino ou o príncipe Harry, mas alguma coisa por aí. — Como é que uma suspensão vai ajudar Flynn ou sua família? Eu sugeriria que um plano de ação, dentro da escola, seja posto em prática. Um sistema em que ele possa ser afastado de seus gatilhos e, como escola, nós possamos, quem sabe, explorar um pouco mais fundo os comentários feitos pela Sra. King na última vez, quando ela explicou que Flynn é vítima de abusos verbais constantes.

Um sorrisinho brinca no canto da boca de Flynn. Está claro que ele sabia sobre esse plano.

— Hã, bem, não. Nós — Greene faz um gesto na direção de Smythe —, a escola, como um todo, já foi tolerante demais com as explosões dele, e temos o dever para com os pais dos outros alunos de assegurar que seus filhos se sintam seguros.

— Ah, pelo amor de Deus — interrompe Shane —, ele não é nenhum perigo. Flynn socou um garoto que, em várias ocasiões, o xingou! Ele não é um perigo se o ajudarmos a controlar toda essa situação.

Minha mente está girando. Faz muito tempo desde a última vez que tive alguém travando uma batalha a meu favor.

— Isso parece muito bonito, e é claro que daremos suporte a Flynn quando ele retornar à escola, mas, como eu disse, temos uma responsabilidade para com os pais de outros...

— Pais. Sim, eu entendo, especialmente se o pai dessa criança por acaso é do conselho escolar. — Ele ergue as sobrancelhas perfeitamente desenhadas (será que ele faz?, eu me pergunto) e abre um sorriso de lábios apertados.

Sinos de alarme começam a soar. Como podem justificar que Rose não seja punida por fraude e roubo, assim como o outro garoto que puxou uma faca, mas suspendam Flynn? Então penso na mensagem que li rapidamente sobre a "política comportamental", a conversa na sala dos professores sobre a competição e agora isto... o nojentinho, o metafórico espinho no calcanhar de Flynn, é filho de um membro do conselho escolar. Tento lembrar as regras apontadas na mensagem.

Eu havia recebido a política da primeira vez que Flynn empurrou um garoto de uma série à frente dele em cima das latas de lixo da escola — James não sei de quê. Eu me lembro de ter levado duas semanas para arrancar de Flynn o motivo do empurrão e, quando cheguei à razão, descobri que James havia perguntado se podia pegar a foto de Flynn para assustar o irmão menor no Halloween. Pelo que sei, a mãe de James não recebeu uma cópia da política. Aquela velha sensação de injustiça começou a se infiltrar em meu âmago, estremecendo minhas preocupações com um "testando, testando, um, dois, três", em meu microfone interno. Começo a respirar fundo, me concentrando nos quadros na parede, nos certificados confirmando a proeza do Sr. Smythe em Primeiros Socorros, e me desloco ligeiramente pela parede para que possa focar a atenção na estrutura de prata e mármore da pequena mesa (de cerca de 1980) enquanto formo as palavras.

— Posso só — tique, tique, tique... observo as bolinhas com profunda concentração — ver se compreendi a situação corretamente? De acordo com sua política comportamental, qualquer incidente em que uma criança seja culpada de violência física na escola é... — respiro fundo mais uma vez, seguindo o balanço rítmico do aço batendo no aço — registrado em uma espécie de arquivo? Se isso acontecer mais de quatro vezes, uma carta é enviada aos pais, correto? — Ergo os olhos e vejo pequenas manchas rosadas nas bochechas de Greene. Smythe limita-se a piscar insipidamente. Voltando meu olhar para a mesa, noto uma foto do Cara de Peixe com a mulher. Nossa! Eis aí uma mulher com cara de infeliz. Desvio o olhar do instantâneo na praia e retorno à estrutura da mesa. — E, se houver outro incidente, os pais são chamados? — Não ouso desviar o olhar. E prossigo dizendo que, se não estou enganada, roubo, porém, implica uma suspensão imediata. Enquanto explico isso, faço contato visual direto com cada pessoa na sala. Flynn está sorrindo e Rose parece chocada, como deveria mesmo estar. Basicamente, eu a estou lançando aos leões. Mas, certamente, continuo, eles não podem se desviar do regulamento de tal forma. Uma prática em relação à qual, tenho certeza, os membros do conselho ou as autoridades locais teriam uma forte opinião contrária. Encorajada pelos rostos sorridentes de Flynn e Shane, aprofundo minha argumentação dizendo que sinto que está faltando empatia da escola em relação aos problemas dos meus filhos. Rose não queria participar da competição de bem-dotados e talentosos e, quando fui debater isso com eles, ninguém se mostrou nem um pouco compreensivo. A total falta de compaixão da escola com minha família e meus filhos é totalmente inaceitável.

Inspiro profundamente quando começo a me sentir quente e sem ar. Rose agora morde o lábio e desvia o olhar, constrangida. Ela odeia quando tenho que me queixar em seu nome, já que ela normalmente se sobressai na escola, mas acho que este é um daqueles momentos em que preciso fazer o que todo pai ou mãe odeia fazer: "algo pelo seu próprio bem." Quando olho para ela novamente, me dou conta de que alguma coisa está muito, muito errada. Ela está de cabeça para baixo. Tento me orientar e vejo minha mão acariciando sedutoramente minha perna esquerda, então percebo que estou curvada, espiando através de minhas pernas abertas. Aprumo a cabeça e registro a expressão perplexa ainda que divertida no rosto dos professores. Transfiro o peso para o lado direito, tirando a mão da perna, e então me recosto sugestivamente na parede enquanto começo a compreender que nesse momento, enquanto giro os quadris e caminho na direção do rosto lascivo do Sr. Smythe, estou expressando meus pensamentos através de "Don't Cha", das Pussycat Dolls. Enquanto pergunto se ele não gostaria que sua mulher fosse tão gostosa quanto eu, percebo que minhas mãos estão entrelaçadas atrás da cabeça e que estou mexendo os quadris para a frente e para trás em sua direção. A cada movimento vigoroso, posso sentir meus argumentos virando chacota. Por fim, meus batimentos cardíacos desaceleram e eu corro o dedo ao longo da borda da mesa. Sinto a normalidade retornando, enquanto concluo meu insulto à Sra. Smythe com um rouco "Não queria?" e volto à minha posição junto à parede.

— Eu acho — Shane olha para mim, os olhos cintilando no ofuscante clarão da minha vergonha — que o que a Sra. King está dizendo é que, nesse momento, como vocês estão em uma clara violação da política comportamental, seria insensato suspender Flynn.

Sorrio à medida que meus pensamentos retornam ao normal, meu batimento cardíaco desacelera, tornando-se uma rumba suave e então estira as pernas e dá início a um tango.

— Sra. King?

Aliviada, replico:

— Hã, sim. É exatamente isso que eu estava tentando dizer — concordo.

Enquanto Shane resume sua proposta de um currículo adaptado para Flynn, no qual ele passará um tempo fora de sala, olho para minha Rosa Vermelha e penso no que foi discutido. Minha menina, que nunca deu um só passo errado em toda sua vida acadêmica, minha menina que nunca fura fila no cinema, que nunca entra nem com uma garrafinha de água escondida com medo de ser presa, roubou dinheiro. Roubou dinheiro para encontrar o pai. Preciso ajudar meus filhos. Preciso lhes dar a esperança da normalidade.

— Desculpa. Não é minha intenção interromper, isso tudo parece realmente animador — faço um gesto de cabeça para Shane —, mas, à luz do que aconteceu e de minhas preocupações em relação à maneira como essa escola lidou com esses fatos recentes — respiro fundo e questiono minha sanidade —, me parece que meus filhos precisam de uma pausa. Da escola. Por uma semana. — Rose me olha como se dessa vez eu tivesse realmente perdido todo o juízo.

— Sra. King, em razão das mudanças feitas pelo governo — o Sr. Smythe estende as mãos à frente do corpo, em um gesto do tipo "isto está fora do nosso alcance" —, nós não autorizamos férias dentro do período de atividades escolares.

— Entendo. Bem, então o senhor pode entender como uma ausência não autorizada. Isso é, a menos que o senhor queira correr o risco de Rose adoecer na semana da competição de bem-dotados e talentosos...

O Sr. Smythe tosse e pigarreia.

— Talvez, sim, sim — ele assente como se tivesse sido tudo ideia dele —, pode ser que uma pausa seja o que precisamos. Sim, tenho certeza de que podemos acolher o seu pedido.

— Ótimo. — Sorrio e ofereço meu aperto de mão firme ao Sr. Smythe e ao Sr. Greene antes de me virar e dirigir um sorriso dissimulado aos meus filhos.

Pego a bolsa e começo a me encaminhar para a porta.

— Crianças? — chamo por cima do ombro enquanto os dois se levantam apressados, em uma agitação de casacos e mochilas. — Obrigada pela atenção — é meu arremate ao fechar a porta às nossas costas.

— Meu Deus, mãe — diz Rose.

— Não fale o nome de Deus em vão.

— Desculpa, mas isso é sério? Você vai nos tirar da escola por uma semana? — pergunta ela enquanto andamos pelo corredor com cheiro de repolho.

— Sim.

— Por quê? — Rose corre um pouco para acompanhar meu passo. Paro e me viro para ela, acariciando a lateral de seu rosto.

— Vamos procurar seu pai.

— De verdade?

Faço que sim com uma determinação emocionada.

Ela sorri, tímida, através dos cílios claros. Torno a assentir, dou um abraço rápido nela e continuo a caminhar.

— Hã... mãe? — Flynn me chama quando apertamos o botão de liberação da porta.

— Oi?

— Você sabe que assim eu vou ficar todo sentimental, não é?

Dou uma cotovelada na sua cintura, e Flynn ri enquanto seguimos na direção do céu incerto e otimista.

# 6

# Melody

— A comida chegou! — Flynn se levanta de um pulo do sofá, assim como Rose.

Pego minha bolsa e desfruto do conforto e da sensação de dia especial que pedir comida em casa sempre proporciona. A comemoração de um aniversário, o encerramento de uma semana de trabalho ou simplesmente a recompensa por não ter que usar aqueles preciosos momentos da vida para cozinhar. Vou até a porta, abro e recebo das mãos do entregador polonês calvo a sacola de papel pardo com a comida chinesa para viagem e agradeço ao homem ao lhe entregar o dinheiro. Atrás de mim, posso ouvir as crianças assumindo seus papéis: Flynn pondo a mesa, Rose pegando os pratos e servindo nos copos a Coca Diet comprada na promoção. Isso me faz sorrir: a garantia do familiar, uma rotina de componentes banais que, quando reunidos, podem envolver você em um manto de estabilidade. Imagine que um só desses componentes seja arrancado da sua vida: tire a comida e o que lhe sobra é a fome; tire a casa e você fica sem o aconchego; tire os filhos e lhe falta o amor. Tire o marido e o que lhe resta é um buraco escancarado.

— Passe o arroz.

— Por favor. — Aponto um hashi para Flynn.

— Passe o arroz, por favor — resmunga ele enquanto Rose lhe entrega o recipiente prateado.

— Então — começo, um falso otimismo reverberando em meus ouvidos —, todos já decidiram o que vão levar? Não pode ser muita coisa, lembrem-se, porque vocês terão que carregar no ônibus e depois no trem.

— Não podemos ir de carro? — pergunta Rose ao mergulhar uma bolinha de frango no pote de molho agridoce.

— Não dá, meu amor. E se eu começar a cantar e dançar "Cha Cha Slide" e der uma guinada brusca para a direita e depois para a esquerda? — Balanço a cabeça no momento em que ponho na boca um pedaço de pato com molho de pimentão verde e feijão-preto. — É muito arriscado.

— Mas eu odeio andar de ônibus. Todo mundo fica me olhando — queixa-se Flynn, pegando o pacote de batata frita e acrescentando o conteúdo ao prato já abarrotado.

— É porque acham você bonito, meu filho.

— Mãe, isso já não funcionava quando eu tinha 7 anos. Você acha mesmo que vou começar a acreditar agora?

— Bem, *eu* olho pra você porque você é bonito. — Abro um sorriso para ele e um pouquinho de molho escapa da minha boca.

— Quanta classe. — Flynn balança a cabeça me olhando.

— Podia ser pior — acrescenta Rose. — Você podia ser ruivo também.

Com isso todos rimos, enquanto ela deliberadamente prende uma mecha de cabelo atrás da orelha.

— Ou podia ser pirado de verdade e começar a cantar e dançar em momentos impróprios. — Espeto um pedaço de pimentão vermelho na ponta do meu hashi.

— E ser ruivo — conclui Flynn.

Rose mostra a língua para ele, que joga nela um chip de camarão.

— Talvez devêssemos todos começar a usar roupas e joias bem espalhafatosas — sugiro. — Pode ser que isso distraia as pessoas e as impeça de perceber que nossa família é um bando de esquisitos. — Ponho um pouco de arroz em um chip de camarão. — Podíamos começar a usar *kaftans* ou shorts coloridos em pleno inverno.

— Já sei — Rose sorri —, você podia ter um monte de piercings, Flynn, para esconder sua cara feia.

— Você podia fazer o mesmo — replica ele. — E, além do mais, eu não uso joias. Não é a minha praia.

— Seu pai também jamais usaria joias. — Planto uma das sementes de dúvida em relação à busca na qual estamos prestes a embarcar.

— Pensei que ele usasse uma pulseira... — Rose me questiona com a testa franzida. — Você me disse que ele nunca a tirava do braço.

— Ah, mas *aquilo* não era uma pulseira de metal preciosa nem nada. Era um pedaço de linha para bordar, cor de vinho, que eu costumava prender no cabelo.

— É mesmo? — pergunta Flynn.

— Sim, eu era descolada. — Ergo as sobrancelhas e encolho as bochechas, assentindo com a cabeça. — A cor combinava com minhas botas. — Jogo os cabelos para trás e assumo uma expressão distante. — Mas no fim tive que cortá-la, pois embolou com o sino.

— Sino?

— Sim, tinha um sino na ponta dela... Eu disse que era descolada. — Rio diante de seus rostos estarrecidos. — Seja como for, seu pai costumava usá-la no braço. Eu sempre sabia onde ele estava na casa. Ele dizia que era para que sempre houvesse melodia com ele — digo, melancólica. Mas o olhar vago logo desaparece do meu rosto quando as crianças começam a fazer gestos e ruídos como se estivessem vomitando. — Bem, *eu* achava romântico — acrescento, ofendida.

Ponho o último prato no escorredor e suspiro. O que estou fazendo? Enxugando as mãos no pano de prato, volto para a sala, me encosto no batente e fico observando os dois, as cabeças inclinadas de forma idêntica enquanto riem da mesma piada, ambos absortos num episódio da série *The Big Bang Theory*. Eu os estou afastando da escola e sujeitando-os a uma jornada longa e tediosa (espero) para encontrar um pai que não encontraremos. Estou certa em alimentar a esperança deles? Está claro que Rose precisa disso, mas e quanto a Flynn? Ele raramente fala sobre Dev, apesar de todos os terapeutas que consultou. Suponho que deva atribuir uma certa culpa ao pai pelo acidente, mas ele nunca falou sobre isso com ninguém.

Quando Dev desapareceu, foi quase como se Flynn fechasse atrás de uma porta quaisquer sentimentos ou opiniões sobre o pai. Antes ele o idolatrava, verdade seja dita. Eu costumava me sentir excluída quando eles faziam seus jogos. Eram como unha e carne.

Os dois riem novamente enquanto observo Flynn chutar o pé de Rose para fora do sofá. Ela o fuzila com o olhar por um momento antes de ajeitá-lo de volta no lugar, dessa vez mais perto do irmão. Então aguarda pacientemente antes de tirar o pé dele com um movimento firme e preciso, esticando o próprio pé. Ela sorri para Flynn, que resmunga e parece ter aprendido a lição, pois esconde as pernas compridas sob a bunda. Bagunço o cabelo de ambos quando me dirijo ao laptop empoleirado na mesa de jantar nos fundos da sala. Toco o mouse, aguardo a tela mudar — de preto a tecnicolor — e verifico a rota do trem mais uma vez. Nossa viagem de Telford para Birmingham deve durar apenas cerca de uma hora, então temos um tempinho até o horário do trem que vai nos levar de lá para Taunton. Três horas sem calamidades e devemos chegar a Taunton na hora do almoço. Torno a abrir o mytrainticket.co.uk e levo o cursor ao ícone "comprar passagens". Dou mais uma olhada em meus filhos, torcendo para que digam alguma coisa que ou confirme ou erradique meus planos, quando ouço Rose dizer baixinho a Flynn:

— Você acha que ele vai nos reconhecer? Papai? Se o encontrarmos?

— Ele teria que ser um idiota para não nos reconhecer. Quantos garotos de 16 anos você conhece com cicatrizes assim?

Rose inclina a cabeça, e eles se entreolham. Nós observamos as pessoas o tempo todo. Quando entramos em um café, olhamos para o atendente quando ele pergunta se queremos grande ou médio. Olhamos para a pessoa quando ela nos dá o cupom fiscal. Mas se, cinco minutos depois, alguém perguntar qual a cor dos olhos dessa pessoa, você seria capaz de dizer? O olhar é tão superficial que não reparamos, mas, neste momento, vejo meus filhos *olharem* um para o outro. Expondo suas histórias e seus sonhos, nus para que o outro os veja. O encanto se rompe quando Flynn empurra de novo as pernas dela para fora do sofá.

— Otário — murmura Rose.

Eu vou mesmo fazer isso? Vou deixá-los acreditar que ele pode estar por aí quando sei que não está? E se a decepção for demais? Olho novamente para Rose. Quando criança, Rose nunca desistia de nada, nunca parava antes de encontrar a última peça do quebra-cabeça, sempre coloria todas as imagens do livro, sempre soprava cuidadosamente a mistura de sabão para criar a maior bolha. Flynn, ao contrário, aceitava que, às vezes, a bolha não cresceria mais; em vez disso, ele soprava com toda sua força, criando a própria atmosferazinha com o maior número possível de bolhas, para que ele pudesse persegui-las, furando-as e observando-as flutuar para longe com um sorriso sem vários dentes, feliz em fazer o melhor com o que tinha. Rose, no entanto, usava até a última gota da mistura, cada uma delas soprada até se transformar em um reflexo esférico de seu rostinho de 4 anos, enquanto tentava torná-las cada vez maior, até que inevitavelmente estouravam; a haste pacientemente mergulhava de novo no tubo azul, fazendo a próxima bolha mais impressionante, maior e mais duradoura do que a última. Até que um dia ela não abriu seu frasco, mas o entregou a Flynn, o rosto triste e a postura derrotada. Quando perguntei por que tinha dado seu frasco de bolhas de sabão para Flynn, ela disse: "Já fiz a maior bolha que dá pra fazer. Não fica maior que isso." E então se juntou a Flynn para correr pelo jardim pegando o maior número possível delas, seguindo o exemplo dele e fazendo o melhor com o que tinham.

Se eu não fizer isso, Rose jamais vai parar até encontrar uma resposta.

Lembro-me de arrastá-los comigo quando tinha certeza de que encontraria Dev entre os moradores de rua. A forma como os olhos arregalados de Rose observavam a indigência aos montes que lotava as calçadas; o modo como Flynn tolerava a decepção quando não o encontrávamos, da mesma maneira que aceitaria se eu lhe dissesse que não tínhamos dinheiro para o McDonald's. Mas eles eram crianças. As emoções que vão sentir agora são muito maiores que o desapontamento que teriam sentido naquela época. A expectativa deles agora é tão maior que me preocupo que sejam destruídos pela realidade. Mas, se eu não os levar, a vida de Rose poderá ser destruída pela necessidade que tem de solucionar esse enigma. Dessa forma, se eu a levar, mostrar a ela que esta — nossa pista mais forte até agora, nossa maior bolha — ainda não é a resposta, então talvez ela siga Flynn e faça o melhor com o que temos.

Ainda assim, quando me volto para a tela e comeco a cantarolar "Leaving on a Jet Plane", a enormidade daquilo a que estou prestes a submeter meus filhos se aloja em minha garganta. Respiro fundo, mordo o lábio inferior e clico em "comprar".

É para o bem deles, digo a mim mesma.

Esfregando as mãos uma na outra, tento incentivar meu sangue a aquecer as extremidades dos dedos. Olho o relógio, querendo me tranquilizar de que o ônibus vai chegar na hora, enquanto Flynn enterra ainda mais o chapéu de lã preta na cabeça e o incessante "tst, tst, tst" de seus headphones exige sua atenção.

Rose ajeita o cachecol verde-esmeralda. Ela não deve ter notado, mas é da mesma cor de seus olhos felinos. Ela desliza a tela do celular com a luva touchscreen antes de lutar novamente com o cachecol. Solto uma lufada de ar, impaciente.

Ah, vamos lá.

Finalmente o ônibus dobra a esquina, desacelera e pisca, anunciando sua chegada através da congelante névoa matinal. Empolgação misturada a medo enche minha boca ressecada enquanto meus lábios apertados esboçam um sorriso de camaradagem. Os olhos de Rose brilham com um otimismo glacial; os de Flynn estão encobertos pela indiferença. Ainda é cedo, então felizmente embarcamos logo e nos dirigimos para o meio do ônibus, sem atropelos nem hesitações. Penso no dia à nossa frente, em como lidar com as notícias quando chegarmos ao hospital que notificou sobre a pessoa desaparecida. Vou ter que prepará-los. Principalmente Rose. Sei que tenho esperanças de que isso dê a ela algum tipo de ponto final, mas posso ver o quanto está esperançosa. E se isso piorar a situação e ela começar a tentar rastrear quaisquer pistas novas, ainda que pequenas, sem a minha ajuda? Desenho um coração na janela embaçada, cortando-o com um zigue-zague. Quem era o homem no hospital, afinal? Como ele se sentiria se soubesse que uma família desafortunada estava viajando metade do país para ir ao seu encontro? Primeiro vamos à polícia. Quero que Rose e Flynn vejam o quanto é inútil tentar encontrar alguém que está desaparecido há onze anos. Depois disso, vamos ao hospital em questão para tentar descobrir alguma outra informação. Tenho esperanças de que vamos encontrar alguma coisa que irá pôr um desfecho nisto. Algo concreto que nos permita abandonar a ideia de que Dev ainda está por aí.

— Mãe?

— Hein? — Baixo os olhos para minhas mãos e me dou conta de que meus cotovelos estão diante do peito e os antebraços se movem de um lado para o outro. Levo um momento para me situar e perceber que estou cantando "The Wheels on the Bus" e que, nesse momento, estou imitando os limpadores de para-brisa, que vão para lá e para cá, para lá e para cá.

Ai, senhor. Isso vai acontecer o diiiiia toooodo.

Nosso corpo se move no ritmo do balanço do trem, um acompanhamento tranquilizante para a tempestade que se forma dentro de mim. Observando as árvores nuas se alongando através da neblina que se evapora, meus pensamentos flutuam para uma outra manhã de março, anos antes, quando entrei correndo na sala de aula da faculdade. Minhas mãos estavam rachadas e vermelhas do frio enquanto seguravam com força meu portfólio: uma mochila cáqui, decorada com nomes de bandas e logos, muito pesada. Balanço a cabeça quando me lembro da calamidade que causei ao tropeçar em uma caixa de tinta largada no caminho e derrubar um dos cavaletes. Murmurando desculpas, cruzei o caminho em meio aos risinhos e me empoleirei em uma carteira vazia enquanto o professor de arte, de tranças e cheirando a patchuli, apresentava um escultor local. Eu nem olhei em sua direção, tão empenhada estava em pegar na bolsa o lápis, o chiclete e a garrafa de Coca antes de finalmente abrir o bloco de desenho e erguer os olhos. Suas mãos foram a primeira coisa que notei. Os dedos eram longos e ágeis ao manipular o arame formando desenhos intrincados; o aço reto e sem vida transformou-se em um pombo em questão de minutos. Uma bola de gude azul foi colocada dentro de uma gaiola de prata, o olho de um pássaro, dando-lhe visão. De vez em quando eu me distraía quando seu criador prendia o cabelo castanho-escuro e avermelhado atrás da orelha, o restante caindo-lhe sobre os olhos, cílios longos e escuros libertando olhos de um verde-mar intenso. Lembro-me da primeira vez em que nos falamos. Eu estava parada no ponto de ônibus diante da faculdade. "Está chovendo", disse ele. "Está", respondi, enquanto terminava de abotoar o casaco. Eu estava nervosa porque não conseguira pensar em mais ninguém que não fosse ele desde que o vira esculpir em sala na semana anterior. Era como se uma parte de mim estivesse tentando sair do meu corpo, esticando-se e procurando. Pequenas centelhas de energia freneticamente tentando encontrar um lugar onde se agarrar, prender-se, enterrar-se. Quando ele levou a mão ao meu capuz e o puxou sobre minhas orelhas, a sensação era a de que meu corpo havia encontrado o que estava procurando. Tudo nele, o som de sua voz, seu cheiro, a maneira como se movia, parecia me encher com um sentimento de calma. Como se estivéssemos procurando um pelo outro através do tempo, desde o momento que nascemos.

O ruído do trem sibilando e parando em outra estação perturba meus pensamentos. Eu me espreguiço e então vasculho a bolsa, à procura de algo para beber. As crianças, cada uma ao meu lado, se entreolham — Rose do outro lado do corredor e Flynn à minha direita —, e me pergunto se minha boca seca é resultado de desidratação ou se andara divertindo os passageiros matinais de Birmingham.

— Cantei? — pergunto para Rose num sussurro.

— Não, só cantarolou um pouco, só isso.

Pego um pacote de biscoitos de chocolate e o passo para Rose, o que é o suficiente para distraí-la do telefone e deixar o Twitter de lado; Flynn levanta uma das pontas do headphone.

— Falta quanto tempo?

— Acho que uma hora e meia, mais ou menos.

— Procurei Taunton no Google, mãe. Parece bem legal. — Rose belisca o biscoito devagar. O de Flynn acabou em duas mordidas. — Tem vários parques bonitos e um museu de graça. Ah, e você pode praticar mergulho.

— Mergulho?

— Isso. — Ela faz que sim com a cabeça, como se fôssemos mesmo mergulhar depois que tivéssemos nossa cota de museus e parques.

— Bem — sorrio —, a gente pode aproveitar nosso dia fora, se não encontrarmos nada, quero dizer. — Rose limpa os farelos do biscoito e volta a atenção para a tela do celular enquanto o trem avança.

Uma hora passa pela janela. Os ossos de concreto cinza da cidade estão presos por infinitos varais, como veias se estendendo na direção das rodovias em preto e branco, as barrigas perfuradas pelos postes de luz: sentinelas alienígenas com seus olhos cintilantes penetrando a névoa da manhã. Trechos de vegetação começam a aparecer, dedos marrons artríticos inclinando-se para a frente, capturando, famintos, raios de sol desgarrados, ignorando a invasão de torres de metal que se postam de pernas abertas, lançando seus fios pelos campos como a teia de uma aranha.

Paramos em outra estação, e um bando de adolescentes embarca. Observo duas garotas — uma loura e bonitinha, a outra morena e melancólica — olhando para Flynn ao passarem por nós. O lado esquerdo dele está escondido junto à janela, oculto pelo cabelo. Elas se sentam a uma mesa à nossa frente, dando cutucadas e risadinhas, com seus brilhos labiais e cachos despenteados. Flynn se mantém alheio a tudo isso enquanto toca na tela e seleciona outra playlist. Aproveito a oportunidade para observá-lo, sentindo aquela mistura familiar de orgulho de mãe e medo que acompanha a criação dessa figura comum, embora esquiva, Metade-Homem-Metade-Menino.

As garotas agora olham abertamente em sua direção; movimentos de cabelos, sussurros e cílios abaixados são lançados para ele. Flynn se vira para mim e pede uma bebida. O amor que sinto por ele se multiplica quando as garotas veem seu lado esquerdo. Os sorrisos de flerte se transformam em choque e em seguida em piedade. A piedade é a mais ofensiva das emoções. Ela desafia sua própria definição. Em vez de transmitir um sentimento de camaradagem ou apoio, ela inflige dor e julgamento. A piedade evoca o rosto aflito, o sorriso triste e esperançoso, o toque no braço que diz "aguenta firme". Piedade — sinto o sabor da palavra com desprezo enquanto vejo o sentimento cruzar o rosto das garotas como uma infecção. A essa altura o olhar dele é apunhalado por ela. A piedade se enterra como uma faca que ele arranca, descarta e desconsidera. Flynn já enfrentou isso antes; ele ostenta as cicatrizes e sobrevive. Sem o menor sinal de abalo, puxa o lacre da Coca, espera um breve momento, seu olhar deslizando para as garotas enquanto ele engole o incidente junto com as bolhas açucaradas. Então arrota e enxuga a boca com as costas da mão com uma indiferença segura.

Sinto um misto de orgulho e pesar, uma emoção ainda não nomeada, enquanto me pergunto o que está se passando em sua cabeça. É derrota ou alienação?

Ficamos sentados dentro do vagão na parada seguinte. E esperamos. E esperamos. Meu rosto está quente e o ar de frustração é palpável.

O condutor careca anuncia, de uma forma que sugere que está tão exasperado quanto o restante de nós, que "Deverá ocorrer um breve atraso devido a um problema com o reservatório de água do vaso sanitário". Eu não sei nem quero saber qual é o problema, mas sinto o ar no vagão tornar-se decididamente pesado, enquanto murmúrios de impaciência percorrem o compartimento. Estranhos há pouco indiferentes se tornam parceiros no crime à medida que somos unidos por nossa reprovação compartilhada em relação ao transporte público britânico.

Começo a me remexer, alisando a calça jeans e balançando o joelho para cima e para baixo.

Tudo bem, desde que não fiquemos presos aqui por muito tempo. Ainda vamos chegar a tempo de pegar a conexão.

Meu estômago começa a se contrair. Lentamente e sem dor, ele me cutuca à procura de atenção. Instrumentos sendo afinados ecoam em meus ouvidos. O tum-tum-tum de um contrabaixo, acompanhado por um bump-bump-bump de um·bumbo, o pedal de encontro à pele esticada seguido pelo hssssssst do címbalo.

Flynn esfrega minhas costas ritmicamente, tentando me acalmar à medida que sinto meus lábios se fecharem, minha garganta desesperada para escalar sua colina de lá-lá-lá-lá-lá-lá-lá-lá-lás em preparação para o canto de abertura.

Inspire fundo.

Solte o ar devagar.

Mesmo enquanto repito isso, sei que minha batalha está perdida. Os músculos de minha barriga estão tão contraídos que temo gritar de dor. Uma sensação semelhante a bile subindo pela garganta se instala.

— Mãe, você quer... — A frase de Rose é cortada. Seus olhos se arregalam quando ela me olha, o tubo de chocolates apontando em minha direção antes de baixarem, assim como os ombros, de maneira decepcionada, no momento em que ela vê minha aparência.

Abaixo a cabeça, com a voz calma e baixa, e, nas palavras do Queen e de uma de suas músicas mais adoradas, "Don't Stop me Now", conto aos passageiros que hoje eu vou me divertir muito e que me sinto: "Viiiiii--vaaaa..." e que — com as notas subindo cada vez mais — a terra estava implodindo. Na verdade, com minha voz se aventurando pelo território do *falsetto*, prossigo, anunciando que estou "flutuando por aí em em-pa--tia...". Sem controle, me levanto dramaticamente enquanto meu cérebro busca a letra e a encontra incompleta. Meu próximo passo é repetir o título "Não me pare agora" para o homem flácido, vestido com um agasalho esportivo, sentado à minha frente. Repito o comando em rajadas curtas e agudas em fá maior, então começo a balançar a cabeça, erguendo-a um pouco ao mesmo tempo que começo a sorrir — dizendo a meus companheiros de trem que estou me divertindo muito, me divertindo para valer. Energicamente explico que: "Sou uma superstar atravessando as nuvens, ignorando as leis da hilaridade!"

Rose praticamente se agacha, dando a volta no banco, para sinalizar que o condutor (o rosto confuso, divertido, perplexo) está começando a vir na minha direção. Experimentando uma estranha sensação de pânico misturada a euforia, começo a deslizar para trás, pelo corredor, parando aqui e ali para dizer — primeiro para um grupo de torcedores de rúgbi — que "Sou um carro voando em uma perseguição, como Lady Gordiva!" Eu me encolho, pois a senhora ao lado deles está consideravelmente acima do peso. Continuo e digo a eles que não deveriam sequer pensar em me parar porque: estou "queiii-mando a torta, sim, a cem degraus", e é por isso que deveriam me chamar: "Sr. Barrigão!" Insulto o robusto cavalheiro sentado com a Lady Gordiva: "Estou chorando com a velocidade da noiiiite! Eu vou assar uma garota supermaníaca com eca!" Começo a recuar dos avanços do condutor e, quando chego ao fundo do vagão, estou gesticulando com o braço esticado na frente do peito apontando a minha direita. Mantendo a pose, lentamente descrevo com o braço um arco de 180 graus pelo vagão, convidando os divertidos espectadores para o meu grupo, ao qual, começo a me dar conta, parece que há gente se juntando. Digo à mãe bronzeada artificialmente segurando o bebê gorducho com cachos de cupido que ela não deveria interromper minha diversão: "Yeah! Yeah! Yeah!"

— Urru-uu! — replica ela enquanto a cumprimento com um *high-five*.

Rose agora está de pé, acenando freneticamente para o condutor de rosto vermelho, enquanto Flynn estica o pescoço e me faz um sinal com o polegar para cima, apontando as pessoas à espera na plataforma, que também estão se juntando aos "urru-uus".

Meus ouvidos sintonizam as risadas nervosas e o coro desafinado que parece estar "queimando a torta" também. Evitando meu perseguidor o máximo que posso, começo a passar por cima de alguns lugares vazios, atravessando corredores enquanto continuo a me divertir cada vez mais. Quando chego ao solo de guitarra, meus companheiros de banda entoam "boww-nns bum, bow, ooh wowey-owey-ow!". Flynn agora assumiu o papel de tocar dramaticamente a guitarra de ar, enquanto Rose tenta não sorrir, escondendo-se atrás da mão, de tão ridículo que tudo isso é.

— Senhorita, se puder abster-se de... — O condutor tenta me conter com suas palavras severas, mas respondo que ainda estou "queimando a torta... yeah!".

A essa altura, já quase dei uma volta completa pelo vagão e retorno aos meus filhos, continuando a iluminar o céu e chamando a mim mesma de "Sr. Barrigão" durante o caminho, antes de deixar ao pobre homem nenhuma outra opção que não fosse abrir as portas e lançar-se sobre mim. Sou agarrada pela cintura e, sem a menor cerimônia, puxada algumas vezes (acho que ele subestimou minha sólida figura) pelas portas do trem. Enquanto isso acontece (imagine a cena, se puder: eu cantando, pernas e braços abertos, ao mesmo tempo que tento me prender, à maneira do Homem-Aranha, na moldura da porta), tenho a sorte de ver meu filho, sorrindo de orelha a orelha, afastar o cabelo do lado esquerdo do rosto, piscar para a adolescente loura e jogar a mochila no ombro antes de colocar um pedaço de papel — que eu só posso supor que seja seu número — na mesa diante das meninas. No momento em que gritos e palmas irrompem, sou colocada no minúsculo compartimento entre vagões enquanto o condutor me passa um sermão sobre a Regra 54 da bíblia do *trainspotting*. Dramático e determinado, ele pressiona o botão de abrir a porta e, com gestos solenes e inequívocos, indica que devo deixar o trem imediatamente. Dou o salto da vergonha para a plataforma, virando a cabeça a tempo de ver a audácia de Flynn ser respondida com a unha postiça da garota puxando o papel, um sorriso tímido no canto da boca enquanto ela o observa se afastar de costas.

# 7

# Rose

*7 de março*

Ok, então hoje as coisas não correram conforme o planejado. Ainda nem chegamos a Taunton porque mamãe se transformou no Freddie Mercury no trem; Flynn disse que a letra estava muito errada dessa vez. Acho que mamãe está piorando. Tivemos que esperar uma vida na estação de Bristol Temple Meads enquanto o sujeito do trem acompanhava mamãe até o escritório onde ela levou uma dura de uma mulher com um terninho desleixado (que parecia a Úrsula, de *A Pequena Sereia*, de carne e osso) por fazer arruaça no trem. Eu fiquei observando pelo painel de vidro na porta. Tive muita pena da mamãe — ela ficou tentando interromper, mas depois de um minuto simplesmente pareceu derrotada. Como uma menina levada sendo repreendida pelo diretor. Ela ficou mordendo a parte interna da unha do polegar e esfregando o chão com sua imitação de bota Ugg. Ela não tinha causado tanto problema assim. A maioria das pessoas estava cantando com ela. Tenho certeza de que foi melhor do que quando o tal do Cliff Rich-qualquer coisa cantou em Wimbledon para distrair a multidão que teve que esperar a chuva torrencial passar para o jogo continuar (nossa professora de música falou que cantar pode até mesmo consertar o tempo). Tenho que discordar. No intervalo, procuramos Cliff no Google e teríamos preferido ficar encharcados de chuva. Seja como for, Flynn entrou furioso no escritório e também fez seu sermão. Vi meu reflexo na porta de vidro enquanto isso acontecia. Detesto quando vejo meu reflexo por acaso; eu pareço mesmo um peixinho dourado. Não importa quanto protetor labial use, meus lábios ainda parecem inchados, e sou tão pálida que dou a impressão de estar constantemente em choque, o que — diante do estado da minha família — meio que se encaixa. Através do meu reflexo com marcas de dedo, eu podia ver mamãe implorando a Flynn que se acalmasse, puxando a manga dele e se desculpando com a Úrsula. É nesse ponto (depois de concluir que minha tentativa de trança espinha de peixe não havia funcionado) que penduro a mochila no ombro e os interrompo para avisar que o trem já tinha ido embora.

Quando deixamos a estação (que, por sinal, vista de fora parece uma miniatura do Big Ben), tivemos que esperar séculos enquanto mamãe "dava uma Googlada". Acho que ela pensa que é engraçado quando fala assim. Não é. É ridículo. Fomos para a pensão mais barata que ela conseguiu encontrar, já que o próximo trem ia demorar horas e íamos acabar chegando a Taunton quase meia-noite, e aí o que a gente faria? Flynn ficou o tempo todo com os fones de ouvido enquanto eu era obrigada a tolerar as alegres tentativas de mamãe de tornar tudo isso parte de nosso dia de aventuras. Então levamos uma vida andando até encontrar esse lugar chamado Zona Portuária de Welsh Back, pois não podíamos pagar o táxi e mais a estada. É bonito, esse lugar. Gosto da vista das margens do rio e dos arcos da ponte que vejo pela janela. O último lugar que me lembro de ter visitado com mamãe foi naquela viagem horrível a Londres quando eu era pequena. Eu me lembro de andar por Camden Market, segurando a mão dela enquanto abríamos caminho em meio à multidão. Quando falo com ela sobre esse dia, ela conta que aquele foi o último lugar onde procurou por ele. Era um tiro no escuro; uma policial havia sugerido que ela tentasse algumas cidades grandes pois é nelas que encontram muitas pessoas perdidas. Mamãe diz que, apesar de ter aceitado o conselho, sabia lá no fundo que ele não estaria lá. Ela simplesmente sabia, no fundo do coração, mas precisava tentar uma última vez, como uma comichão que precisasse ser coçada. Lembro de estar assustada e de me agarrar à mão dela. Havia gente por toda parte e cheiros estranhos. Eram os cheiros que eu mais lembrava, cheiros de comidas diferentes a cada poucos metros enquanto abríamos caminho em meio às barracas, cada cheiro acompanhado por sua própria música e sotaque estrangeiro. Uma barraca vendia apenas polvo; a visão desse aroma marítimo e cheio de vapor e do sinistro desenho de um polvo é tão real em minha memória quanto a sensação da mão de mamãe segurando a minha apertada, seu rosto preocupado analisando as pessoas que passavam.

No momento, ela está pensando muito nele, dá para ver, porque começou a cantarolar aquela música de novo. Aquela que fala sobre não poder viver, se for para viver sem ele... Às vezes ela se empolga quando chega à parte sobre ver o rosto dele enquanto ele partia... alguma coisa sobre ser esse mesmo o rumo da história... Também não contamos a ela sobre essa porque ela chora enquanto canta e então parece chocada ao perceber que o rosto está molhado. Uma vez ela cantou sem parar enquanto limpava o forno e não sabia mesmo que estava chorando até ter terminado. Eu entrei na cozinha e a vi se levantar, pegar o frasco de espirrar do limpa-forno e estreitar os olhos, lendo o rótulo na parte posterior. Ela ia se queixar com a empresa porque o produto era supostamente eco-friendly, e como isso seria possível se sua garganta estava dolorida e os olhos lacrimejando? Flynn riu, depois usou aquela voz de hippie ridícula e disse a ela: "Relaxa, mãe, paz e amor", e ela riu e atirou o pano de prato nele enquanto ele gritava, fingindo: "Meus olhos! Meus olhos!" Ele é bom em distraí-la e acalmá-la. É uma pena que não consiga fazer isso quando é ele quem está nervoso. É como uma fúria irrefreável quando ele perde o controle, e ele parece assustador. Muito assustador. Dá para ver por que se envolve em tanta encrenca, mas no fundo Flynn não é mau. Ele só, ah, sei lá, ele só não lida bem com as coisas externas.

Bem, tenho que ir. Flynn finalmente saiu do banheiro e, se eu correr, posso dar uma aliviadinha antes que mamãe volte de sua caminhada.

# 8

# Melody

Droga, esta colina é mais íngreme do que pensei. Dá para ver a respiração saindo em ondas das minhas narinas, como Pof, o dragão mágico da canção, à medida que subo a colina gelada até o cume. Ok, cume pode ser meio exagerado — na realidade, é o aclive íngreme da cervejaria no fundo da pensão, mas a mulher na recepção disse que tem uma vista bonita lá do alto e, para ser franca, preciso de um tempo sozinha para me acalmar. O trajeto de trem até aqui não foi tão ruim — constrangedor, admito —, mas o prenúncio no escritório foi pior. Flynn. Eu me preocupo tanto com ele. Acho que ele estava prestes a dar um soco naquela mulher. Todos os músculos do corpo dele pareciam tensos e preparados, a veia em seu pescoço pulsando visivelmente, quando ele disse a ela que "enfiasse isso em sua cabeça estúpida". Eu tremo só de pensar nisso, a maneira como ele jogou na cara dela o meu problema de saúde que ela não teria "capacidade de compreender". Eu olhei para Rose pela porta. Ela parecia estar assistindo a um filme de terror. Seu rosto se contorcia numa expressão de tanto desgosto que, para minha vergonha, tive que desviar os olhos. Deveríamos ter ficado em casa. Paro por um momento para recuperar o fôlego e ajeito a gola a fim de lutar contra o vento forte, então puxo para cima as botas, que parecem nunca manter a forma certa.

Quando Flynn era bebê, eu me lembro de estar deitada em nossa cama, aquele pedacinho minúsculo e maravilhoso de perfeição, entre mim e Dev, nós dois maravilhados com o fato de termos criado algo tão lindo. O quarto estava iluminado pelas primeiras luzes da manhã, nenhum outro som além de nossa respiração e o suave tique-taque do tempo passando. Tempo do qual precisamos mais, tempo que nunca temos, tempo que perseguimos como a um prêmio mitológico, mesmo que o tenhamos em abundância dia após dia. Não dissemos uma só palavra, simplesmente vivemos aquele momento, nós três envoltos em um edredom branco e macio de tempo perfeito. Mas, naquele escritório, não havia nenhuma perfeição, nenhuma suavidade, apenas vermelhos, púrpuras e fraturas: o tempo se estilhaçando à minha volta.

Paro no alto do aclive e olho para o rio Avon lá embaixo, suas ondulações carregando consigo o fim do dia à medida que captura os reflexos do pôr do sol e transforma as margens espumantes em sorvete, o tempo precioso e perdido que nunca pode ser encontrado indo e voltando. A primeira casa que a gente compra, o som excitante da chave prestes a destrancar o futuro ao entrar na sua própria casa pela primeira vez — a nossa era um apartamento em cima de um restaurante chinês. Tínhamos subido correndo o longo lance de escada, rindo como bobos antes de nos atirar no chão sujo da sala; ficamos deitados ali de costas, de mãos dadas, enquanto inspirávamos o cheiro de *chow mein* e liberdade. Brincamos durante a retirada do papel de parede, rimos enquanto nos salpicávamos de tinta, fizemos as pazes depois das primeiras brigas com lágrimas e presentes de barras de chocolate favoritas. A crescente sensação de ter encontrado o nosso lugar tornando-se mais densa a cada ida no fim de semana até a cidade, bolsas de viagem cheias de bebida barata para ser tomada em canecas lascadas em hotéis baratos. Sentimentos intensificados por uma ida ao hospital após um acidente sem gravidade, beijos delicados em uma testa machucada, mãos afagadas e sussurros de preocupação com declarações de amor tornando-se tão concretas e reais que você se dá conta de que construiu um lar.

Essas lembranças voam como a animação de um folioscópio... o pedido de casamento, a despedida de solteira com véu cor-de-rosa e as tradicionais placas, o vestido, os sorrisos, os votos, os discursos, a lua de mel — a corrida na chuva com as toalhas de praia acima da nossa cabeça —, as contas, as preocupações, as gastroenterites, as compras, o banheiro cor de abacate, os carinhos no meio da noite, o teste de gravidez, o enjoo, as massagens nas costas, os macacõezinhos, os pés inchados, o exame de olhos vidrados, a dor, a alegria, as mamadas noturnas, os primeiros passos, a casa nova, as manhãs de Natal, as brigas, as portas batidas, o amor, as risadas... o acidente.

Minha respiração sai em arquejos curtos enquanto a mente desacelera, e uma Rose de 5 anos — com fios ruivos esvoaçando atrás dela — canta na frente do coral da escola e eu me encho de paz ao observar um pássaro solitário precipitar-se pelo céu vermelho, marcado por cicatrizes, enquanto canto acompanhando a lembrança muito nítida.

*"A-maz-iiing Grace, how sweet the sound...* [Maravilhosa Graça, como é doce o som...]" Engulo em seco quando minha voz aumenta de volume e enxugo as lágrimas que escorrem pelo meu rosto, o vento congelando seu rastro. *"That saved a wreeeeetch li-ike meeee...* [Que salvou um miserável como eu...]" O vento açoita meu cabelo em uma confusão de direções e prossigo: *"I once was lost, but now am found, was blind, but now I seeeee* [Antes eu estava perdido, mas agora me encontrei, estava cego, mas agora posso ver]". Sorrio, pego um lenço de papel, enxugo os olhos, em seguida assoo o nariz e endireito os ombros, fechando o folioscópio. Então abro uma página nova e em branco.

Eu me viro pela quarta vez e ouço os roncos adolescentes enchendo esse quarto desconhecido com sons familiares. O sono me escapa, fugindo por cantos de preocupação e recantos de ansiedade. Afasto os lençóis brancos e engomados, enfio os pés nas botas, pego o cardigã preto e me dirijo na ponta dos pés para o banheiro contíguo. Minha boca está seca depois de tantos pacotes baratos de batata frita e duas taças de vinho branco seco de preço exorbitante. Encho o copo de plástico com água da torneira e me sinto grata pelo fluxo gelado descendo por minha garganta quando me sento na borda da banheira. Meu plano para amanhã é simples. Dar a eles a chance de experimentar em primeira mão como é, de verdade, procurar uma pessoa desaparecida, agora que têm idade suficiente para compreender.

Pergunte a si mesmo como seria perder alguém que você ama. Perder. Frequentemente, quando perdemos alguém que amamos, essa pessoa, na verdade, morreu. No entanto, no caso de uma pessoa desaparecida, significa exatamente isso. Que a perdemos. Que a deixamos no lugar errado, como um chaveiro. Refazemos nossos passos, pensamos no que aconteceu no dia em que ela desapareceu. Que cor era a calça que você estava usando? Onde a viu pela última vez? Que dia da semana era? Um domingo, porque você estava com um pernil de cordeiro no forno. Você sente pânico. E se não conseguir encontrá-la? Como vai viver se não a encontrar? Ela é seu único chaveiro. Insubstituível. Você sente raiva: se tais e tais coisas não tivessem acontecido, você não estaria tão distraída. Então experimenta euforia quando lembra que, naquele dia, estava usando uma bolsa diferente. É lá que ela está! Você se sente desapontada quando a abre e não encontra nada além de uma bolsa vazia. Altos e baixos que erguem você para em seguida esmagá-lo a cada onda que quebra com violência. Uma viagem sem fim, apenas turbulência e tempestades interrompidas por breves calmarias no mar.

Quero que haja um desfecho nessa história para Rose. Que ela possa saber que seguiu uma pista plausível exaustivamente e teve todas as provas de que precisa para ter certeza de que o pai está morto. Que partiu. Mais do que isso... Quero que ela saiba que não precisa dele em sua vida para que ela seja plena. Plena de alegria, plena de amor, plena de... Interrompo o pensamento e me curvo na direção da mancha vermelha de sangue ao lado do cesto de papel perto do vaso sanitário. Pelo visto o banheiro não foi devidamente limpo. Com o rosto franzido, limpo a gota de sangue com um pedaço de papel higiênico que jogo no cesto, apago a luz e volto, tateando, a um sono inquieto.

Começamos nosso dia cheios de um tradicional café da manhã inglês e otimismo. O trem chega na hora e sem trilhas sonoras. Após beber rapidamente algo em um café, nos guiamos pelo Google e chegamos à delegacia em uma bolha de triunfo apreensivo, o que levanta um pouco nossa moral. Os primeiros narcisos acenam a cabeça, ansiosos, diante de nossos passos, antes que o Starbucks e as caixas registradoras inundem nossos sentidos com a vida urbana. Paramos diante da delegacia, nós três apequenados pelas palavras acima da porta que nos acenam, chamando, e nos repelem na mesma medida. Nesse momento, estou me esforçando muito para não começar a cantar "I Fought the Law", do The Clash.

— Prontos? — pergunto.

— Sim — replica Rose.

Flynn bufa a resposta afirmativa antes de eu abrir a porta e entrar. Os típicos sons de um escritório, com telefones tocando e sendo atendidos, o zumbido de uma xerox e gavetas se fechando se conjugam ao cheiro de café instantâneo e desinfetante. Vamos até o balcão de recepção e esperamos pacientemente enquanto dois policiais — um jovem, de rosto quase adolescente e entusiasmado, o outro mais velho, sem brilho mas amistoso — conversam baixinho, o tom sério, antes de uma gargalhada de despedida.

— Posso ajudá-los? — pergunta o mais jovem.

— Hã, sim, não, quer dizer, sim, esperamos que sim.

Ele inclina a cabeça de cabelos escuros perfeitamente penteados e sorri, o que tenho certeza de que praticou com o intuito de parecer um raio de luz prestativo e acessível. Mas o sorriso que de fato me contempla é uma careta do tipo não-está-vendo-que-estou-ocupado-e-não-posso--ser-perturbado-por-mulheres-de-meia-idade-e-suas-queixas-patéticas.

— Nós... nós viemos por causa de uma pessoa desaparecida — gaguejo. Como é que eu fazia isso dia após dia? Eu repreendia a força policial local com uma regularidade constrangedora. Chegou ao ponto de me dizerem que, se eu não me contivesse para não "vocalizar minhas frustrações de maneira rude e antissocial", teria que "submeter outras perguntas por meio escrito". Como disse, constrangedor.

— Hummm. E a pessoa está desaparecida há muito tempo? — Ele olha para o relógio.

— Não, quero dizer, sim.

— Para poder dar queixa de uma pessoa desaparecida — ele desenha pequenas aspas com os dedos no ar —, é preciso que ela esteja ausente há mais de vinte e quatro horas.

— Sim, eu sei, mas isso...

— Essas coisas tendem a se resolver sozinhas.

— Sério? — pergunto, esquecendo o que havia perguntado inicialmente. Um clássico dos anos oitenta do rei do pop está começando a comichar. Mordo a parte interna da bochecha.

— Uhum. — Ele sorri, faz que sim com a cabeça e ajeita uma pilha de papéis na mesa.

— Se, é claro, seu...

— Marido. — Fecho os olhos brevemente, mas vejo um terno branco, camisa escura, chapéu branco, curvado em uma pose icônica.

Ah, não.

— É claro que — ele sorri, um sorriso de quem sabe das coisas, obviamente concluindo que meu marido foi dar uma volta com sua colega de ginástica —, se ele não tiver voltado para casa dentro das vinte e quatro horas estipuladas, sem dúvida — alisa o papel no alto da pilha e sorri para mim —, por favor, sinta-se à vontade para voltar, e então retomamos daqui. — O rei do pop começa a estalar os dedos, a cabeça se movendo em gestos curtos, rápidos e precisos, seguindo o ritmo.

— Ah, hã, mas...

Não, Michael, por favooor.

— Meu pai está desaparecido desde 2004 — intervém Rose —, portanto acredito que satisfazemos os pré-requisitos da pessoa desaparecida — ela imita o gesto de aspas do policial.

— Ah. É claro, mas agora não está um pouco tarde para dar queixa do desaparecimento?

Percebo que estou encarando o traje azul; minha cabeça está abaixada, meus dedos fora de controle enquanto começo a estalar os da mão direita... a esquerda movendo-se perigosamente perto da virilha.

— Senhor, não quero parecer rude — ouço a voz de Rose acima do meu rádio interno —, mas não dissemos nada sobre dar queixa do desaparecimento de alguém. Estamos aqui por causa da informação de um homem que se encaixa na descrição do meu pai que apareceu em seu distrito.

Ah, meu Deus. Não consigo evitar — e "Smooth Criminal" inicia.

Começo a murmurar uma letra sobre um intruso emitindo um som que parece "chendo" antes de falar, com impulsos dos quadris, sobre uma marca no tapete.

Ouço Flynn suspirar: "Ah, ótimo" e o vejo ajustar os fones nos ouvidos antes de se retirar furtivamente para uma fileira de cadeiras de plástico, enquanto danço o *moonwalk* pela sala, pontuando cada estrofe com um "He, Hee!" característico de Michael Jackson, deslizando na ponta dos pés.

— Por favor, desculpem a minha mãe, ela tem um distúrbio — diz Rose, exasperada, enquanto outras cabeças de uniforme começam a nos olhar. — Estamos aqui por causa da... — Ela não termina a frase porque fica claro pela expressão no rosto do policial que estou fazendo uma performance boa demais para ser ignorada. No momento, pergunto em tom muito alto se alguém chamado Annie está bem e digo que eu queria que ela nos dissesse se está bem.

Felizmente, quando alcanço os gemidos em falsete de um homem em perigo e acrescento outro "Ooooh!" típico de Michael, dançando o *moonwalk* com movimentos bruscos dos joelhos, já saí da sala e cheguei a um corredor. Deixo-me cair em uma cadeira, sem fôlego e dolorida. Quem diria que eu sei fazer o *moonwalk*?

Flynn abre a porta e se senta com um resmungo, ainda com os headphones. Ele me entrega uma garrafa de Coca quente, tirada de sua mochila, e apoia a cabeça na parede, com os olhos fechados. Eu fico ali sentada, ouvindo a agitação abafada do mundo policial, organizando meus pensamentos e acalmando minha princesa do pop interior.

— Podia ter sido pior, acho... — murmuro enquanto olho para Flynn. — Eu podia ter começado a cantar "Thriller". Na verdade, aprendi toda a coreografia quando estava no ensino fundamental, então essa teria sido uma performance muito mais longa.

Ele bufa.

— Vou voltar em um minuto. Você pode dar uma olhada em Rose?

Ele faz que sim com a cabeça, se desdobra e volta para a sala, os ombros caídos. Concentro-me em regular a respiração o melhor que posso até ele voltar, o embrião de um sorriso no canto da boca.

— O que foi?

— O que foi o quê? — replica ele.

— O que é engraçado?

— Nada, ela só é... cara, ela é de outro mundo. — Ele balança a cabeça. — Pôs todo mundo pra correr de um lado pro outro, como uma comandantezinha ruiva. — Ele puxa o headphone do bolso enquanto me aprumo e sigo para a parte principal da delegacia.

— Você vem? — pergunto a ele.

— Não... vou ficar aqui. Tudo bem?

Rose está sentada — ereta — com uma policial no canto da sala, olhando para a tela de um computador. O policial jovem não se encontra à vista; no entanto, o mais velho está ao lado de Rose, oferecendo-lhe uma xícara de chá, como se ela fosse da realeza. Passo pelas pessoas se cutucando e me junto a eles.

— Receio que isso seja tudo que temos, Srta. King. — A policial olha para mim, os olhos escuros solidários e cansados. Ela prende um fio solto do cabelo castanho-claro atrás da orelha. — Eu estava justamente explicando para sua filha, Sra. King, que infelizmente não temos nenhuma outra informação além dos detalhes que postamos na página de pessoas desaparecidas.

— Seria possível descobrir quem o encontrou no shopping? — pergunta Rose com uma autoridade que nunca ouvi antes.

— Infelizmente não podemos divulgar essa informação, mas talvez vocês pudessem tentar no hospital... Pode ser que alguém da equipe médica se lembre dele.

— Sim, acho que esse deve ser nosso próximo passo. — Rose faz um gesto afirmativo com a cabeça para a policial. — Você está livre agora, policial Davis? — pergunta ela. — Tenho certeza de que o seu uniforme poderia nos ajudar de uma forma mais eficiente do que nós três desacompanhados.

Sorrio. É tão revigorante ver minha filha, que, em geral, é um tanto na dela, assumindo o controle.

— Hã, sim — a policial assente —, posso levá-los lá agora. Me deixem só organizar umas coisas aqui. Vou imprimir isso aqui rapidinho...

Viro-me e vejo Flynn atrás de mim.

— Eu sempre soube que acabaria num carro da polícia — sussurra ele.

— Shhh. — Sorrio discretamente para a policial Davis quando ela retorna com o relatório de pessoa desaparecida, o uniforme austero transpirando competência e compaixão ao passar por nós.

Me sinto apreensiva enquanto subo os degraus. Michael Jackson já se foi há muito e o triste concerto de violoncelo de Elgar vibra em meu âmago, contente em permanecer oculto, nada mais do que um suave dedilhar do meu sistema nervoso estéreo. Às vezes a música se desenvolve em algo além da vocalização. No momento, está fazendo meus sentidos vibrarem, que é uma sensação que, imagino, um deficiente auditivo experimente quando se encontra em um concerto musical — a música tão alta que a pessoa pode sentir seus altos e baixos de emoção através das vibrações que percorrem seu corpo. Uma vez li que a parte do cérebro que reconhece as vibrações também processa a recepção da música, replicando, portanto, as emoções e reações entre uma pessoa que ouve e um deficiente auditivo. Eu acredito nisso. A gente conhece a sensação. O baixo que vibra através de seus pés. A pulsação em seus ouvidos, o tremor na ponta dos dedos ao encostar a mão em um alto-falante... Dá para saber se a música é alegre ou triste por essas vibrações. Neste momento, minha playlist interna está me enchendo com essas vibrações, seus ferrões sombrios e egoístas cravando as farpas em mim.

Passamos pelo suave clique das portas automáticas e entramos no movimentado mundo dos doentes e sadios. Olho para os rostos que esperam — o medo amarelo, o tédio azul e o sofrimento verde e doentio: um arco-íris de emoções a cada minuto.

Passo meu braço pelo de Flynn enquanto seguimos Rose e a policial Davis pelo setor de internação, chegando ao corredor principal. As notas profundas e dolorosas do violoncelo me atravessam, a lenta melodia me transportando por sua própria história de dor e perda. O compasso se acelera quando dobramos uma esquina e o ritmo das vibrações também dispara. A melodia se eleva antes de mergulhar novamente.

Concentro-me em colocar um pé depois do outro; o piso verde texturizado se torna o centro da minha atenção à medida que picos e mergulhos espiralam pelo meu corpo. A harmonia cutuca e atiça, perfura e acalma minhas emoções à medida que me arrasta em sua jornada. Finalmente, chegamos a um pequeno escritório lateral. As janelas de vidro são de correr, e os pôsteres nos advertem contra o consumo excessivo de álcool, ao lado de uma apavorante fotografia antitabagista.

— Boa tarde, sou a policial Davis. — Ela abre um sorriso simpático enquanto eu tento reduzir o volume dentro de mim. — Eu esperava que alguém da sua equipe pudesse responder algumas perguntas sobre um caso de pessoa desaparecida que estamos investigando. Um homem foi trazido para cá depois de desmaiar no shopping local em... — Ela hesita e abre a cópia impressa do relatório.

— Vinte de fevereiro — intervém Rose. — Ele tem cabelos escuros, olhos verdes e uma tatuagem de três andorinhas no ombro esquerdo. Usava chapéu cinza, casaco marrom-escuro, camisa xadrez verde e botas.

— Parece um lenhador — acrescenta Flynn entre os dentes.

— Tem entre 30 e 40 anos — prossegue Rose — e usava um bracelete de prata com o nome Tom gravado.

O volume começa a subir novamente e tenho dificuldade em ouvir as palavras sendo ditas por trás do vidro. Notas profundas e sofridas, puxando-me com elas. Sinto pesar e angústia e temo que o movimento de abertura me carregue para os ápices de sua narrativa. As profundas notas do baixo reverberam dentro dos meus músculos, posso sentir as pernas tremendo e lutando contra a invisível força do concerto que me puxa. Já não consigo ouvir o que estão falando. Vejo a enfermeira apontando na direção de um homem alto, de 50 e tantos anos, que parece ser um porteiro. Eu os vejo, então, agradecer à enfermeira e começar a se afastar.

Puxo o braço de Flynn, obrigando-o a parar. Sou uma criança no banco de trás do carro, lutando contra uma onda de náusea. Cada curva e volta da estrada me aproxima do mal-estar que arruína o grande Passeio da Família.

— Mãe? — Olho para o rosto preocupado dele.

— Concerto de violoncelo.

— Andamento?

— Está confuso. Tenho esperança de que seja apenas o primeiro movimento... se for a coisa toda, não creio que eu possa...

— Rose! — grita Flynn. Rose se vira e eu vejo em seu rosto que devo estar pior do que simplesmente com cara de enjoada.

— Vou ficar bem — arquejo enquanto as notas crescem bruscamente e meu corpo inteiro parece estar se balançando, voando com uma alegria abençoada e dolorosa. Sinto uma náusea de euforia à medida que a música me transporta ao seu clímax antes que o plástico liso e frio da cadeira me encapsule.

Rose se ajoelha à minha frente e eu percebo a policial Davis fazendo sinal para uma enfermeira.

— Estou bem — ofego quando a nota final, longa e desesperada, me dilacera.

Uma enfermeira pequena, de bochechas rosadas, se vira e corre em minha direção, deixando cair uma caixa de papelão que estendia para uma mãe angustiada e uma garotinha chorosa. Quando a nota final paira pesadamente dentro de mim, o conteúdo da caixa se espalha no chão. Meu olhar é atraído para as bugigangas. A garotinha grita de alegria e pega um elefante maltratado. O alívio é evidente no rosto da mãe, enquanto a sensação de paz percorre os pacientes à espera, como uma brisa fresca em um dia quente. A última vibração estremece silenciosamente antes que eu veja. Afasto com um tapa o copo de água que me está sendo oferecido, ignoro as instruções de permanecer sentada por alguns minutos até me sentir melhor, ignoro a expressão preocupada no rosto dos meus filhos e me levanto, cambaleio e desabo no chão, minhas mãos abrindo caminho em meio aos anéis, bolsas e celulares até eu agarrá-lo. Rose e Flynn estão ao meu lado quando me ergo, sem coragem de abrir a mão. Abrir o coração, abrir a mente para o impossível.

— Mãe? — Rose me chama.

— Mãe? O que houve? Qual o problema?

— É... — Eu balanço a cabeça. — Não pode ser. — Olho seus rostos preocupados, primeiro o de Rose, depois o de Flynn, sem saber como dar o próximo passo.

— Abra a mão, mãe — diz Flynn.

— Mãe... abra.

# 9

# Melody

Isso não pode estar acontecendo. Como pode o impossível tornar-se possível? Tento encontrar alguma explicação ao abrir a mão e revelar o fio trançado cor de vinho que estava desmantelando meus pensamentos. O sino está manchado, mas indubitavelmente é o mesmo que retiniu ao longo da minha adolescência e mais tarde pelos meus anos com Dev. Isso não é possível. Mas não foi o que as pessoas disseram sobre pousar na lua? É impossível levar o homem ao espaço — e, no entanto, levamos. Antes disso, era impossível fazer os homens voarem — e, no entanto, fizemos. E quanto a transplantar parte do coração de um porco para um humano? Impossível, certo? Funcionou, outro coração no corpo de outra pessoa, bombeando seu sangue, sua vida, sua energia, como se estivesse sempre estado ali. Tornou-se possível. Olho para o rosto dos meus filhos quando eles se dão conta do que tenho na mão. Rose começa a sorrir e assentir com a cabeça, como se soubesse o tempo todo que o encontraríamos. O rosto de Flynn é mais difícil de ler. Ele ergue os olhos para mim e inclina a cabeça para o lado, como se tentasse encontrar a solução para o enigma.

Isso não pode ser possível porque Dev está morto.

Ele tem que estar.

Porque a única outra explicação é que ele nos deixou — algo que eu sempre soube que era... impossível.

Eu avanço e seguro a enfermeira pelo braço.

— Onde você conseguiu isso? — pergunto, desesperada. Ela me olha assustada e ligeiramente aborrecida com meu tom. Engulo em seco. —

81

Por favor — acrescento, de forma mais gentil. — Isso — seguro a pulseira diante dela, o suave tilintar do sino fazendo minhas lembranças se soltarem, camada a camada — pertencia ao meu marido, que está desaparecido há vários anos. — Posso ouvir o tremor em minha voz esganiçada. — Pensei que estivesse morto, mas houve a notificação de que um homem que se encaixa na descrição dele foi encontrado perto daqui.

— Sinto muito. — Ela sorri para mim. — Eu não sei. Isso estava na caixa de achados e perdidos do departamento. Qualquer um da equipe poderia ter colocado ali.

— Mas você deve saber de alguma coisa — imploro.

— Lamento, mas não posso ajudá-la.

— Mas esse é o seu trabalho! — grito. — Ajudar as pessoas!

Sinto as mãos de Flynn em meus ombros.

— Me desculpe. — Ele dá um passo à frente e muda minha posição, de modo que me vejo ligeiramente atrás de seu ombro. — Como pode ver, minha mãe está abalada. Se você pudesse descobrir qualquer coisa sobre quem estava trabalhando nesse departamento no dia...

— Vinte de fevereiro — completa a policial Davis. Eu havia esquecido da presença dela. — Isso ajudaria muito na nossa investigação — conclui ela com autoridade.

— É claro — gagueja a enfermeira —, mas não é tão simples quanto vocês pensam. Temos várias mudanças de turno: a equipe administrativa, os médicos, os enfermeiros, consultores, assim como a equipe de voluntários. Isso vai levar tempo, e nesse momento eu tenho que levar outro... — Ela se alvoroça e agita as mãos.

— Nós compreendemos. Se puder nos indicar onde a enfermeira encarregada está...

Há uma certa discussão a respeito de quem estava ou não de plantão e ouço uma conversa abafada sobre ser melhor que a policial Davis questione a enfermeira encarregada enquanto esperamos em outro lugar. Sou puxada, conduzida e guiada, passando por macas e percorrendo ainda mais corredores. Confusão e raiva travam meus pés, o peso da incerteza se enrosca nas minhas pernas e eu tenho a sensação de estar me debatendo em um mangue, que corta a luz e exaure a claridade ao meu redor.

Ele está morto.

Aceitei isso como um fato.

Ele está morto.

Um conforto nos anos que se seguiram ao meu acidente; a frase que me deteve e me tirou do interminável labirinto dos "e se". Passei pelos cinco estágios do luto. Eu me entreguei à negação por meses, tentando ativamente encontrá-lo. Me afastei de nossos amigos em comum, com seus simpáticos afagos no braço e ah, tão cheios de tatos, as conversas artificiais fazendo com que eu me afastasse de todos à medida que a negação dava lugar a uma raiva agressiva. A raiva reage rápido; ela vê a negação como uma ameaça, ataca, empurra... depois chega a vez da barganha. O mais degradante dos estágios. Você começa a acreditar em um Deus, na família há muito desaparecida, nas estrelas, em um lenço de papel amassado... "Se eu conseguir, daqui, acertar este papel no cesto de lixo, eles vão encontrá-lo." Então a depressão bate. Você chora, continua a depositar sua fé no lenço de papel. Você o rasga em pedaços, grita e arranha a caixinha de lenços... fica olhando para ela por horas, até que seu corpo esteja rígido e dolorido, e você não tenha ideia de quanto tempo faz que esse lenço de papel está em sua mão. Até que, finalmente, com um último arremesso, um último esforço, você puxa o último da caixa e o observa, impotente, cair no chão e finalmente aceita que ele jamais cairia na lixeira lançado desse ângulo, que essa era simplesmente uma causa perdida. Você se levanta, caminha em direção aos destroços — pegando os pedaços ao longo do caminho —, antes de finalmente jogá-los no fundo do cesto de lixo, fechando a tampa com violência.

Tão logo o pesar havia me consumido e recuado, tornando-se um zumbido surdo no fundo da minha vida, as lembranças foram escapando durante meus dias: a maneira como ele escondia seus antigos bonequinhos de Star Wars em uma caixa de cereal, em minha gaveta de lingerie, debaixo das cobertas na cama. A caixa de cereal, minha gaveta de lingerie e as cobertas da cama — simples lembretes da minha vida anterior — deixadas vazias, áridas e à espera de perdão.

Então, quando me obrigava a sair de casa e ir às compras, eu era atingida por lembranças dele de pé na parte de trás do carrinho, indo de um lado para o outro como uma criança em uma patinete. Sombriamente, eu empurrava o carrinho pelo mercado, enchendo-o — pensando em meus filhos — com comida saudável, confusa ao chegar no caixa e perceber que não havia guloseimas escondidas, nenhum pacote de balas, que ele punha sorrateiramente no carrinho, nenhum creme de limão que costumava escorrer pelas bordas do seu sanduíche, nenhuma surpresa para mim, que ele me daria junto com o chá, mais tarde, naquela noite.

Instantes depois me vejo na cantina do hospital; aromas de lasanha excessivamente cozida e o ruído de cadeiras se arrastando me trazem de volta ao presente. Bebo do copo plástico de café e observo o joelho de Flynn, revelado pelo jeans rasgado, subir e descer como uma britadeira. Rose conversa com ele, animada, as mãos agitadas movendo-se por toda parte. Tomo outro gole de café.

— Mãe? — Percebo que ela está falando comigo.

— Oi?

— Assim que a policial Davis descobrir quem estava trabalhando no dia, ela vai interrogar essas pessoas, certo?

— Hã, sim... imagino que sim.

— E aposto que alguém vai nos dizer alguma coisa que vai nos ajudar a encontrá-lo... Mal posso esperar.

— Rose — adverte Flynn.

— O que foi? — Ela se recosta na cadeira e cruza os braços defensivamente diante do peito. — Qual é o problema com vocês dois? — Ela ergue os braços, exasperada. — Nunca estivemos tão perto de encontrá-lo. E todos aqueles meses que você passou procurando por ele, mãe? Todas aquelas ligações para a delegacia? Aquela viagem a Londres, pelo amor de Deus! Procurando entre os moradores de rua, mãe! Entre os moradores de rua! E agora estamos perto assim — ela une o polegar e o indicador — e vocês dois não querem nem falar sobre isso? Meu Deus!

— Para alguém tão inteligente às vezes você pode ser mesmo muito burra — resmunga Flynn.

Ela franze o cenho e me encara com um olhar inquisitivo.

— Você tem razão, Rose — replico com um sorriso falso. — Nós só estamos um pouco surpresos, só isso. É impressionante que tenhamos descoberto tudo isso, não é? — Faço um gesto de cabeça para Flynn. — Só preciso de um tempo para digerir. Você sabe, com o fato de que ele possa estar — pigarreio — vivo... depois de todo... esse... tempo. — Posso sentir as lágrimas borrando minha visão. Pisco para afugentá-las. — Vocês se importam se eu for andar um pouco? — Vasculho minha bolsa, procurando a carteira. — Comam alguma coisa, vocês dois. Vocês devem estar morrendo de fome. A lasanha parece boa.

— Mãe. — Flynn segura minha mão e eu dou um aperto rápido na dele.

— Eu estou bem. Só preciso de um pouco de ar. — Empurro a cadeira para trás e sorrio para eles. Rose me fuzila com o olhar. Com a bolsa a tiracolo, eu me afasto deles o mais rápido que posso, mas não antes de ouvir Flynn contar à irmã a peça do quebra-cabeça que está faltando para ela.

— Se ele está vivo, sua idiota, significa que foi embora... ele nos deixou, Rose.

Pelo menos uma vez, a música interna está silenciosa. Depois que Elgar me levou em sua jornada angustiante e arrebatadora, o violoncelo, ao que parece, derrotou o Soft e o Hard Rock em sua Casa, fechou a Garagem e a deixou em um Transe. Corro pelas passagens, dobrando esquinas, até a saída principal surgir. Deus, eu gostaria de ainda fumar. Estou quase lá. Sinto meus pulmões inflando como acontece quando se está nadando na escola, um pouco mais e eu ganho minha medalha de cinco metros de nado submerso... estou quase lá, mas não consigo. Paro quando uma senhora idosa, vacilante com sua bengala, surge, trêmula, no meu caminho. Tento não notar. Tento ver se outras pessoas por perto podem ajudá-la, mas todas parecem ocupadas demais. Ocupadas demais em seus telefones, ocupadas demais cuidando dos próprios problemas para perceber essa frágil e desesperada senhora que claramente precisa de ajuda. Confusa, ela olha à sua volta: uma alma bege, com aroma de lavanda, abandonada ali sozinha.

Ela remexe a bolsa com a mão livre. As portas se abrem e fecham enquanto seus olhos azuis úmidos as imitam. Ela me fita e eu hesito antes de ir até ela.

— A senhora precisa de ajuda? — ouço-me perguntar. Sinto a mão fria de pele fina feito papel no meu braço quando ela se apoia em mim.

— Meu marido, ele sofreu um acidente. Eu disse a ele que não limpasse as janelas, mas — a voz dela é um tremor, mais reverberação do que som — havia sangue por todo o parapeito da janela, pingando nas rosas.

— Caramba. — Eu me encolho com a minha resposta medíocre. — A senhora sabe em que enfermaria ele está?

— Ah, hã, não. Eu tive que pegar um táxi. Não deixaram que eu viesse na ambulância. Por causa do seguro ou algo assim.

— Ah, meu Deus. Bem, acho que ele ainda deve estar na Emergência, então. A senhora quer que eu, hã, acompanhe você? — Seus olhos se enchem de lágrimas e temo que ela vá cair. Nem sei como ainda se mantém de pé. Posso sentir seu esgotamento e sua preocupação no aperto delicado de sua mão. Ela assente e sufoca um soluço silencioso enquanto voltamos lentamente pelo hospital.

— Você acha que ele vai ficar com sequelas? — pergunta ela quando nos aproximamos do balcão.

— Eu, hã, bem, vamos esperar para ver o que os médicos dizem, tá bem?

Explico à enfermeira o que aconteceu, dou o nome "Derek Summer" e levo a senhora idosa, que a essa altura sei que se chama Edith, até a fria fileira de cadeiras. E esperamos.

— Eu o conheci quando tinha 11 anos.

— Uau! É muito tempo para ficar com alguém.

— Ah, não ficamos juntos naquela época! — Ela dá uma risadinha. — Meu pai, que Deus o tenha, teria tido uma coisinha ou duas a dizer sobre isso! Ele era um exibido, sabe? Sempre assoviando e desfilando com suas roupas elegantes. Ele tinha 18 anos na época. E eu já... não conseguia tirar os olhos dele.

— Sra. Summer? — Uma enfermeira alta e magricela sorri para nós e nos levantamos, hesitantes, e a seguimos aos sons de bipes regulares e passos determinados. As cortinas azuis são puxadas para trás, revelando uma grande agitação.

Nesse momento, estão removendo do pescoço do Sr. Summer um protetor vermelho e um médico bronzeado e calvo encontra-se debruçado sobre ele enquanto uma enfermeira amarra um avental de plástico em torno da cintura minúscula.

Edith fica imóvel, curvada e assustada. Seus dedos ossudos se enterram no meu braço.

— O senhor está sentindo alguma dor no peito? — indaga o médico bronzeado. Eu me pergunto onde ele esteve de férias. São necessários uns bons quinze dias para ficar com um bronzeado desse, a menos que ele esteja usando um spray. No entanto, ele não parece o tipo que faz bronzeamento artificial...

— Não — responde uma voz surpreendentemente firme. O aperto da mão de Edith relaxa um pouco.

— Tontura ou dor na barriga? Fique totalmente imóvel, por favor.

— Estou um pouco sem ar.

— Bem, o que você esperava? Limpando as janelas do andar de cima na sua idade! — fala Edith, revelando sua presença.

— Eu disse que estaria encrencado, doutor. — O médico ergue os olhos e sorri para ela.

— Seu marido estava nos contando que a senhora era ótima dançarina.

— Pfft, era ele o dançarino, estava sempre me girando de um lado para o outro. Um grande de um exibido. Sempre foi, sempre será.

O médico volta sua atenção para o Sr. Summer e depois para a enfermeira.

— Pode pedir uma tomografia da cabeça até os quadris, por favor?

— Para que isso? — pergunta Edith, o tom de brincadeira desaparecendo.

— É só para garantir que não houve danos internos, Sra. Summer. Seu marido passou por um trauma e tanto, mas estou confiante de que não haverá danos graves em sua coluna. Ele está respondendo bem aos nossos cutucões. — O médico sorri e puxa uma cadeira para perto da cama. — Sente-se, Sra. Summer. Volto em um segundo — e ele sai rapidamente, a barba por fazer denunciando o plantão noturno movido a cafeína.

Eu observo, hipnotizada, o casal Summer se inclinar um na direção do outro. Os anos desaparecem quando eles se encaram; toda uma vida de amor, perda e compreensão é transmitida nesse simples olhar.

— Presunto e tomate — sussurra ela.

— Queijo e picles — replica ele.

Uma brincadeira amorosa secreta, um sorriso de desculpas, um carinho de alívio no rosto. A força de um relacionamento ali, para todos verem, em três gestos simples. Às vezes, nesta vida, você tem a sorte de testemunhar o amor verdadeiro. Amor verdadeiro não é receber um monte de rosas vermelhas no Dia dos Namorados. Nem um casamento de nove mil libras, nem dizer votos cuidadosamente pensados ou combinar flores e enfeites de mesa. O amor verdadeiro é simples. Ele se mostra nos pequenos bilhetes em post-its, na xícara de chá quando você acorda. Em quando vocês brigam e riem cinco minutos depois. Ele está na banheira preparada no fim de um dia difícil. O amor verdadeiro é altruísta... não é? Não há recompensa maior do que ver a pessoa que você ama feliz. Talvez a resposta esteja nas palavras. Se você ama de verdade... a palavra "eu" não se torna obsoleta de qualquer forma?

Enquanto estou ali, assistindo a uma cena típica de um livro de Nicholas Sparks e debatendo as complexidades do amor, uma sensação de náusea toma conta de mim... Será que eu já vivi o amor? Nunca antes questionei isso. Sempre acreditei que o que Dev e eu tivemos era verdadeiro e puro. Era por isso que eu sabia com uma certeza inabalável que Dev estava morto, porque o nosso amor, em quaisquer circunstâncias, era uma certeza... mas e agora? E se ele estiver vivo? E se ele nos deixou de fato? Talvez o que tivemos não fosse o amor verdadeiro, afinal.

Desejo boa sorte aos Summer e dou a volta até o outro lado do hospital. Desabando em uma cadeira, examino os restos do almoço do hospital. Flynn afasta os olhos do celular, assim como Rose.

— Então... — Fones de ouvido são desconectados e as atualizações no status do Facebook são momentaneamente adiadas. — Alguma notícia da policial Davis?

— Ela veio falar com a gente faz um tempo e disse que entraria em contato assim que interrogasse as pessoas que trabalharam naquele dia. Ah, e disse que tem o seu número.

— Certo. Acho que precisamos ficar aqui mais uma noite. O que vocês acham? — Rose sorri e assente, não com o mesmo entusiasmo de antes, mas ainda assim determinada. Flynn dá de ombros e então me dirige um aceno breve com a cabeça. — Bom. Então vamos embora. Estou começando a cheirar a desinfetante. Acho que devemos ir e verificar o shopping onde ele foi encontrado. Nunca se sabe. — Enfio algumas batatas fritas murchas na boca e bebo o restante do meu café gelado.

— Mãe? — chama Flynn enquanto se ajeita.

— Oi.

— E se a gente encontrar mesmo ele? Como vai ser?

— Não sei. Vamos descobrir o porquê, acho, e perguntar, bem, onde é que ele se meteu nos últimos onze anos.

— Mas ele vai querer ver a gente, não vai, mãe?

Faço uma pausa antes de passar os braços pelas mangas do casaco.

— Mãe?

— Não sei, Rose. Espero que sim. O homem que conheci não teria deixado nada ficar entre ele e os filhos. — Dirijo a ela um sorriso tranquilizador, mas guardo para mim as entrelinhas.

Se ele estiver vivo... não tenho certeza se o conheci de fato.

Chegamos ao shopping sem problemas e olhamos à nossa volta, atônitos. Há várias lojas com acesso para o lado de fora, além de uma entrada principal, e o lugar está muito movimentado.

— Isso é ridículo! — Flynn ergue os braços. — Ele pode ter estado em qualquer lugar. Tem certeza de que o relatório não diz exatamente onde ele foi encontrado?

Rose parece confusa.

— Não, só dizia do lado de fora.

— Ótimo. — Ele torna a colocar o headphone e se senta em um banco próximo.

— Babaca.

— Rose!

— Desculpa — resmunga ela—, mas ele é. Mãe, olha pra ele! — Sigo o olhar dela enquanto ele sacode o cabelo, colocando-o no lugar, e puxa o capuz. — Por que ele está agindo assim? Ele não quer encontrar o papai? É o nosso PAI, pelo amor de Deus!

— Meu amor, é um acontecimento importante para todos nós e estamos todos lidando com isso do nosso próprio jeito. Dê um tempo para ele. Ele vai se recuperar.

Sento-me ao lado de Flynn e entrego a ele uma garrafa de Coca. Ele a pega com um agradecimento silencioso. Eu o cutuco.

— Então — ele tira um dos fones do ouvido —, o que acontece agora? Começamos a distribuir folhetos? Mostramos álbuns de família nas esquinas?

— Flynn... vamos dar um passo de cada vez. Estamos todos cansados, mas chegamos até aqui... seria idiota não tentar pelo menos encontrá-lo, não acha?

Ele dá de ombros.

— Ele não tentou nos encontrar, não é? Ainda moramos na mesma casa, porra!

— Ei!

Ele revira os olhos.

— Droga?

— Melhor.

— Olha, nem mesmo sabemos se é ele. Vamos só perguntar em algumas lojas por aqui e ver se alguém se lembra de alguma coisa do homem que desmaiou. Então encerramos as buscas, voltamos ao hotel e você pode ficar no YouTube o quanto quiser.

— Está bem... Vou começar pela Game. Preciso mesmo ver se já saiu o *Call of Duty*.

— Feito. Você começa por lá então, Rose pode ficar com a fileira da Body Shop e eu vou da Marks & Spencer até a Waterstones.

O cheiro dentro da livraria é como o cheiro do nosso par favorito de meias fofinhas, acalmando as dores e aquecendo os dedos gelados. Respiro o aroma e acaricio as capas dos best-sellers... Será que ele esteve aqui? Será que folheou os romances policiais como costumava fazer quando as crianças eram pequenas? Eu ia atrás do mais recente romance histórico, com pitadas de sexo, mas Dev estava sempre procurando um romance policial... Nunca tive paciência para suspenses, mas me ponha na corte de Henrique VIII e posso ficar ali perdida por horas. Pego o chick-lit best--seller mais recente, *No Wonder*, que tem uma capa verde com a ilustração de uma kombi, e sigo para o caixa.

— Ah, esse é ótimo. — A mulher de cabelos arrumados atrás do caixa, com um crachá que a identifica como "Anita", sorri para mim. — Isso é tudo? — Ela passa o scanner na quarta capa e eu faço uma careta ao ver o preço.

— Hã, sim, não, bem, eu estava pensando se você não poderia me ajudar... Estou procurando um homem.

— Ah! — Ela parece ligeiramente surpresa com o meu pedido, mas então faz um gesto afirmativo com a cabeça, compreendendo, inclina a cabeça para a direita e faz um movimento rápido na direção de um homem peludo e corpulento com uma camisa da Waterstones, reorganizando o display da Peppa Pig. — O Brian ali é um amor, um homem muito doce.

Eu fico confusa por um momento, mas depois concluo que Brian deve estar trabalhando nesta filial há mais tempo.

— Ah, devo perguntar a ele?

— Acho que seria ótimo! — Ela bate palmas, animada. — Ele não tem tido muita sorte ultimamente, coitadinho, mas, bem, nunca se sabe quando vamos encontrar a pessoa certa.

— É exatamente o que estou tentando fazer. — Confirmo com um gesto de cabeça, convicta.

— Quer que eu chame ele aqui? Posso perguntar por você se estiver nervosa.

— Hum, sim, por favor. Se não se importa. — Começo a sentir o primeiro sinal de inquietação quando Brian se aproxima, gingando.

— Brian, essa adorável senhora — ela sorri para mim — está procurando um cavalheiro como amigo. — Eu capto uma baforada da natureza adorável de Brian, e ela é tudo, menos doce. Tento não fazer uma careta ao ver o pedaço de comida preso à sua barba estilo Moisés.

— Sim, eu...

— Brian pode marcar de encontrá-la hoje à noite. É a folga dele... Parece que o novo restaurante italiano é um lugar agradável e intimista para um primeiro encontro. — Ela bate palmas novamente. Eu quero arrancar suas mãos.

Ah. Inferno.

A ficha cai lentamente à medida que uma das músicas favoritas da minha infância vai surgindo.

— Acho que houve um mal-entendido — murmuro antes de entrar no refrão de um hit dos anos oitenta, do filme *A história sem fim*.

— Ow-ey-oh-owey-oh-owey-oh...

— Mãe! — Com uma expressão de quem pede desculpas, me viro na direção de Flynn e Rose, que estão vindo em minha direção. — Estamos do lado errado do shopping.

— Ah. — Rose para bruscamente, analisando a cena. As palmas cessaram e Anita parece desconfortável enquanto prossigo falando da "história sem fim... oh-ey-oh-owey-oh-owey-oh!!!!".

— Desculpe, ela tem um distúrbio — explica Flynn ao passar o braço pelo meu e sorri quando retribuo com um aceno os dois olhares confusos e constrangidos que estão sendo dirigidos a mim. Felizmente, estou a uma distância segura deles quando ouço a reprovação de Brian à escolha de Anita "de uma parceira adequada". Aparentemente, ele "não está assim tão desesperado".

Encantador.


Vamos parar em uma área menos convencional do shopping, com um único acesso para a parte interna, que faz parte de um pátio quadrado. Há lojas turísticas de suvenires, uma casa de chá vintage e várias fachadas peculiares em torno do pátio com calçamento de pedras. Parados ao lado da The Retro Shop, não posso deixar de pensar no quanto deve machucar desmaiar nessas pedras. Vejo uma pequena farmácia, um negócio de família, e lembro que preciso comprar mais Rescue Remedy e analgésicos para a enxaqueca que parece estar se aproximando desde minha última apresentação.

— O cara na Game disse que se lembra de uma ambulância que teve que subir por aquela passagem estreita há algumas semanas, então deve ter sido em algum lugar por aqui.

— Ok, então faremos o mesmo de antes, mas primeiro vamos beber alguma coisa. Preciso descansar depois do fiasco na livraria, com a trilha sonora dos anos oitenta. E um pedaço daquele bolo cairia bem. — Indico a fatia de bolo de chocolate que enfeita a vitrine da casa de chá. Esfrego as têmporas rapidamente.

— Não foi tão ruim assim — replica Rose enquanto seguimos em direção à casa de chá vintage.

— Sério? Ser rejeitada por Brian "não foi tão ruim assim"? Ele era o homem dos meus sonhos! — Rimos, e Flynn geme ao passarmos pela porta.

A loja é menor do que a sala da nossa casa, e do piso ao teto a decoração é da Cath Kidston. Peço um pedaço de bolo de chocolate com laranja para cada um e um bule de chá, e sorrio observando os estilhaços de luz colorida refletida nas redomas de vidro que cobrem as delícias em exposição. Ficamos sentados em silêncio, afora os gemidos de prazer gastronômico que emitimos a cada garfada. A única interrupção é o suave tilintar do que presumo ser um sino dos ventos e a calmaria das conversas à nossa volta. Pensando no custo da viagem até agora, aviso a mim mesma que esta é a última extravagância até voltarmos para casa. Uma noite a mais é algo que não previ no orçamento e, portanto, a próxima semana terá que ser uma semana de "pão e água". O preço das passagens e da noite extra no hotel só vai me deixar — o tilintar do sino dos ventos interrompe meus pensamentos e eu me sinto irritada por um momento — mais — abro a carteira e conto os trocados — lá vem de novo, tlim-tlim — fecho a carteira, coloco-a de volta na bolsa e pego o telefone. Abro o aplicativo do calendário e tento calcular quando o benefício das crianças entra — a

última foi no dia — tlim-tlim — 17, então está dentro do prazo — tlim-
-tlim — fecho a capa do celular, aborrecida, e vejo um estilhaço azul de
luz girar e revirar sobre a toalha branca. Olhando para cima, eu me viro
e tento ver de onde aquela luz está vindo. Um brilho. Uma piscada. E
então eu sei.

Sei que Dev está vivo, porque pendurado atrás de nós, logo acima de
uma pequena janela aberta perto do balcão, encontra-se uma pomba elabo-
radamente esculpida, e é dela que pendem os sinos que vêm incomodando
meus pensamentos. Uma pomba com uma bola de gude azul em sua órbita
ocular envolvida por dois fios de prata separados. Para o olho destreinado,
essas duas peças de prata pareceriam nada mais do que um monte de re-
demoinhos e nós, mas, para alguém que viu esses dois fios caóticos serem
manipulados manualmente em uma assinatura tridimensional, é claro que
esse design é tão exclusivo ao artista quanto uma impressão digital. No
entanto, essas iniciais, as iniciais que ele teria escrito na parte de trás de
seus primeiros desenhos na escola, as iniciais com que assinava toda vez
que pedia reembolso em um supermercado, não são as mesmas.

## 10

# Melody

Observo, com os olhos fixos, a pomba girar em círculos concêntricos, mergulhando para a direita antes de girar na direção oposta, elegantemente suspensa entre fios invisíveis. O tilintar suave de aço contra aço ecoa em meus ouvidos enquanto tento dar sentido ao que posso ver, o que agora eu sei. Dentro de mim, posso sentir o clube mal iluminado, a fumaça turva de cigarro e uma guitarra elétrica sendo afinada, mas, apesar do inevitável, continuo a olhar para a pomba, hipnotizada. Você sabia que não há uma distinção real no conceito científico entre a pomba e o pombo, apesar de existir uma leve diferença para o senso comum? E, no entanto, nossas visões e opiniões em relação a essas duas aves são bem diferentes. A pomba: pura, romântica, limpa... um símbolo da paz, uma imagem de confiança. Porém, quando se trata do pombo: para a maioria de nós, ele é um incômodo, uma praga que infesta nosso cotidiano enquanto bica os restos de embalagens de batata frita e chocolate. Eles compartilham as mesmas características: bicos pequenos, cabeças curvas e elegantes e corpos arredondados. Suas asas se estreitam de maneira idêntica, e eles cantam a mesma música. Uma pomba arrulha e nós sorrimos, tocamos nossas taças de *prosecco* e brindamos à noiva e ao noivo. Um pombo arrulha e achamos o som irritante; então o espantamos. Com que rapidez esquecemos as vidas que eles salvaram, as mensagens que carregaram e a inteligência escondida sob suas penas espessas. Eu me pergunto — ao me levantar e ouvir a guitarra elétrica subindo a escala — isso é uma pomba? Ou é um pombo? Fecho os olhos brevemente e vejo Prince — ou o artista que antes era assim conhecido

— resplandecente em seu terno dos anos oitenta, com babados de Mozart e a guitarra angular. Estou tão perdida em meus pensamentos e no alívio que sinto, que desta vez, quando me levanto, não sinto vergonha, somente uma doce indulgência quando começo a estalar os dedos e movimento os ombros ao som do clássico pop "When Doves Cry".

Sorrio afetadamente quando encaro meus filhos, pedindo-lhes que imaginem a mim e um estranho em um beijo suado. As sardas de Rose estão literalmente ganhando um tom mais pálido — e então eu pergunto a eles:

*"My angels? Can two fixture hiss?"*
[Meus anjos? Conseguem conseginar esso?]

Quando estou falando da temperatura entre mim e meu estranho, percebo que meu conhecimento da letra talvez não seja muito bom. Bem, não há nada que eu possa fazer. Tremo os ombros um pouco mais antes de perguntar a eles:

*"Why did they heave me hanging?*
*Cologne in a herd so bold?*
*Baby I'm fussed to bemandin',*
*Baby I'm fussed hike my brother... too fold?"*
[Como eles podem me leixar pendurando?
Sonzinho em um fundo tão trio
Baby eu fosse exidente
Baby eu fosse equal ao meu irmão, dobrado demais]

De repente, minha voz sobe uma oitava.

*"Baby I'm fussed hike my other...*
*She's got a great big hide!*
*Hi, baby shout at each other,*
*Missus what a cheese finds..."*

[Baby eu fosse equal a minha ãe...
Ela tem uma grande desfeita
Oi, baby gritamos um com o outro,
Osto o que um queijo encontra...]

Sorrio quando canto o título da música: "When Doves Cry" [Quando pombas choram].

Começo a me balançar pelo salão, soltando alguns "wiheee, hooooos" agudos pelo caminho. Completo dois circuitos pela casa de chá para finalizar esse clássico e, quando retorno à nossa mesa, estou exausta. Rose olha constrangida pelo salão, e Flynn parece simplesmente perplexo.

— Que diabos foi isso?

— Prince.

— Príncipe Harry? — pergunta Rose, esperançosa. Acho que ela tem uma quedinha por ele, uma afinidade entre ruivos, essas coisas. Flynn bufa.

— Procura no YouTube. — Os dedos de Flynn são tão velozes ao colocar o headphone que parecem um borrão. Engulo meu chá e tento ignorar os murmúrios constrangedores às minhas costas. Alguns minutos depois, Flynn tira os fones.

— Você sabe que cantou a letra toda errada, mãe?

— Eu não, eu...

— Até eu sei disso, mãe, a menos que esse Prince seja completamente analfabeto — afirma Rose.

— Como assim?

Ela me entrega o telefone e eu vejo a mim mesma dançando pelo salão. Para ser justa, estou muito bem. Com certeza vou comprar outro jeans deste. Minha bunda não está nada mal. Ah. Eles têm razão... *"Missus what a cheese finds..."* [Osto o que um queijo encontra...]?

— Mas eu conheço a maior parte da letra.

— Você pode até saber, mãe, mas não estava cantando direito.

— Hummm. Talvez tenha a ver com meus níveis de estresse...

— Como você pode estar estressada? Está comendo bolo e tomando chá!

Respiro fundo e olho de um rosto lindo para o outro.

— Ele está vivo.

— E como você sabe disso? — pergunta Flynn, cético.

— Meu Deus, você não está... — Rose indica minha xícara com um gesto de cabeça.

— O quê?

— Lendo folhas de chá, está?

— O quê? Não! Eu não sou maluca. — Todos ficamos em silêncio por um momento para que a ironia se assente antes de explodirmos em risadas histéricas. O que devemos parecer para as outras pessoas? Eu acabei de cantar e dançar um clássico do Prince com uma letra bizarra e meus filhos e eu, em vez de irmos embora de cabeça baixa de vergonha, demonstrando constrangimento e um pedido de desculpas, rimos tanto que começamos a emitir sons resfolegantes primitivos.

Assim que começamos a nos acalmar, eu aponto para a pomba. Aguardo um momento e vejo a compreensão cruzar seus rostos.

— Quem sabe não foi comprada quando ele estava vivo?

— Não. Olhem a assinatura. — Flynn se levanta e vai até a escultura. Ele estende a mão para a pomba, a segura e fita seu olho. Então franze a testa e a vira com gentileza, estreitando os olhos, tentando entender as espirais e linhas retorcidas. A mulher rechonchuda de avental florido atrás do balcão lhe dirige olhares de esguelha, preocupada. Delicadamente, ele a vira para o outro lado antes de soltá-la.

— Não consigo entender... — diz Flynn ao tornar a se sentar.

— O quê? Aquele garrancho estranho com o olho de metal que ele fazia? — pergunta Rose. — Eu não consigo identificar as iniciais dele de jeito nenhum na que está no meu quarto, e tentei zilhões de vezes.

— Você tem que olhar meio de baixo — explica Flynn. — Nesse, parece que são três letras, e definitivamente não são nem D nem K.

Antes que eu tenha a chance de conferir, Rose vai até a mulher de expressão preocupada, servindo fatias de bolo de cenoura em pratos. Ela fala suavemente e olha através de seus cílios dourados.

— Desculpe incomodá-la... — Vejo uma recém-descoberta confiança na postura da minha filha quando ela junta o cabelo em um rabo de cavalo frouxo e o puxa sobre o ombro direito — ... mas a senhora poderia nos dizer onde comprou a pomba? Sabe, minha mãe — ela baixa a voz — é, hã, mentalmente instável, e a pomba parece acalmá-la. — Tento exibir uma expressão mentalmente instável, então me dou conta de que, depois de meu tributo a Prince, isso não é nem um pouco necessário. Ainda assim, e apenas para reforçar o efeito, pego um prato com migalhas de chocolate e começo a lambê-lo.

— Você é inacreditável — murmura Flynn.

— Hummmhummm — replico, tentando fingir não ter notado o olhar de pena no rosto da mulher.

— Somos os principais cuidadores dela, sabe? — Rose dá uma fungadinha. — E isso às vezes pode ser — ela une os lábios, apertando-os — difícil.

— Eu imagino. — Ela vai até a pomba e ergue o fio delicado do gancho. — Era da loja do outro lado da praça... A Pequena Loja de Tudo? Gosto do fato de as penas parecerem macias, embora sejam frias e duras. — Ela a acaricia afetuosamente. — É simplesmente lindo.

— Há quanto tempo a comprou? A senhora lembra? Adoraríamos ver se conseguimos comprar uma pra mamãe. Como pode ver, ela está praticamente hipnotizada.

Meus olhos estão fixos nela enquanto termino de lamber o prato. Rose e a mulher me olham apreensivas.

— Ah, acho que foi no mês passado, mas não tenho certeza se tinha outra. Eu simplesmente a adoro.

— Sim, é linda. Tudo bem se a mamãe, bem, se ela segurar um pouquinho antes de irmos? Ajudaria a mantê-la, bem, a ficar calma... por um tempo pelo menos. — Rose consegue dar um sorriso de coragem.

— Ah! Eu, hã, sim, suponho que sim... Ela é bem delicada, embora seja feita de material resistente.

— Pode deixar que vou cuidar dela — garante Rose, e então vem em nossa direção, projetando um pouco a língua pelo canto da boca: uma brecha em sua máscara de sinceridade. — Olhe aqui, mãe... — Ela revira os olhos e dá tapinhas no meu ombro.

— Muito bem — observa Flynn com orgulho na voz —, embora eu provavelmente teria conseguido que ela nos desse de graça.

— Shhh.

Chego a pomba bem perto do meu rosto e estreito os olhos para ver melhor os giros e voltas em torno do olho. Percebo que a assinatura tem um aspecto mais anguloso do que nos outros trabalhos dele. Flynn tem razão; definitivamente parecem três níveis distintos, três iniciais distintas. Deslizo o dedo mínimo para dentro da órbita ocular dela e fecho os olhos, traçando a forma sinestesicamente. Posso vê-lo compenetrado, cortando o arame com os olhos apertados em concentração, o cabelo caindo sobre eles antes que o tire do caminho. Ele costumava erguer os olhos para mim, se eu entrasse no quarto, ainda se mantendo concentrado, mas sempre surgia um leve sorriso de reconhecimento quando eu colocava uma xícara de chá — forte, dois cubos de açúcar — ao lado dele. Meus dedos refazem o começo da primeira letra até eu ter certeza.

— É um T.

— T de Tom? — A voz de Rose vacila um pouco. Assinto.

— T de Traidor — acrescenta Flynn.

— Flynn!!

A frustração dele é um parafuso afrouxando lentamente a estrutura do nosso navio. A popa, antes estável, começa a afundar, e lenta mas inexoravelmente vamos perdendo o equilíbrio.

— Então é ele?

Respondo que sim com a cabeça, não confiando em minha capacidade de falar.

— Mas por que ele mudaria o nome? — A voz de Rose se torna um rangido, à medida que a pressão externa começa a vergar as fortes paredes de aço.

— Pelo menos isso significa que ele está vivo, Rose. — Tento furiosamente reapertar os parafusos enferrujados. — Ele está vivo e podemos encontrá-lo. Podemos descobrir o porquê ou o que aconteceu com ele. — Giro com força a chave de fenda e por um momento o parafuso se mantém, e nosso equilíbrio é restaurado.

— Mas e se a resposta for que ele não queria ficar com a gente, mãe? — pergunta ela, quando a água começa a vazar em torno dos parafusos enferrujados, tornando-se turva e escura.

— Então nós também não o queremos — responde Flynn enquanto nos levantamos, devolvemos a pomba, agradecemos e vamos embora da casa de chá.

Lá fora, começou a chover. As nuvens de chumbo explodem e disparam gotas de chuva cinzentas e metálicas contra as vitrines indefesas das lojas. As gotículas escorrem letárgicas em nossos capuzes enquanto corremos pela praça e entramos atabalhoadamente na A Pequena Loja de Tudo. Limpamos os pés no espesso tapete de fibra de coco, à medida que os vapores dos incensos enchem nossos pulmões. Baixando os capuzes, calados, começamos a andar pela loja. Exposta ali há uma refeição de vários pratos, uma coleção de cores e texturas com que se fartar. Uma refeição para se deleitar e mergulhar os dedos à medida que seus impulsos primitivos assumem o lugar das sutilezas da sociedade. Nós pegamos itens, devoramos suas oferendas —, às vezes com uma careta, outras vezes nos sentindo intrigados — enquanto tentamos decifrar-lhes as origens exóticas antes de devolvê-los às prateleiras abarrotadas. À medida que avanço para os fundos da loja, vejo espelhos delicados com bordas afiadas — para limpar o paladar — antes de cravar meus dentes na luxuriante arte que escorre das paredes e pende do teto. Saboreio as paisagens ao pôr do sol, como pontes de tempos há muito perdidos, antes de devorar os traços fortes e as estranhas texturas das peças mais modernas.

— Mãe? — Eu me viro para o lugar onde Flynn e Rose estão parados, em meio a espirais de um material cor-de-rosa macio, decorado com fitas e fontes inclinadas cercadas por cestas brancas: uma variedade de tecidos de decoração e itens de armarinho prontos para serem colhidos. À direita deles há um nicho cheio de esculturas. Esculturas que nunca vi antes, mas que me são tão familiares quanto a dor é para a alegria.

As emoções que sinto são difíceis de definir. Eu me agarro ao alívio quando pego uma de suas peças mais abstratas, uma mulher e uma criança entrelaçadas em meio aos galhos de uma árvore, mas o alívio escorrega entre meus dedos e acho a raiva mais fácil de segurar. Devolvo a escultura da árvore à prateleira e pego outra, todas com a mesma assinatura escondida dentro delas. Esta é um punhal surrealista que se crava em um pêssego, quase como se o metal fosse macio. Quando isto foi feito?, eu me pergunto. Antes de Flynn começar a se envolver em brigas, talvez? Quem sabe tenha sido quando eu estava caída inconsciente do lado de fora de casa, ou no hospital? Pego outra peça mais clássica, um homem e uma mulher juntos debaixo de um guarda-chuva. Será que ele esculpiu isso enquanto Rose estava sendo humilhada na reunião de pais ou, quem sabe, quando eu tive que vender o conjunto de chá da minha avó para comprar o laptop de Flynn? Sou dominada pelo ressentimento à medida que olho os preços nas etiquetas presas às peças à minha frente.

Rose apoia a mão no meu braço e eu fito seus olhos preocupados.

— Eu, eu não conheço essa — diz Flynn.

Ela olha para ele e dá de ombros. É quando percebo que estou cantando "Torn", de Natalie Imbruglia, e nesse momento estou explicando como conheci um homem gentil e distinto, que me mostrou o que é chorar. Pego uma escultura de duas crianças de costas uma para a outra, ao mesmo tempo que permanecem enroscadas, e continuo cantando. Sacudo a imagem e olho para meus filhos, apelando a eles e dizendo que não tenho mais fé, que não posso mudar como me sinto — que, aparentemente, é despida e congelada. Quando começo a tirar minhas roupas — para enfatizar que me sinto nua —, tenho a sensação de estar escorregando para um piso muito gelado. As palavras me chegam rápidas e densas e tenho a sensação de estar escorregando e deslizando por um lago congelado; o rangido enfurecido destroçando minha plataforma. Rose pega minha bolsa, que deixei escorregar do ombro, e começa a vasculhá-la. Flynn tira a escultura da minha mão e tenta imobilizar meus pulsos. Canto com a voz trêmula algo sobre *"delusion never fails"* [a decepção nunca falha] enquanto tento erguer os braços e explicar que o *"worthless sky is born"* [céu inútil nasceu]. Rose me pede — sua voz um eco, como se fizesse *backing vocal* — que abra a boca, o que eu faço. Quando estou prestes a abrir o botão do jeans e despencar no abismo profundo e gelado, digo a ela que chegou tarde demais porque eu já estou... e quando abro a boca para cantar novamente o título, ela lança o Rescue Remedy ali dentro e minha ode à beleza australiana chega a um fim abrupto enquanto começo a cuspir e tossir. Um resgate e um remédio, de fato.

Tento curar a dor de cabeça latejante com os dois comprimidos de paracetamol que Rose encontrou no fundo da minha bolsa, procurando me acalmar. Estou sentada nos fundos da loja em um tronco de árvore transformado em banco, minha bunda escondendo o desenho cubista pintado nele.

— Respire fundo, mãe. — Rose está esfregando minhas costas.

— Desculpem... Graças a Deus vocês me pararam. Eu não conseguia me controlar. Eu ia mesmo tirar a roupa toda e me deitar no chão.

— Não vamos... pensar nisso agora — diz Flynn, estremecendo.

— Tá bom. Para falar a verdade, minha lingerie não combina e já viu dias melhores.

Flynn ergue a mão, deixando claro que prefere não saber qual é o estado da minha lingerie.

— Precisamos falar com o dono da loja — digo baixinho. — Preciso saber por que ele fez isso.

— Eu falo. — Flynn se estica. — Vocês duas vão comigo. Vou parecer mais cordial e menos um bandido profissional com vocês duas ao meu lado.

— Você não parece um bandido! — exclamo.

— Não importa — replica ele. — Prontas?

Seguimos para onde se encontra uma mulher de 20 e poucos anos, de cabelos violentamente tingidos de roxo, usando uma jardineira jeans sob um cardigã de tricô azul-celeste.

— Ei — Flynn a cumprimenta com o que parece a saudação preferida dos adolescentes hoje em dia. — Então, estamos muito interessados nas esculturas que você tem ali — ele indica o local com o cotovelo.

— Ah, tá. Qual delas?

— Ah, hã, bem... na verdade, estamos interessados no artista.

— Tá. Posso perguntar por quê? Quero dizer — ela prende o cabelo com pontas duplas, na altura dos ombros, atrás das orelhas. — O trabalho dele é incrível, então por que vocês querem saber do artista em vez de simplesmente comprar a obra?

— Hã, porque, bem — ele levanta as mãos, em um gesto de exasperação —, olha, achamos que é o nosso pai. Ele está desaparecido há, bem, uma eternidade, e ele costumava fazer esculturas como essas.

— O-k... — Ela olha para mim, por cima do ombro de Flynn.

— Você é a mãe dele?

— Não, não, não sou tão velha assim. As últimas semanas foram caóticas para mim, e não tive tempo de retocar as raízes — eu me desculpo. Caramba, uns fios de cabelo grisalho e de repente você parece ter duas décadas a mais.

Ela morde a parte interna da boca e Flynn olha para mim por cima do ombro com uma expressão de perplexidade e balança a cabeça.

— Ela está se referindo a Flynn, mãe, não ao artista. Meu Deus. — Rose suspira.

— Ah, sim, sim, eu sou.

— Muito bem, então. O nome do cara é Tom P. Simmonds. Eu tenho um endereço, sim, mas preciso manter o homem do nosso lado, se vocês entendem o que quero dizer. Eu não quero — ela ergue e agita as mãos — me intrometer em nenhum drama doméstico, mas posso passar suas informações, se quiserem...

— Ah, hã, sim, por favor. Vou anotar o número do meu celular e, se puder passar para ele... — A garota desliza um bloquinho e uma caneta azul sobre o balcão. — Ah, obrigada. Se puder dizer a ele que...

Dizer a ele o quê? Penso nas preces que fiz, nas palavras que desejei poder dizer a ele, como o quanto ele ficaria orgulhoso quando Rose escreveu o nome dela pela primeira vez em letra cursiva. Sobre como Flynn cortava a grama sem que eu precisasse implorar e suborná-lo como muitos de seus colegas. Sobre como Rose e eu nos sentamos de forma idêntica no sofá, com as pernas cruzadas, balançando o pé ritmicamente acompanhando a música tema do que quer que a televisão tem a oferecer sábado à noite. Sobre como ainda comemos pizza e cheesecake às sextas à noite, como fazíamos quando ele ainda estava vivo. Sobre como eu acordava durante a noite e fingia que ele estava lá depois que sofri o acidente. Como eu chorava em seu casaco de fleece azul e pedia sua ajuda, implorava um sinal que me deixasse saber que tudo ficaria bem. Não posso dizer a ele quanto orgulho ele teria de nossos filhos. Não posso dizer como, nos últimos onze anos, vivi com apenas metade de mim intacta.

— Se puder dizer a ele que... que... eu gostaria muito que ele entrasse em contato e que meu nome é Melody.

Giro a chave do quarto do hotel e irrompemos todos no cômodo apertado. Encho a chaleira elétrica de plástico branco na torneira do banheiro e a ligo. Remexo os sachês de chá, açúcar e café e decido-me por um descafeinado antes de desabar na cama.

— Shane está dizendo oi — fala Flynn.

— O quê? — Eu me sento ereta, olhando à minha volta, como se esperasse que ele jogasse o edredom para o lado e gritasse: "Surpresa!"

— Shane... ele acabou de me mandar uma mensagem. Falou para dizer oi.

— Ah. — Eu rapidamente aliso o cabelo e endireito os ombros, inclino a cabeça para o lado e sorrio. — Diga que mandei oi também.

— Ele não está vendo você, mãe. — Flynn abre um risinho.

— Eu sei!

Jogo o travesseiro nele, que habilmente se desvia, então finge uma voz "feminina", pestaneja e repete:

— Diga que mandei oi também.

Rose finge vomitar enquanto os dedos de Flynn se movem agilmente, digitando mensagens e acessando a internet.

— Ele está, hã, por que ele está mandando mensagem? — pergunto, displicente.

— Ele só está conferindo se está tudo bem e me perguntando se estou, você sabe, tranquilo em relação a voltar à escola na próxima semana.

— Ah.

O telefone dele emite um alerta e tento não deixar muito óbvio que quero saber se é outra mensagem de Shane. Controle-se, digo a mim mesma enquanto a chaleira gorgoleja, tendo atingido o ponto de fervura. Eu me levanto da cama e tento ignorar quando Flynn bufa com a mensagem que acabou de receber.

— Caraca!

— O quê? — é minha resposta casual.

— Ele está em um curso a meia hora daqui.

— Que mundo pequeno. — Dou ao ato de mexer meu café a plena atenção que ele merece. Uma boa xícara de café é praticamente uma forma de arte.

— É. E finalmente um sinal decente.

— Você estava com sinal na cidade.

— Sim, mas usei o que restava da minha internet naquele clipe do Prince.

— Ah. Bem, você não devia gastar toda ela assim tão rápido.

— Você tem ideia da rapidez com que se usa 500 mega? Tenho o pior plano de dados do mundo. — Ele se joga na cama, põe o headphone e se retira da interação social.

— Mãe?

— Ai! — Praguejo quando tomo um gole do café quente demais, então olho para o rosto pálido e preocupado de Rose e seus olhos azuis e lacrimosos. — Rose, o que foi?

Ponho a xícara de lado e corro para onde ela está, apoiada na porta do banheiro. Ela segura o iPad com força e posso sentir seu corpo magro tremendo quando esfrego seus braços.

— Eu o encontrei... ele tem uma página no Facebook.

— Quem tem uma página no Facebook? — Flynn tira os fones e olha para nós.

— Papai, quer dizer Tom P. Simmonds.

— Ele está no Facebook? — Não consigo controlar o tom histérico em minha voz. — No FACEBOOK?! — As lágrimas começam a correr pelo rosto de Rose e os músculos no maxilar de Flynn se contraem enquanto pego o tablet das mãos trêmulas dela.

Ele. Está. No. Facebook.

Olho a página das esculturas de Tom Simmonds e clico no ícone das fotos. Examino as fotos de esculturas e expositores em museus até que, em toda a nitidez de 800 pixels, lá está Dev. Mais velho. O cabelo muito curto, quase raspado, mas inconfundivelmente ele. Engulo a bile e a traição. Deslizo a tela com movimentos furiosos à medida que foto após foto de seu trabalho passa por mim como um borrão; cada vez mais rápido as fotos correm, imagens em cores de alta definição intercaladas aqui e ali com suaves croquis em preto e branco, uma a uma, formando uma história em quadrinhos de sua vida desde que nos deixou, diante dos meus olhos arregalados e marejados, até que recebo o golpe e perco o ar. O grupo A-ha começa com "Take On Me" enquanto eu tento absorver a imagem na tela. Uma mulher, mais jovem do que eu, sorri para ele, cujo braço pende casualmente dos ombros pequenos dela. Tudo nela grita academia e manicure. Aquela é uma mulher bem-tratada. Sobrancelhas perfeitamente feitas; maquiagem suave e impecável, cachos loiros deliberadamente despenteados... Embora eu não saiba o que dizer, as palavras saem de qualquer maneira; deixo o tablet cair na cama e começo a apontar para Flynn e Rose a cada repetição do título pelo *backing vocal*. Rose gira o elástico de cabelo nos dedos sem parar, olhando para a colcha enquanto eu canto que partiremos em um ou dois dias de qualquer maneira. Por fim, e depois que explico a eles que devem ficar tranquilos sabendo que vou ficar bem, concluo com o conselho — dando de ombros — de que fiz bem em vir; é melhor prevenir do que remediar. Rose se encolhe no edredom e Flynn se encosta nela, meus dependentes dependendo um do outro.

— Vamos para casa, mãe — diz Flynn com uma determinação tranquila. Rose ergue os olhos para ele, seu narizinho empinado vermelho de emoção, e assente lenta e discretamente.

— Ok... vamos para casa — concordo.

## 11

# Rose

*17 de maio*

Ok, bem, eu sei que não escrevo nada há, tipo, séculos, mas na verdade não estava com vontade de escrever nada. Qual o sentido de escrever se não existe nada que vale a pena ser escrito? Dia desses tive que ir a essa psicóloga educacional que só ficava perguntando "e como você se sentiu com isso?". Como se eu fosse dizer a uma completa estranha qualquer coisa sobre a minha vida, especialmente alguém que parece ter 80 anos e nem sequer usa desodorante. Como é que Flynn pode ficar com Shane e eu com a maldita Sra. Doubtfire, a "babá quase perfeita"? Agora vejo Flynn na escola muito mais vezes. Ele parece estar indo bem... pelo menos não se meteu em nenhuma briga recentemente. Até onde posso ver, parece estar passando a maior parte do tempo em aulas extras de arte no anexo, em vez de ter que assistir a dois tempos de francês, como o restante de nós. A Srta. Knowles, a professora assistente, é a única pessoa digna de se conversar na escola. Pelo menos ela não me trata diferente do que tratava antes. Até Megan está esquisita comigo. Ela fica dando desculpa quando pergunto se quer fazer alguma coisa como ir ao KFC depois da escola. A gente costumava fazer isso toda terça e depois íamos para o parque atrás do antigo centro comunitário, mas agora ela sempre dá umas desculpas esfarrapadas. Mas está tudo bem, acho. Quer dizer, entendo por que ela não quer ir comigo, já que todo mundo está me dando um gelo.

É como se todos tivessem levado para o lado pessoal, como se eu tivesse invadido suas casas e roubado seus bens mais preciosos. Foram apenas duas libras — no máximo — e, de qualquer maneira, acabei dando mesmo para a caridade, assim que fui descoberta. Eu tinha tudo planejado, ia vender a história para uma daquelas revistas cheias de histórias piegas e competições de palavras cruzadas, ou um jornal, sabe, como uma coisa de família há muito perdida? De qualquer forma, nada disso importa agora. Agora que sei que ele nos deixou. Quem iria querer ler sobre isso? Não é incomum que um marido fuja. Basta assistir ao programa do Jeremy Kyle para ver que isso não é nada especial. Lisa diz que não vale a pena eu perder tempo com as garotas do meu ano, que o que eu fiz não é nada de mais. Ela está no primeiro ano do ensino médio. Eu a conheci quando estava esperando diante da sala do Sr. Greene. Ela me perguntou se eu tinha mesmo embolsado todo o dinheiro das bancas do intervalo e, quando eu confirmei, apenas disse "maneiro". Não gosto muito das amigas dela, acho que elas se esforçam muito para ser diferentes. Todas têm as mesmas sobrancelhas desenhadas, usam batom vermelho e têm cabelos muito pretos, mas Lisa é diferente sem tentar ser. Ela é quieta, o que combina comigo, porque eu não tenho muita vontade de falar. Mas, quando ela fala, diz coisas realmente inteligentes que fazem você pensar no quanto o mundo é mesmo uma bosta. A coisa lá dos bem-dotados e talentosos está chegando, e parte de mim quer simplesmente estragar tudo de propósito. Mas sei que não vou fazer isso. Eu sou fraca assim; Flynn diz que esse é o meu jeito — ser boazinha. Ele debocha de mim dizendo que, mesmo quando estou quebrando as regras, ainda tento dar o meu melhor, e coisas desse tipo. Lisa pergunta muito sobre ele; é legal que ela se interesse pela nossa família desajustada. Mas ele não gosta que eu ande com elas. Ele as chama de O Esquadrão da Morte, o que é irônico, porque ele parece o irmão mais velho delas.

Às vezes tenho a sensação de que não exerço nenhum controle sobre minha vida agora. Três meses atrás — antes da viagem — eu tinha um propósito, sabe? Encontrar papai foi sempre algo que eu sabia que podia fazer, que eu conseguiria, mas agora sinto que acabei de estragar tudo para todos. Flynn diz que não é nada de mais, e, para ser sincera, ele não parece mesmo estar muito chateado, mas mamãe? Meu Deus, o que eu fiz com a mamãe? As músicas noturnas estão cada vez mais estranhas e caóticas... ela passou uma semana inteira cantando "Pray", do Kodaline, o que foi uma droga, porque eu realmente gostava dessa música. Além disso, ela começou a cantarolar a melodia também, mas o que é pior mesmo é que dá para ver que ela canta e chora ao mesmo tempo porque sua voz falha em alguns momentos. Muitas músicas eu não conheço, mas todas parecem tristes ou zangadas. Flynn dorme durante a maior parte delas agora. Ele baixou esse aplicativo no celular que toca ruído de fundo; essa semana é o som do mar, que é mesmo calmante até mamãe começar. Às vezes eu vou para a escola e tenho a sensação de estar andando em meio a um nevoeiro e me sinto muito enjoada também. Eu só queria poder dormir. A única hora em que me sinto viva é quando fecho a porta do banheiro, abro a torneira e vejo as gotas vermelhas, escuras, descerem em um redemoinho pela pia — e penso nas partes de mim que têm sorte e conseguem escapar.

# 12

# Melody

Enxugo o vapor do frescor tropical do rosto e coloco o ferro de volta em seu suporte de metal. Levanto a blusa de seda, que provavelmente custou o mesmo que o meu guarda-roupa inteiro, e torço para não deixar uma marca triangular preta de queimado na sua superfície perfeita. Ela desliza, acomodando-se na posição certa com um sussurro e me provoca com uma piscadela perolada. Pego o ferro elegante de primeira linha e me pergunto quando eles começaram a parecer veículos destinados a um hangar aeroespacial e não à seção de eletrodomésticos de um catálogo. Quando ganharam um design tão masculino? Elegante, preciso, calculado. O que aconteceu com as linhas básicas que cheiravam a essência do lar e da lareira? As panelas de metal cheias de brasa quente que simultaneamente assavam o pão e aqueciam a água? Na Índia, eles queimam cascas de coco em vez de carvão — segundo a revista *QI* —, já que têm tantos cortes de energia. Eu borrifo a seda e saboreio o silvo do ferro, colocando a arrogante maciez em seu devido lugar com um jato dos trópicos; livrando-a dos entulhos das dobras e rugas para deixar um manto de uma lustrosa areia branco-rosada.

— Olá! Meu. Deus. Do. Céu. Que calor! — O suave sotaque galês atravessa os lábios vermelhos rubi da Chanel.

Joanna — minha, digamos, patroa — entra voando na cozinha em uma explosão de perfume caro, fumaça de cigarro e estresse. Ela joga para trás o cabelo castanho na altura dos ombros, larga as sacolas do Waitrose na mesa e vasculha a bolsa Mulberry à procura de um pacote de Marlboro Lights enquanto tira o casaco branco pesado e livra os pés de unhas feitas dos sapatos Jimmy Choo.

— Merda, já é tarde assim? — pergunta ela entre os dentes perfeitamente brancos, cerrados em torno da ponta do cigarro.

Ergo os olhos para o relógio branco vintage da Laura Ashley e assinto de trás de minha neblina caribenha. A campainha toca no momento em que penduro a blusa no cabide acolchoado.

— Puta que pariu, elas já chegaram. Será que você pode me fazer um favor e pegar duas garrafas de espumante na geladeira e substituí-las por aquelas? — Ela faz um movimento com a cabeça, indicando as sacolas do Waitrose enquanto a campainha volta a tocar, impaciente. — Sorria — ela faz uma careta antes de apagar o cigarro no cinzeiro de vidro cintilante e desaparecer no corredor de telhas de vidro, onde caberiam duas da minha sala. Abrindo a geladeira, tento ignorar os gritos vindos da porta, exclamando o quanto todas elas estão fabulosas e como simplesmente precisam comprar alguma coisa do novo designer, de quem nunca ouvi falar, da linha "sei lá o quê". Na ponta dos pés, pego as garrafas de espumante e as substituo com as três que pego nas sacolas de compras, como pedido. Deixo duas na bancada e volto à geladeira, tentando não gemer de inveja diante do salmão defumado e dos queijos especiais que zombam do meu estômago carente com vaias abastadas quando bato a porta gigante e pesada da geladeira americana na cara deles. Joanna retorna, seus passos atormentados de alguns minutos atrás agora substituídos por um desfile autoritário. Ela arruma as garrafas em uma bandeja com um vasinho de vidro contendo uma flor branca de pata-de-vaca, taças de champanhe de cristal e uma tigela também de cristal cheia de framboesas.

Ela me olha, revirando os olhos, como se essa fosse a pior forma de passar uma tarde, e desaparece na sala de estar brilhante e dourada e em um mundo por trás de portas fechadas do qual eu nunca farei parte. Joanna, pelo que eu soube por meio dos fragmentos de conversa que tive com ela, é filha única e veio de uma cidadezinha na região central do País de Gales. Ela se mudou para cá depois de se formar na Universidade de Keele e, em seguida, para Shropshire quando foi morar com o namorado, que em breve será seu ex-marido. Ela trabalha em alguma coisa que tem a ver com a câmara municipal ou planejamento urbano, não pode ter filhos e parece passar a vida correndo de um evento para o outro. Olho à minha volta, admirando a bela cozinha com sua aparência branca e brilhante e me pergunto... eu trocaria minha vida pela dela?

Deslizo a calça preta Donna Karan pela tábua. A vida sem meus filhos. Sem música. Com dinheiro, mas sem tempo. Borrifo a calça, aumento a temperatura do ferro e reviro esses pensamentos na cabeça. A vida sem meus filhos... sem a culpa constante que acompanha a maternidade. Estou dando muita besteira para eles comerem; não estou dando besteira suficiente. Pedir pizza em casa é muito caro; não ligo se Tyler come pizza quando quer. Vivo ocupada demais para fazer coisas com eles; estou fazendo coisas demais com eles, será que estão se sentindo sufocados? Não dou liberdade suficiente; dou liberdade demais — não deveria dar uma conferida em seus telefones? Que tipo de mãe invadiria a privacidade do filho assim? Que tipo de mãe não faria isso? Eu cutuco a ideia da vida sem filhos como se mexe em uma casca de ferida. Você sabe que é a coisa errada a fazer, mas não pode evitar dar uma espiadinha ali debaixo.

A vida sem música... bem, isso eu mudaria sem nem pestanejar. Esse pensamento é tão sólido, tão permanente que me sinto momentaneamente chocada quando o sinto vacilar. A ideia de não ter a... bem... a euforia que ela me dá; será que eu iria querer viver sem isso? Aquela sensação de finalmente poder atacar a comichão e me coçar à medida que ela percorre meu corpo. Os sons e as vibrações dentro de mim, quando a canção se apossa... às vezes é tamanha a beleza e a alegria quando chego lá que — balanço a cabeça e passo para a outra a perna da calça — bem, não tenho muita certeza de que eu abriria mão disso, mesmo com o constrangimento, as dores de cabeça e a exaustão que acompanham esse distúrbio. Meu Deus, estou falando como uma viciada.

A vida com dinheiro? Isso é fácil. É claro que quero ter dinheiro. Não dinheiro em sua forma tangível — embora poder entrar em uma loja e entregar um cartão que, eu sei, tem uma montanha de crédito por trás é uma ideia sedutora, para dizer o mínimo. Eu me refiro ao dinheiro de forma abstrata. A energia diária que não o ter consome: a procura constante pelas melhores ofertas; ter que conferir as especificações dos produtos de marcas mais baratas; a constante priorização das contas e as compras de Natal que precisam começar em setembro para poder adquirir as coisas no eBay a um preço menor e elas chegarem a tempo, porque levam um mês pra vir da China. Eu pego a calça e a penduro no cabide, ignorando a voz amarga dentro de mim que diz que o preço dessa calça provavelmente pagaria todos os presentes de Natal de Rose deste ano.

Eu me censuro, envergonhada, e lembro a mim mesma que ela me deu esse emprego sem questionar meu "problema", mesmo o tendo visto em pleno curso, pois eu estava "fazendo do meu jeito" ao chegar ao fim da fila para pagar meus produtos da promoção no Marks & Spencer. Eu me lembro de como ela me observou com uma expressão franca e aberta e lançou a outra cliente um olhar de desdém quando a mulher começou a me filmar, não muito discretamente. Na semana seguinte esbarrei com ela quando deixei cair parte do troco na cabine de pagamento do estacionamento. Agradeci quando ela me ajudou a catar e, como respondi sem uma *big band* tocando em minha cabeça, ela pareceu surpresa ao ver que eu era... bem, normal. Acabamos caminhando juntas em direção ao estacionamento. Nesse dia, eu estava com pressa para ir buscar Rose no clube de ciências que ela frequentava depois das aulas, então meu passo acompanhou o dela, que também estava apressado. Joanna me perguntou se eu trabalhava no centro da cidade e expliquei que, por causa do meu "problema", era difícil encontrar quem me desse um emprego, ainda mais porque também não tinha experiência. Afora alguns trabalhos de meio expediente como garçonete, minha vida adulta foi dedicada a dar suporte ao negócio de Dev e ser mãe em tempo integral. Ela me perguntou um pouco sobre meu distúrbio, eu expliquei e ela me ofereceu o trabalho de passar roupa em sua casa duas vezes por semana. Às vezes ela me pede que faça outras coisinhas na casa, mas nunca com ares de superioridade; é quase como se ela se sentisse impertinente me pedindo, como se, ao não fazer ela mesma, estivesse demonstrando fraqueza.

À medida que os ocupantes de grife da cesta de vime para passar diminuem, as risadas e os arquejos de surpresa vindos da sala aumentam até que, quando finalmente estou enrolando o fio na base do ferro e desmontando a tábua, eles desaparecem em uma névoa de beijos e despedidas. Joanna se vira para mim, a calma fachada desaparecendo mais uma vez, substituída por uma expressão ligeiramente indefinida, que mostra, porém, alívio.

— Sabe, acho que vou tomar um banho. — Ela se alonga como alguém que vai à academia às seis da manhã antes de pegar um café *latte* com leite desnatado no Starbucks e caminhar energicamente para o escritório enquanto a maior parte de nós ainda está arrumando a marmita com olhos sonolentos.

Com um pequeno gesto de consentimento, como se desse permissão a si mesma, ela sobe os degraus cor de aveia suavemente. Guardo a tábua de passar e o amaciante perfumado e subo com as roupas para guardar em seu armário "de trabalho". Ela tem um quarto inteiro de armários, de parede a parede, cada um deles com um propósito diferente. Trabalho, formal, casual e um só para lingerie. Inspirando uma fragrância doce e sutil, eu me arrasto escada acima e entro no quarto dos armários no momento em que ouço o telefone dela tocar. Mesmo daqui posso ouvi-la suspirar.

— Oi, pai, eu... — Fecho a porta para dar a ela um pouco de privacidade e continuo a guardar as roupas de forma coordenada pela cor, com a precisão de todos os cabides voltados para a mesma direção. A porta se abre e ela fica ali parada, o rosto sem cor.

— Joanna? O que aconteceu?

— Minha mãe, ela teve, ela... — Pego sua mão e a conduzo até o sofá-cama ao lado da janela com persianas. — Ela. Merda, preciso de um cigarro. — Ela cobre a boca. — Ela teve um infarto. — Com os olhos se enchendo de lágrimas, Joanna continua: — Ela está bem. Quero dizer. Merda. Bem, não, mas não morreu. Está na UTI. Eu tenho que ir. Preciso fazer a mala. — Ela se levanta e começa a tirar roupas de todos os armários. Seguro suas mãos e a faço parar.

— Vá fumar. Eu faço a mala.

— Não, eu posso arrumar, só preciso...

Tiro de suas mãos um vestido longo de noite com bordado de predaria em torno do decote, e o seguro diante dela. Ela pisca duas vezes e então me dirige um sorriso amarelo.

— Não creio que esse seja um dos "itens essenciais do ano" na enfermaria do hospital, não é?

Ela balança a cabeça, me dá um abraço rápido e desce a escada correndo, abrindo e fechando com força as gavetas da cozinha à procura do isqueiro.

— Gaveta perto da lava-louças! — grito para ela.

A julgar por sua resposta, um obrigada entre os dentes cerrados, deduzo que ela o encontrou.

Meia hora depois já arrumei suas malas, fiz com que ela bebesse vários copos de água, reservei uma passagem de trem e pedi um táxi para a estação. Joanna, por outro lado, passou esse tempo ao telefone, desesperadamente reagendando compromissos e entregas, e explicando com gestos de mãos frenéticos a urgência de sua difícil situação.

O táxi buzina lá fora no momento em que ela bate o telefone, perguntando ao aparelho como alguém tão incompetente pode ser a assistente de um advogado que cobra um valor tão astronômico por uma hora de trabalho.

— O táxi chegou.

— Mas eu... — Ela agita as mãos. — Merda! Esqueci a entrega dos documentos! — Ela agarra minhas mãos. — Preciso estar aqui quando chegarem. Eu preciso assinar, eles não podem ser entregues a ninguém mais.

— Bem, isso vai ter que esperar.

— Seja eu! — Ela me sacode pelos ombros.

— O quê?

— Por favor! — Ela olha para trás, para a porta da frente, onde um motorista impaciente buzina.

— Olha... — Ela revira a bolsa e rabisca sua assinatura em um pedaço de papel tão espesso quanto meu edredom. — Basta atender à porta.

Ela olha para o meu jeans da Primark e a camiseta preta manchada de cloro com uma careta mal reprimida.

— Pegue uma roupa minha e falsifique a minha assinatura.

— Isso não seria uma fraude?

— Bem, sim, mas não de verdade... Você não vai fazer nada com os documentos, exceto me entregar, então ninguém vai saber. Eu não pediria isso, mas...

O táxi acelera diante da porta. Joanna atravessa os ladrilhos vitrificados, abre a porta e ergue o indicador para o motorista, mandando que espere.

— Olhe — ela veste o casaco branco finíssimo e pega a mala Ted Baker —, eles não vão chegar antes das cinco, então você tem algumas horas. Ah! Tome um banho na banheira! A espuma de banho é Jo Malone!

E com isso, ela se vai.

Fico parada no amplo e reluzente hall por um momento antes de deslizar lentamente os dedos pelos lírios brancos abrigados em um imaculado vaso de vidro lapidado. Então sigo para a cozinha, onde meu telefone está tocando e sorrio quando vejo a mensagem me dizendo para aproveitar o restante do espumante e o que quiser na geladeira. Olhando o relógio, me dou conta de que tenho umas três horas antes do pacote chegar, então aproveito a oportunidade para desfrutar o ambiente tranquilo e impecável. Abrindo a porta para a sala de estar, eu me sinto uma intrusa ao correr a mão pelo tecido aveludado do sofá cor de café com leite e a manta branca macia. Eu me sento em sua borda e olho para a TV com tela de 55 polegadas na parede acima da lareira que cintila laranja sobre pedras perfeitamente brancas. Nada de suportes de TV incômodos e do caos de embalagens de DVD vazias. No tampo livre de manchas da mesa de centro encontram-se as sobras do piquenique vespertino. Inclino-me para a frente a fim de examinar um reluzente balde de gelo cinza-escuro, tiro a garrafa que ainda está gelada e sorrio ao perceber que está quase cheia. Me sentindo a própria menina travessa, pego uma das taças de champanhe, encho e me recosto no sofá enquanto o gole do líquido frio e efervescente desce pela minha garganta.

Na segunda taça começo a relaxar em meu papel de impostora do dia. Tal e qual Melanie Griffith em *Uma secretária de futuro*, subo a escada com a taça na mão e deslizo os dedos da outra pelo conteúdo do armário formal. Vejo uma dock station na cômoda perto da porta e pressiono play no iPod. Adele enche o quarto e, enquanto ela busca o impossível, pego um vestido de seda salmão-escuro. As costas são nuas e debruadas com um acabamento de pelo quase invisível. Eu o seguro diante de mim e passo o cabide por trás da cabeça. Observando meu reflexo, fico na ponta dos pés e reúno com uma só mão o cabelo em um coque. Lanço a mim mesma um sorriso de lado, pensando no quanto é mais fácil parecer deslumbrante quando se tem um armário cheio de roupas deslumbrantes. Tiro o cabide do pescoço, deixo o cabelo voltar a seu estilo solto e sem brilho e devolvo o vestido ao armário. Bebendo o restante do espumante na taça, entro no banheiro deliciosamente perfumado e me sento na borda da banheira vitoriana com pés de garras. Passo os dedos pela água, abro a água quente e então corro ao andar de baixo para encher de novo a taça. Por um momento me pergunto se é uma boa ideia beber mais uma, mas rapidamente dispenso a dúvida quando olho à minha volta. Quando vou ter de novo a chance de desfrutar de uma bebida assim em situação tão livre do caos da vida quanto essa casa é livre de lixo?

Instantes depois, mergulho na espuma macia e perfumada. Um gemido de prazer escapa dos meus lábios quando me reclino para trás e afundo ainda mais na água. Acima de mim há um pequeno candelabro de vidro, de muito bom gosto, sem nenhuma teia de aranha visível, nenhum rejunte que precise de um tratamento com cloro e escova de dentes, somente linhas brancas e limpas para onde quer que eu olhe. Enquanto Adele ateia fogo à chuva, permito que os últimos meses lentamente me venham à superfície da mente. A dor é ainda tão crua quanto no dia em que descobri que Dev estava vivo. Forcei para o fundo da mente todas as perguntas que vêm se formando, tranquei-as em um cofre, dentro de um bloco de concreto. Enquanto os dedos de Adele se mantêm fortes, abro a pesada porta da cela de concreto à medida que um estilhaço de luz desliza pela parede cinzenta e, com o coração martelando, desço os degraus sombrios. Sistematicamente, eu solto os pesados parafusos com um clique à medida que, um a um, eles liberam a pressão nas dobradiças. Quando Adele chega ao refrão e as chamas estão descendo do céu, eu viro o mecanismo giratório dois cliques para a direita, três para a esquerda, antes de virar a alavanca e abrir. Tomo outro gole do espumante e deixo as lágrimas encherem meus olhos enquanto entro no cofre e me permito rever as fotos no Facebook, a dor no rosto de Rose quando ela se deu conta de que o pai não era a criatura mítica que ela havia construído. Não era o herói vindo para nos salvar, era apenas um covarde. Enquanto Adele fala sobre haver um lado em alguém que você talvez não conheça e um jogo que você talvez jamais ganhe, fecho os olhos e vejo a expressão de desprezo no rosto de Flynn, o ódio borbulhando logo abaixo da superfície enquanto ele olha a tela exibindo o rosto sorridente de Dev e o sucesso irradiando de milhares de minúsculos pixels na tela.

Enquanto ela incendeia a chuva, em meio às faíscas caindo, recordo a última vez que vi Dev. Eu havia adormecido no sofá. Ele me sacudiu gentilmente, afastou meu cabelo dos olhos e então me carregou para a cama, enquanto eu tentava me manter naquele esquivo lugar entre a vigília e o sono. Sinto seu beijo leve como uma pluma na testa e o clique suave da porta do quarto enquanto o sono me reivindicava. No momento em que a orquestra alcança seu clímax com notas desoladoras encorajando um inferno, faíscas caem do teto do cofre quando caminho em meio às lembranças, antes de bater a porta, recolocar a tranca, subir os degraus de concreto. Pauso por um momento antes de fechar a porta pesada atrás de mim. A playlist chega ao fim e eu fecho os olhos e me deixo deslizar sob as bolhas, o som da água precipitando-se em meus ouvidos, me enchendo de uma harmonia líquida. Prendo a respiração pelo tempo que consigo antes de romper a superfície da água com um chuá de bolhas. Meu rosto é um monte de neve e eu freneticamente tateio a borda da banheira tentando encontrar uma toalha, mas antes que eu possa livrar o rosto de sua cobertura de lama branca, sou recepcionada com um grito.

— Ahhhhhhhhhhhhhhhh! — Uma voz masculina anuncia sua presença no banheiro.

— Ahhhhhhhhhhhhhhhh! — é minha resposta ao mesmo tempo que tento limpar o rosto das bolhas e esconder meus benefícios sob a espuma.

Em pânico, agarro a arma mais próxima que consigo encontrar em meu estado de cegueira, que é uma pesada saboneteira de granito, e a lanço na direção da voz.

— Ahhhhhhhhhhhhhhhhh! — é a resposta dele quando ouço uma batida seca. Abro os olhos, a visão embaçada clareando e revelando uma figura familiar no vão da porta, esfregando a canela com a mão.

— Ahhhhhhhhhhhhhhhhhhhhhh-gaaaaaaaaaaahhh-do! Do! Do!

Ele ergue os olhos quando eu, inspirada pela música "Agadoo", atiro um abacaxi e sacudo uma árvore. Seguindo a coreografia, continuo a atirar abacaxi e a moer café. Ora, isso não seria tão ruim assim, sejamos francos — todos nós já cantamos e seguimos os passos da banda Black Lace em algum momento da vida — numa festa de Natal ou recepção de casamento. Vamos lá, admita, você também já fez a dancinha de moer café... Aposto que até já fez todos os gestos do videoclipe de "Superman" e escovou o cabelo antes de borrifar as axilas. Não, não é nenhuma vergonha se divertir com um pouco de pop besteirol quando a ocasião pede, mas em minhas atuais circunstâncias há, sim, motivo para vergonha, já que agora estou fazendo café de pé, em toda a minha glória de 30 e tantos anos marcada por estrias.

Shane pega uma toalha no porta-toalhas aquecido e a joga para mim com olhos arregalados e surpresos, mas infelizmente ele lança para a direita ao passo que eu me inclino para a esquerda; ele joga outra, mas deslizo para a direita. Saio da banheira, as duas toalhas encharcadas afundando na água morna de Jo Malone. No momento em que me vejo pulando e cruzando as mãos nos joelhos, acho que é seguro dizer que Shane e eu estamos mais familiarizados um com o outro do que na última reunião de apoio com a família.

— Assine aqui. — Eu projeto a língua pelo canto da boca enquanto rabisco a assinatura de Joanna no aparelho eletrônico preto, intimamente agradecendo a imprecisão da assinatura nesse método. Isso nunca se sustentaria como prova no tribunal. Fecho a porta com um suspiro de alívio, aliso a calça preta do armário de roupas casuais e enrolo as mangas da camisa xadrez cinza. Respirando fundo, sigo os sons vindos da cozinha, onde Shane se ocupa em abrir com familiaridade pesadas gavetas que deslizam suavemente. Eu o observo pegar uma variedade de biscoitos do armário correto e me sinto apreensiva quando ele abre outra e tira uma tábua de queijo sem hesitação ou incerteza.

— Então — anuncio com uma voz exageradamente alegre.

— Oi! Pensei que você talvez estivesse com fome... — diz ele com um rubor subindo pelo pescoço enquanto arruma uvas e vários tipos de queijos na tábua e a leva para a bancada.

— Ah, hum, sim, estou.

Ele volta correndo à geladeira e pega uma garrafa de *prosecco*, agitando-a em minha direção interrogativamente, e assinto, dando meu consentimento. Mais uma vez ele vai até a gaveta certa, pega um pano de prato branco (quem, em seu juízo perfeito, tem panos de prato brancos?!), cobre a boca da garrafa e a abre com um *poft* abafado.

Então nos sentamos em um silêncio constrangedor, perturbado apenas pelo ruído do vinho branco sendo servido e pelo tique-taque do relógio.

Ambos tomamos um grande gole da bebida antes de explodirmos em uma gargalhada.

— Estou tão constrangida — digo, enxugando as lágrimas dos olhos. — O que você deve ter pensado?

— Eu não sabia o que fazer, senão jogar uma toalha pra você. E quando você foi para a esquerda e depois...

— Para a direita... — Mais uma vez começamos a gargalhar. Agora, depois que o notório elefante na sala se foi, começamos a devorar o queijo, que estava tão maduro que poderia andar sozinho pela cozinha.

— Então... posso saber por que você estava na minha banheira? — pergunta ele, enquanto corta uma uva ao meio e a coloca no topo de um biscoito multigrãos com uma pilha de queijo Stilton.

— Sua banheira? — Faço uma pausa, com um biscoito a meio caminho da boca.

— Tecnicamente, sim... isso é, até que o divórcio seja concluído.
— Enfio o biscoito coberto de queijo na boca e mastigo, pensativa, enquanto processo a informação de que Shane é o futuro ex-marido de Joanna.

— Sou a passadeira barra interceptadora de correio da Joanna — explico.
— Ela me pediu que recebesse e assinasse alguns documentos. — Minha mão voa até a boca enquanto me dou conta de que ele naturalmente devia conhecer a mãe dela. Engulo em seco. — Receio que a mãe dela esteja doente.

Ele para de mastigar e olha para mim.

— Eles... hã... acham que foi um infarto.

— Que merda.

— Sim. Pois é.

Ele procura o celular no bolso.

— Você me dá licença um minuto?

Ele se levanta, parecendo abalado, e passa os dedos pelos cabelos enquanto bate furiosamente na tela. Continuo a comer o queijo — caramba, esse Roquefort é bom — e ouço o tom profundo de uma conversa de mão única. Ele retorna, me dirige um meio sorriso, esvazia sua taça de *prosecco* de um só gole, dá um arroto silencioso por trás da mão e torna a enchê-la. Então se senta, abre um vidro de azeitonas Kalamata, espeta uma com o que parece ser um garfo especialmente desenhado para a tarefa de capturar azeitonas e joga uma na boca, pensativo.

— Você conhece bem a Jo?

— Hã, não muito bem, na verdade. Sei que ela é generosa o bastante para me dar um emprego mesmo sabendo da minha... coisa. Ela parece legal, mas ocupada. Muito ocupada.

Ele bufa.

— "Ocupada" era uma das poucas palavras que podíamos usar para nos comunicar.

Ele toma mais um gole e ergue os olhos, como se considerasse se devia continuar essa conversa.

— O problema é que ela é tão... — Ele suspira. — A mãe dela está doente, seriamente doente, e ainda assim ela se preocupa com a entrega de documentos? Que tipo de pessoa faz isso?

— Mecanismo de sobrevivência?

— Gostaria de acreditar nisso, mas, por experiência própria, duvido.

— Você ficaria surpreso com o que se pode dizer e fazer para enfrentar uma situação estressante.

Pensativos, continuamos a nos servir da comida.

— Flynn me falou sobre a semana que você tirou as crianças da escola.

Tomo outro gole.

— Falou?

Ele assente.

— E...?

— E... não posso contar o que ele falou.

— O quê?! — Bato nele com a toalhinha de chá e ele ergue as mãos, em um gesto de defesa.

— Direito do aluno à privacidade!

Reviro os olhos.

— Bem, então por que você tocou no assunto?

Ele dá de ombros, sorrindo.

— Ele está se saindo bem, sabe? O talento artístico dele é excepcional.

Sinto o brilho cálido do orgulho materno.

— Gosto muito dele. Em minha profissão, trabalhamos com alguns garotos e garotas que, você sabe, independentemente do que façamos para ajudar, já se encontram em um caminho que, não importa o quanto a gente tente, não vai conseguir desviá-los. — Ele balança a cabeça. — Mas o seu garoto, ele é especial.

— Eu sei. — Espeto uma azeitona. — Ele tem vivido momentos difíceis.

— Você também tem vivido momentos difíceis. — Ele gesticula em minha direção com a taça.

— Todos temos. — Afasto meu prato ligeiramente quando Shane vai completar minha taça. Faço menção de cobri-la, me dando conta, ao fazê-lo, de que já estou um pouco bêbada.

— Ah, para. Vou me sentir mal-educado se continuar bebendo sozinho. E, para ser franco, ainda estou um pouco abalado pela intrusa em minha banheira. — Ele morde o lábio inferior, e percebo que não consigo desviar o olhar. Ele abre um sorriso torto. Lentamente, recolho a mão.

— Tá bom, só mais essa. — Ergo os olhos para o relógio. — Flynn vai chegar daqui a pouco em casa, então preciso voltar.

Ele balança a cabeça.

— Olhe o seu telefone.

— Como assim?

— Ele só vai chegar depois das oito hoje. É a noite aberta ao público na escola e pediram a ele que ficasse no departamento de arte.

— É mesmo? — pergunto, uma mistura de orgulho e confusão na voz. Desço do banco, recupero o equilíbrio um pouco mais lentamente do que o normal e vou até o vestíbulo para pegar minha bolsa. De fato, há uma mensagem de Flynn me avisando que vai chegar mais tarde, e uma de Rose me lembrando que vai para a casa de Lisa e também vai voltar mais tarde.

Shane se dirige ao corredor levando as taças e gesticula na direção da sala. Eu o sigo com o pensamento nebuloso de que deveria de fato dar uma desculpa educada e ir embora, mas não consigo encontrar a disposição ou as palavras para fazer isso. Ele liga a TV e escolhe um canal de música, então a tela fica vazia e os suaves acordes de Ella Fitzgerald tomam conta da sala. Eu me acomodo no sofá, me sentando em cima dos pés. Com naturalidade, começamos a falar sobre a arte de Flynn, sobre o Sr. Greene e como não o suportamos. Pergunto a ele onde conheceu Joanna e ele me conta que se conheceram na universidade, que ela sempre foi muito ambiciosa, mas que, enquanto a ambição dele sempre fora voltada para a carreira e para os garotos com que trabalhava, a dela era para a carreira e as coisas caras da vida. Eu contei a ele sobre o acidente. Sobre o desaparecimento de Dev e o quanto nos amávamos. E contei que o achara.

— Por que voltou para casa? Não consigo imaginar como deve ter se sentido ao ver a foto dele sendo bem-sucedido ao lado de outra pessoa, mas — ele balança a cabeça e despeja o restante da garrafa nas taças — não creio que eu pudesse ter ido embora sem saber por que ele fez isso.

— Sem saber por que ele nos deixou?

Ele assente e então se recosta no sofá.

— Eu não suportei a ideia de fazer as crianças passarem por mais isso. Rose, ela, bem, ela havia se agarrado a essa imagem perfeita dele e... — Balanço a cabeça. — Já basta o que eles têm que suportar diariamente! Com Flynn é diferente. Ele consegue lidar com meu distúrbio, mas Rose? Às vezes, quando acontece, posso ver uma vergonha real em seus olhos. Eu simplesmente não podia submetê-los a mais isso. Se eles quiserem vê-lo, vai ser escolha deles. Nesse momento, preciso protegê-los da melhor maneira possível, e isso significou voltar para casa e deixar as coisas como estão. — Aperto os lábios antes de projetar a língua pelo canto da boca, me perguntando se falara demais. A cabeça de Shane estava apoiada no punho fechado e me olhava com uma expressão estranha. Algo entre divertido e perturbado.

— O que foi?

— Gosto do jeito como você mostra a língua quando se concentra.

— Ah. — Eu me sinto insegura, sem saber se mostro a língua ou a mantenho dentro da boca. Decido levar na brincadeira seu comentário e o efeito que ele está tendo em mim e mostro a língua pelo canto da boca no que eu pretendia ser um jeito bobo mas engraçadinho. No entanto, o efeito não foi o esperado, pois percebo que um grande fio de baba está escorrendo pelo meu queixo. Ele ri da minha mortificação quando pego um lenço de papel na bolsa e limpo com uma risada nervosa. Nesse momento, meu telefone toca ao som de "Don't Stop Me Now". Flynn deve ter andado mexendo nele de novo.

Sorrio, me desculpando, e Shane agita a mão dispensando minhas desculpas e, deslizando a tela para aceitar a ligação, respondo ao mesmo tempo que prendo o cabelo atrás da orelha e reassumo minha posição no sofá — apenas uma fração mais perto de Shane do que antes.

— Alô? — Um soco no estômago me deixa sem ar enquanto sinto o sangue fugir do meu rosto, deslocando toda a sua força para manter meu coração batendo e os pulmões funcionando. Shane se inclina para a frente e pousa a taça na mesa com uma expressão de profunda preocupação.

— Alô? — repete a voz. — É Melody? Melody King?

— Sim — sussurro.

— Olá, meu nome é Tom. Tom Simmonds. Desculpe a demora para ligar, eu estava fora... — E, com isso, deixo cair o celular e vejo o mundo se inclinar para o lado enquanto escorrego pela borda.

# 13

# Melody

— Mãe! — Movo minha cabeça dolorida na direção da voz de Flynn, que está sacudindo meu ombro. — Mãe? — Destaco a língua grossa do céu da boca; ela coleia pelas dunas dos meus lábios como uma tempestade de areia. Lembro-me vagamente de ver um documentário sobre um vento no Saara chamado siroco que podia durar algumas horas ou semanas. Tempestades de areia tão fortes que quebram maquinários e penetram edifícios. Sinto a serpente da tempestade retorcer-se em minha cabeça, grãos entorpecedores triturando-se em meus ouvidos e garganta, acumulando-se pesadamente em meu peito.

— O que foi? Qual o problema? — Estico a mão e tateio até encontrar o fio com o interruptor e apertá-lo, lançando o quarto em um brilho suave de 40 watts.

Eu me sento com os olhos apertados, borrados de maquiagem, e encaro os rostos preocupados de Flynn e Rose.

— Que horas são? — pergunto, pegando o copo de água que Rose me estende.

— Você estava gritando.

Engulo a água morna, umedecendo minha boca seca e atenuando a ardência no fundo da garganta. Meu pijama está molhado e as cobertas se encontram no chão. Flynn pega o edredom branco e o dobra no pé da cama.

— Gritando o quê?

— Só gritando — replica Flynn, tornando a se sentar no colchão.

— O quê? Sem cantar?

★ ★ ★

Rose coça a cabeça, a manga do moletom de capuz marrom esticada por cima das mãos, exatamente como ela costumava fazer com o casaco da escola quando era uma garotinha de 3 anos entrando, nervosa, na creche.

— Sem cantar nem dizer... assim... nada. — Ela prende o cabelo atrás das orelhas enquanto baixo os olhos e sigo a linha de sardas em seu ombro nu, de onde o casaco escorregou.

Balanço a cabeça, desconsiderando a preocupação deles.

— Deve ter sido um pesadelo. Estou bem agora. — Sorrio para os rostos preocupados deles e sinto um desconforto subir pela coluna quando eles se entreolham. Ombros se encolhem e sobrancelhas se erguem, questionadoras, respondendo a bochechas mordidas por dentro da boca. — O que foi? Qual o problema?

— Mãe, a gente já sabe — começa Flynn.

— É, sabemos dizer quando você está... hã...

— Tendo um pesadelo. — Flynn se inclina para a frente e cata uns pelinhos na cama. — Mas essa não foi como as outras vezes, mãe. — Ele ergue a cabeça, me olhando através dos cílios longos e escuros. — Você ficou gritando em um único tom por...

— Não importa por quanto tempo. O que importa é que era diferente, mãe. Era uma nota só, gritada, com pausas apenas quando você precisava respirar.

— Desde quando?

— Uns vinte minutos.

— Não, quero saber desde quando vocês sabem quando estou tendo pesadelos.

— Não muito tempo — diz Flynn com convicção, mas suas narinas dilatadas contam outra história. Ele nunca soube mentir, desde os 3 anos, quando tentava dizer que não tinha comido todos os chocolates do calendário do advento, mas eu não o pressiono para me dizer a verdade. Não dessa vez. Eles precisam acreditar que não estou me sentindo culpada.

— Você acha que devíamos voltar ao médico? Você nunca chegou a fazer a última ressonância...

— Ah, para quê? Passamos por isso tantas vezes. Fiz a tomografia depois do acidente, lembra? Eles disseram que o problema é neurológico e provocado pela ansiedade, portanto eu só preciso encontrar outra maneira de lidar com ele, só isso... E eles sempre dizem a mesma coisa, que meu problema é...

— Único — dizemos todos em uníssono.

— Então o que foi? O que mudou? — pergunta Flynn, a preocupação gravada em seu jovem rosto marcado por cicatrizes. Desvio o olhar para o relógio na parede, que pende ligeiramente torto, e digo a eles que não aconteceu nada. Com um bocejo exagerado, me ponho de pé, então os apresso para que voltem para a cama, resmungando sobre uma quiche suspeita que comi na hora do almoço.

Assim que os sons do sono profundo penetram a casa, visto um cardigã cinza fino para afugentar o frio das quatro da manhã. Mesmo que estejamos em junho, parece que nunca me sinto quente. Vasculhando a gaveta de cima, encontro um pacote de cigarros amassado que está lá há uma eternidade e me pergunto — enquanto desço as escadas — se cigarro tem prazo de validade. Encaixo a chave na porta dos fundos e enfio os pés em um velho par de chinelos pretos. Ao sair, respiro a grama orvalhada, inclinando a cabeça para o céu noturno, que já descartou o cobertor escuro e agora se estica e se abre, revelando-se laranja-avermelhado. Sento-me em um dos degraus frios que levam ao gramado, pego um cigarro, risco um fósforo e observo seu brilho vermelho. Não fumo de fato há anos, mas dou uma tragada profunda e desfruto de sua calma cancerígena. Abraço meus joelhos enquanto sopro uma nuvem de fumaça em direção às lâminas reluzentes de grama.

Repasso minha conversa com "Tom" e dou mais uma tragada profunda.

"Olá, meu nome é Tom. Tom Simmonds." Sinto a mesma comichão na pele toda, como no momento em que reconheci a suavidade da sua voz. A mesma voz que me dissera o quanto eu era amada, a mesma voz que me contara longas piadas com o humor tão oculto dentro da história que eu deixava escapar uma risada mesmo nos meus piores dias — piadas cujo propósito era puramente me fazer sorrir. A mesma voz que tinha anunciado para mim que Rose era uma menina; que me contara, toda animada, que Flynn havia engatinhado e, hesitante, me pedira em casamento. "Desculpe a demora para ligar, eu estava fora..." Estremeço, olhando a ponta do cigarro, virando-o para a esquerda e para a direita, como se ele guardasse respostas. Torno a tragar, desfrutando simultaneamente a vertigem e a pressa assustada que está despertando meus sentidos dormentes durante toda esta última semana.

Shane havia apanhado o telefone enquanto eu permanecia sentada com o punho enfiado na boca. O sangue rugia em meus ouvidos à medida que a leoa dentro de mim andava em círculos, pressentindo a ameaça de um predador, sem saber onde ou quando ele iria atacar. Acima do grunhido baixo e primitivo dentro de mim, podia ouvir Shane dizendo palavras familiares, um "sinto muito, mas ela não se encontra em condições de falar, se eu puder anotar o número...", em seguida um "hummm, hummm, nove, oito, meia, sete, entendido..." Ele finalizara a ligação, então se inclinara para a frente para perguntar se eu estava bem. Eu havia feito que sim com a cabeça, pedira licença e fora embora, atravessando acuada uma floresta de concreto. Perigo e ruptura em sintonia com latido de cães e batida de portas, até eu finalmente chegar em casa, trancar a porta e gritar no silêncio.

Esmago a guimba do cigarro no degrau e fico ouvindo os sons do verão que desperta enquanto esfrego a palma da mão no olho, reconhecendo nesse momento que não posso continuar fingindo que ele não existe; fingindo que posso viver sem saber o que aconteceu com ele; fingindo que posso proteger meus filhos do passado. Fecho a porta o mais silenciosamente possível, preparo uma xícara de café e, com o coração martelando no peito, abro meu laptop e procuro tudo que posso sobre Tom Simmonds.

Um pouco mais tarde, enquanto passo manteiga em quatro pares de torradas e preparo xícaras fumegantes de chá para as crianças — o que espero que os sustentem por boa parte do dia —, ensaio o que vou dizer quando ligar. Ele tinha meu nome, mas não parecia me conhecer, e, se não me conhecia, então o que havia acontecido com ele? Está claro, pelas breves entrevistas que pude encontrar, que ele ainda vive totalmente absorto em suas esculturas, mas, afora aquela única foto, não encontro nenhuma outra evidência de sua vida desde que nos deixou. Está claro que ele tem outra casa, mas será que tem outra mulher? Outra família? Jogo a faca na pia com mais força do que pretendia no momento que Flynn entra resmungando na cozinha.

— Bom dia! — eu digo, encolhendo-me com meu tom jovial, que soa áspero através da atmosfera desconfortável. Ele ergue uma sobrancelha questionadora em minha direção antes de pegar uma torrada e beber um gole de chá.

— Você dormiu? — pergunta ele, a voz cansada e arrastada.

— Um pouco — minto. — E você?

— Um pouco — responde ele, migalhas de torrada caindo na camisa do uniforme. Ele corre os dedos pelos cabelos, desanuviando o rosto momentaneamente. — Você pode comprar carvão para mim na loja da cidade? Ele morde outra torrada.

— Por quê? Vamos fazer um churrasco? — Rio da minha própria piada.

— Engraçadinha — replica ele.

Rose aparece na porta, o cabelo preso em um coque bagunçado e a gravata do uniforme ligeiramente torta.

— Qual é a graça? — pergunta ela, olhando com suspeita por cima do nariz pálido a torrada levemente queimada.

— Nada — respondemos.

— Tuuuudo bem — é a resposta dela ao jogar no lixo a torrada e pegar, em seu lugar, uma banana meio amassada. — Até mais tarde — acrescenta ao sair da cozinha.

— Por que vai tão cedo? — grito para ela.

— Vou encontrar Lisa e depois vamos à loja — é sua resposta abafada enquanto a ouço arrastar os sapatos, tirando-os do armário sob a escada.

— Ah. Divirta-se!

— Que seja... — ouço-a murmurar entre os dentes antes de a porta bater. Ergo a sobrancelha para Flynn, que dá de ombros.

— Como ela é? Essa Lisa?

— Não sei. Meio emo. Um pouco, sabe, antissocial.

— Você acha que eu devia convidá-la para um chá aqui em casa?

Ele bufa com a xícara na boca.

— O que foi? — pergunto.

— Rose não tem 4 anos, mãe. Você acha mesmo que ela iria querer que a amiga nova e — ele faz aspas com os dedos — "descolada" viesse aqui comer nuggets, batata frita e sorvete?

Ele se levanta, balançando a cabeça, e põe o prato na pia cheia de água fria e turva.

— Eu só pensei que deveria conhecê-la. Ela parece ser importante na vida da Rose no momento. O que aconteceu com todos os outros amigos dela?

— Eu tenho que ir. — Ele ergue os olhos para o relógio. — Estou atrasado.

Ponho as mãos nos quadris e ergo as sobrancelhas para ele.

— Flynn?

— O que foi? — Ele evita o contato visual, enquanto pega o casaco no encosto da cadeira. — É sério. Eu tenho que ir.

— Flynn!

Ele para no vão da porta e se vira.

— O que aconteceu com todos os outros amigos dela?

— Eles não falam mais com ela.

— O quê?

Ele coça a cabeça e suspira.

— Depois da história do dinheiro... eles todos meio que evitam Rose.

— Por que vocês não me disseram nada?

— Ainda precisa perguntar? — replica ele, com a exaustão de alguém bem além de sua idade. Então veste o casaco e sai, batendo a porta da frente ao passar.

Fico ali parada, cercada pelos cheiros de uma casa com crianças em idade escolar numa segunda-feira. No entanto, a familiaridade não alivia em nada a sensação de inadequação. Começo a lavar a louça e arrumar a cozinha, notando que Flynn esqueceu a gravata na mesa. Tento ligar para ele, mas não há resposta. Então deixo uma rápida mensagem de voz e desligo, enquanto sinto o nó se formando dentro de mim, os milhões de fibras meticulosamente se reunindo e formando uma complexidade de fios, cada um deles se retorcendo e abrindo caminho por dentro de mim. Cada fio se entrelaça e serpenteia através de mim, enrolando-se mais e mais até que, com alívio, ouço a cascata de notas de piano vindo dos Boomtown Rats e reflito sobre por que "I Don't Like Mondays" [Eu não gosto de segundas-feiras]. Enquanto começo a cantar sobre um microchip sobrecarregado e explico que não haverá ninguém na escola nesse dia porque vão esperar em casa, percebo que — quase sem controle — estou subindo as escadas em direção ao quarto de Rose. Enquanto, com a mão na maçaneta da porta, explico minha confusão pelo fato de o pai dela não entender as coisas, ele sempre achava que ela ia bem na escola, concordo com Bob Geldof que tampouco eu sou fã das segundas-feiras. A porta se abre e entro com cuidado no quarto dela. Sou recebida pelo cheiro de produtos de cabelo e spray corporal com aroma de frutas. Várias peças de roupas se espalham pelo piso de madeira e, na cômoda, há uma variedade de pós e bases que ela aplica religiosamente antes de sair de casa — sua determinação em esconder as sardas está evidente. Começo a arrumar a cama, levantando o colchão enquanto disparo:

— OOOOOOH-hooooo-hooo-hooo-hooooo...

Paro quando concluo a frase; o otimismo do dia está em declínio porque minhas mãos esbarram em um objeto pequeno e duro debaixo do colchão. Viro o pequeno bloco de notas nas minhas mãos. Não consigo ver outra razão para ela escondê-lo ali que não seja manter alguma coisa secreta. Algo privado. Bato com ele duas vezes na palma da mão, no ritmo da música, e meus pensamentos se voltam para minha garotinha. Enquanto continuo a odiar segundas-feiras, viro o bloco na mão antes de abri-lo e ver a linda caligrafia floreada dela me encarando. Então o fecho imediatamente e aprendo que a lição de hoje não será sobre pensamentos sombrios, mas sobre confiança. Devolvo o bloco ao lugar onde estava, aliso o edredom e — mesmo que o pai não esteja aqui para entendê-la — eu estou. Saio do quarto com outro:

— Hooooooo-oooooh-hooooo-hoooo-hoooo — e desço a escada.

Tomo um gole do café com os olhos fixos no telefone. O aparelho me encara também. Eu o tiro do gancho, aperto com força e então torno a colocá-lo no lugar. O telefone continua a me encarar. Isso é ridículo. É só Dev. Tom. Sei lá. Enrolo entre os dedos o pedaço de papel rabiscado com o número dele, como aquelas cobrinhas de pelúcia que costumávamos ganhar na infância. Uma nuvem encobre o sol. Bebo outro gole de café. Preciso fazer isso agora, preciso ligar para ele enquanto "I Don't Like Mondays" ressoa em mim, acalmando minha necessidade de expressão. Pegando o fone, digito o número. O telefone chama. Mordo o lábio inferior. Continua tocando. Corro os dedos pelos cabelos. Continua tocando. Brinco com o fio.

— Sim?

Meu coração martela contra o tórax e o telefone treme junto à minha orelha. Tento falar, mas a única coisa que sai é um guincho.

— Alô? — diz ele.

Respiro fundo e me sinto acalmar.

— Hã, alô, aqui é a Melody. Melody King.

— Sim?

Eu me remexo, desconfortável, tanto emocional quanto fisicamente. Estou sentada em cima do bloco no qual estava escrevendo; eu o puxo, assim como meu celular, de baixo de mim.

— Estou retornando sua ligação... Eu, eu adoro o seu trabalho... — Tropeço nas palavras, percebendo que ou ele não sabe quem eu sou ou está fazendo um teatro, deixando claro que não quer saber quem eu sou. Ele ri. Uma risada suave. Engulo em seco, confusa.

— Bem, é bom saber disso, mas...

— Posso ver mais alguns de seus trabalhos?

Mais uma vez, ele ri.

— Sou sua maior fã, de verdade.

— Bem, é muito bom mesmo ouvir isso, mas...

— Eu sempre quis alguma coisa assim em minha, hã, sala. — Não sei mais o que dizer, mas não quero encerrar a ligação. Ouvir a voz dele outra vez depois de todo esse tempo... Eu costumava ouvir sem parar a saudação na caixa postal dele quando o procurava, deixando incontáveis mensagens. Será que ele ouviu alguma?, eu me pergunto.

— É mesmo? Isso é tudo que você queria? — pergunta ele, um tom de humor na voz.

Está claro que estou me passando por uma completa idiota. Cubro o fone, lutando momentaneamente contra as lágrimas.

— Estou procurando você há tanto tempo.

— Não creio que seja a mim que você está procurando, mas obrigado por ligar.

Ele dá uma risada e eu faço uma careta por dentro. Não pensei que ele fosse ouvir essas últimas palavras, e agora evidentemente pensa que sou uma maluca.

— Espere!

— Tem mais alguma coisa que você queira me dizer? — pergunta ele, como se falasse com uma criança.

Sim! Quero gritar o quanto o amo. Que foi sempre ele que eu quis, que amo a maneira como a luz costumava se refletir em partes de seu cabelo, fazendo parecer que eram fios de cobre, o quanto eu me importava com ele, tanto que pensava que meu corpo transbordaria esse sentimento. Quero perguntar por onde andou porque neste momento não tenho a menor ideia. Mas, acima de tudo, quero perguntar se ele está sozinho, ou se tem alguém para amar? Talvez eu pudesse começar dizendo a ele que o amo? Mas em vez disso, percebendo que arruinei totalmente a ligação, digo simplesmente:

— Eu só queria... — Mas só me resta o silêncio do outro lado da linha, no momento em que me dou conta de que ele desligou.

Sou despertada pelas fortes batidas na porta da frente. Ouço sirenes tocando lá fora e flashes azuis intermitentes despertam meus sentidos e me transportam para um pânico cego e cerúleo. Então me levanto atrapalhada do sofá, olhando para o relógio, que sorri me dizendo dez para as duas. Devo ter dormido por algumas horas, o que se evidencia pela leve crosta no lado direito do meu queixo, que limpo com a manga. Fico momentaneamente paralisada diante das inconfundíveis silhuetas de dois policiais que vejo através do pequeno painel de vidro retangular na parte superior da porta de madeira na entrada de casa. Meus filhos. A primeira coisa que qualquer mãe pensaria nessa situação. Por favor, que estejam bem. A dúvida sobre o que fazer — me entregar a este breve momento no tempo em que me encontro a salvo de qualquer notícia que estou prestes a receber ou disparar e mergulhar de cabeça nela — me imobiliza e fico ali parada. Paralisada pelo medo do que pode ser. Não tenho certeza se estou ali de pé há cinco segundos ou cinco minutos, mas a decisão é tomada em meu lugar quando mais uma vez batem com força na porta.

— Sra. King? — Uma voz grave masculina ressoa através da porta, me arrancando do estado de paralisia e me arrastando em direção à porta.

— Sra. King? — pergunta uma mulher de uns 40 anos fardada quando abro a porta.

— Sim?

— Podemos entrar?

Neste momento percebo minha vizinha da casa ao lado, Mandy, parada atrás deles, alívio e preocupação estampados no rosto. Olho para ela interrogativamente, mas ela se limita a me dirigir um breve sorriso e assentir com a cabeça, como se seu trabalho aqui estivesse concluído. Então a observo virar-se e se afastar enquanto fecho a porta.

Eles adentram a sala. Suas sólidas estaturas e fardas engomadas e pesadas parecem estranhas entre os tons suaves de azul e cinza que aconchegam nossos domingos de sorvetes, quando maratonamos séries com o corpo sentado sobre as pernas e colheres pegajosas nas mãos.

— Chá? — ofereço.

— Não, obrigado — troveja o homem —, não vamos tomar o seu tempo. Está sozinha, Sra. King?

— Sim. Ah, por favor, sentem-se. — Gesticulo na direção do sofá à frente e me sento cautelosamente na ponta do braço.

— Sra. King, fomos enviados para cá depois que uma vizinha preocupada ligou para a polícia.

— Mandy? — Sorrio.

— A Sra. Dawson. Sim. Ela relatou gritos vindos deste endereço.

— Certo. Ah. — O alívio toma conta de mim. Isso diz respeito a mim, não a meus filhos. Diz respeito a Mim: aquela que não pode nem tirar um cochilo à tarde sem causar problemas. Balanço a cabeça enquanto lágrimas de constrangimento afloram em meus olhos e a policial se agacha ao meu lado.

— Alguém a machucou, Sra. King? — Nego com a cabeça novamente. — Tem mais alguém em casa?

— Não. — Respiro fundo. — Eu tenho um distúrbio, sabe, que aparentemente é consequência de uma queda que sofri há alguns anos. O mais recente sintoma parece ser o fato de que fico gritando incontrolavelmente quando estou dormindo.

— Gritando?

— Sim. Quase sempre eu canto.

— Canta? — pergunta o homem, com mais do que um toque de ceticismo.

— Sim. Olha, eu sinto muito mesmo por desperdiçar o tempo de vocês, mas estou bem, de verdade. Só com um pouco de raiva. — Sorrio entre as lágrimas e os vejo trocarem olhares inquietos e desconfiados.

— Muito bem, se pensar em qualquer coisa que possa estar lhe causando aflição e precisar de algo, não hesite em entrar em contato. — A policial aperta meu joelho e eu tagarelo sobre o tempo enquanto rapidamente os conduzo até a entrada e fecho a porta suavemente ao saírem.

Subo correndo, meus lábios apertados o mais forte que consigo, enfio a válvula da pia no ralo, deixo cair a água até ela estar quase cheia e então mergulho o rosto na água fria, bolhas saindo da minha boca numa explosão e subindo em uma raiva aerada enquanto canto "Creep", do Radiohead, a água abafando os sons da minha fúria diante da injustiça que o mundo colocou nos meus ombros. Exaurida, fico ali parada, a franja pingando na pia enquanto observo a água girar em um redemoinho, no sentido horário, escoando pela pia.

— Toalha?

Suspiro. É claro que ele estaria aqui. Atrás de mim. Quando, mais uma vez, estou bem distante da sanidade. Sentindo-me derrotada, volto-me para ele com a mão estendida quando ele me passa uma toalha preta tirada do aquecedor.

— O que você está fazendo aqui? — pergunto enquanto enxugo o rosto e limpo o rímel sob os olhos.

— Flynn está lá embaixo. Não tivemos um grande dia.

— Perfeito.

Observo o saquinho de chá de hortelã rodopiar na xícara de vidro enquanto Flynn permanece sentado em silêncio e Shane ajeita a bolsa de gelo sobre a mão direita dele.

— Melhor? — ele pergunta.

Flynn dá de ombros.

— Então, o que aconteceu? — pergunto, soprando a superfície da xícara.

— Alguns dos idiotas da minha turma ouviram quando eu escutava a sua mensagem. Aliás, muito obrigado. — Detecto uma nota de sarcasmo, o que me deixa confusa.

Ele faz uma careta de dor quando muda a bolsa de gelo de posição.

— Por nada — digo, cansada, tomando um gole do chá, com o saquinho ainda flutuando na xícara. — Então, o que minha mensagem tem a ver com isso? — Faço um gesto com a cabeça, indicando a mão dele.

— Eles começaram com a história de sempre, me chamando de filhinho da mamãe — ele dá de ombros —, esse tipo de coisa.

— Bem, isso não é motivo para começar uma briga — digo, exasperada.

— Bem, quando se começa a falar merda sobre você estar dormindo com sua mãe, é sim!

— O quê? — digo, chocada. — Porque avisei a você que deixou a gravata em casa... isso significa que você quer... Deixa pra lá. Qual é o problema desses garotos? — Viro-me para Shane, que tem os olhos voltados para o chão.

— Não essa, a outra — diz Flynn, a voz quase inaudível.

— Que outra?

— Quando você ligou para perguntar se era você que eu estava procurando...

— Hã?

Ele deixa escapar um suspiro frustrado, joga o cabelo de volta sobre os olhos e desliza a bunda para a frente, tirando o telefone do bolso. Então corre os dedos pelo aparelho e digita alguma coisa nele.

— Mensagem recebida às onze horas e vinte e quatro minutos — anuncia a voz robótica.

Durante os minutos seguintes, a sala se enche com a minha voz em uma interpretação emotiva de "Hello", de Lionel Richie. Sinto-me enjoada quando me dou conta de que essa é a minha ligação para "Tom". Devo ter acidentalmente ligado para Flynn quando puxei o celular debaixo de mim. Apuro os ouvidos e posso ouvir as réplicas de Tom às minhas declarações emocionadas. Não há nenhuma menção do meu nome ou de meu entusiasmo por seu trabalho, somente verso após verso da canção de amor dos anos oitenta. O momento em que eu quis lhe falar dos meus sentimentos? Quando quis saber onde ele estava e se estava sozinho? Bem, parece que fiz isso e mais. Observo quando a xícara escorrega dos meus dedos e se espatifa no chão de madeira. O líquido dourado escorre pelo chão, criando um mapa de oportunidades, com mil direções para as quais seguir. Vejo sua liberdade ser contida a cada volta pelos cacos sinistros e afiados de vidro, e, por mais que ele tente escapar, o vidro está sempre ali, direcionando seu curso até que o suave líquido dourado finalmente desiste, permanecendo imóvel com o próprio reflexo aprisionado naquilo de que tentava escapar.

# 14

# Flynn

Dez razões por que odeio você:

1. Vamos começar pela óbvia. Você nos abandonou.
2. Se não tivesse abandonado a gente, talvez você tivesse raspado as janelas do carro naquela manhã ou comprado o produto pra descongelar gelo. Isso é tarefa do homem da casa, certo? Então mamãe não teria escorregado.
3. Se não tivesse abandonado a gente, talvez fosse você que estivesse colocando o lixo para fora, e mamãe não teria escorregado.
4. Se mamãe não tivesse escorregado, então nossa vida não seria a piada que é agora. Eu sei que dizem que é neurológico, mas tudo começou depois da queda.
5. Se não tivesse abandonado a gente, mamãe seria feliz.
6. Se não tivesse abandonado a gente, Rose não teria cometido suicídio social e acabado na companhia de um bando de derrotados.
7. Se não tivesse abandonado a gente, não viveríamos sempre sem dinheiro e eu poderia ter a droga de um telefone decente.
8. O acidente de carro. Certo, vamos esclarecer. Eu não te odeio por bater o carro. Não sou um imbecil; não acho que tenha sido nada além de um acidente idiota. Eu não te odeio pelo estado que ficou a minha cara, mas odeio, sim, pela maneira como você costumava olhar para mim. Eu era só uma criança, pai, e você me olhava como se eu fosse um monstro.

9. Eu te odeio porque você é um covarde. Que tipo de babaca abandona a família, faz com que o procurem por anos, faz com que pensem que está morto, mas cria uma página no Facebook?

10. Eu te odeio porque, em vez de estar lá fora com os meus amigos, estou de castigo no meu quarto, sem praticamente nada, escrevendo essa lista idiota.

# 15

# Melody

O telefone toca e eu atendo no momento em que o rapaz da manutenção da telefonia a cabo fecha a porta ao sair. É Shane. Não posso negar que me sinto reagir à maneira suave como ele pronuncia as vogais, ao modo como ele às vezes prolonga a última palavra de uma frase, terminando-a com um clique.

— Oi, aqui é o Shane.

— Oi.

Corro os dedos pelos cabelos e olho meu reflexo no espelho perto da porta. Reviro os olhos para mim mesma e para o rubor surgindo em minhas bochechas.

— Então, como você está?

— Bem.

— Bem?

Eu me pergunto quanto devo contar a ele. Quero dizer, Shane foi lançado no meio dos segredos e problemas da minha vida, então talvez eu devesse apenas dispensar sua preocupação e retornar ao nosso relacionamento profissional — sou a mãe do garoto com quem ele está trabalhando — e deixar as coisas assim. Mas, ali, apertando o fone na mão, sinto a ânsia de conversar com ele, de fazer confidências e de, pelo menos. tê-lo como amigo. Projeto a língua pelo lado da boca e lembro que ele disse que gostava disso, então balanço a cabeça diante desse pensamento ridículo.

— Quer vir aqui mais tarde? — pergunto, mordendo o canto da unha do polegar. Se ele der uma desculpa e declinar, então vou saber em que terreno estou pisando.

— Claro. Que horas?

Entro em pânico. À noite pareceria um encontro. Decido-me então pela tarde. Café e biscoitos, em vez de vinho e jantar.

— Por volta das três?

— Encontro marcado.

Coloco o fone no lugar e me pergunto se isso foi apenas um modo de falar.

— Flynn! — grito para o alto da escada e torço para que minha voz se sobreponha ao volume dos fones de ouvido dele.

— O que foi? — grita ele em resposta.

— O Wi-Fi voltou! — replico.

— Demorou! — é o sincero agradecimento dele.

Entro na cozinha, abro a janela e torno a fechá-la rapidamente quando uma mamangaba bate, zumbindo, na vidraça. Eu sabia que ter um arbusto de lavanda tão perto da janela da cozinha era um erro, mas Dev tinha visões com brisas perfumadas de lavanda enchendo a casa com o aroma de lustra-móveis. Então opto por abrir a porta da cozinha e acolho a brisa que entra. Sentada no degrau, fico ouvindo os sons do verão. Um avião ruge pelo céu enquanto o chamado pesaroso de um pássaro embeleza o distante zumbido de abelhas, intercalado com a forte melodia de uma ave mais ostentosa. Inspiro o ar do verão e penso em meu filho lá em cima, que mal saiu de seu quarto desde que fez a última prova. Sinto-me aliviada, para ser franca; quanto mais cedo ele estiver oficialmente fora daquela escola, melhor. Seu Certificado Geral do Ensino Secundário foi emitido e seu pedido de admissão na faculdade foi aceito. O curso — uma formação de dois anos em arte e design — foi escolhido. Foi necessário muito jogo de cintura para que ele fosse aceito com suas questões comportamentais, mas graças a Shane e ao alto padrão do portfólio de Flynn, ele conseguiu a vaga. Agora a responsabilidade é de Flynn — ele sabe que não deve brigar, mas, para ele, sua atitude é sempre defensiva. Ele não instiga, e eu sei que pode parecer a outras pessoas que estou arranjando desculpas, o que suponho que estou de fato, mas ele não é um garoto mal-intencionado. Ele só quer se proteger, e a nós também, acho.

Voltando a entrar em casa, ligo a chaleira e abro meu laptop, arrastando-o pela mesa da cozinha. Ele emite um zumbido, despertando, enquanto com uma colher ponho o café na caneca branca lascada, acrescento a água quente e um pouquinho de leite. Então me sento, clico no ícone do Facebook e aguardo. Eu me iludo com a ideia de que só estou dando uma olhada rápida no que meus amigos e minha família andam fazendo. Distraio-me com as imagens de crianças felizes e sorridentes em passeios na praia e sorrio quando alguém é marcado em uma foto que acaba com todas as fotos de seu próprio perfil, mostrando uma versão mais velha e ligeiramente mais rechonchuda daquelas que a pessoa exibe. O que ignoro é o fato de que só estou aqui porque quero ver se "Tom" fez alguma atualização em sua página. Minha mão paira sobre o mouse pad quando clico no botão de busca antes de digitar rapidamente seu nome e esperar que a página se abra. Há um post novo. Clico no ícone de eventos e bebo um gole do café... aqui está, minha chance de vê-lo. Ele está fazendo uma exposição. Trata-se de um evento pequeno, ao que parece, em uma galeria à beira--mar, na Cornualha. Reclino-me na cadeira. É isto, depois de todo este tempo: sei onde ele estará e quando. Preciso vê-lo. Com uma sensação de desfecho, anoto os detalhes, fecho o laptop e sorrio.

Quando o ponteiro das horas se aproxima das três, passo um brilho nos lábios e troco de blusa pela terceira vez. Esta é decotada demais. Aperto os lábios e tiro a blusa, substituindo-a por uma camiseta simples, azul-clara. Esta vai ter que servir. Não quero que ele pense que estou caprichando demais. Eu não devia estar mesmo — meu marido ainda está vivo. Meu estômago se revira quando este pensamento me ocorre. A torrente de emoções inunda minha mente, empurrando tudo mais para o lado: um deslizamento, um grande bloco da minha vida estável está se soltando, afastando-se, destruindo outras partes à medida que rola montanha abaixo.

Ouço uma batida na porta. Abro, vamos para a cozinha, sirvo café, abro um pacote de biscoitos e engatamos uma conversa fácil. Sinto falta disso, de poder falar com alguém além das crianças. Penso que devo falar com ele sobre a exposição, sobre o que estou prestes a fazer.

— Por que você simplesmente não conta a eles a verdade? — pergunta Shane ao estender a mão e pegar outro biscoito digestivo e então mergulhá-lo no café.

— Não quero que eles tenham esperanças. E se ele não quiser vê-los?

— E se ele não quiser ver você?

— Eu tenho que vê-lo — digo com determinação. — Não posso continuar gritando enquanto durmo, Shane, não é justo com as crianças. Não consigo parar de pensar nele, na razão de ele ter nos deixado, sabe?

A ponta do biscoito dele afunda no líquido. Ele suspira e ergue os olhos para mim.

— Você não odeia quando isso acontece? — pergunta.

Balanço a cabeça e passo para ele uma colher de chá, observando, divertida, enquanto ele tenta pescar o biscoito agora encharcado.

— Como está a mãe da Joanna? Tem notícias? — pergunto e ele sorri, erguendo a colher com o pedaço flácido e derrotado do biscoito pendendo da borda. Melancolicamente, o biscoito cede, solta-se da colher e mergulha de volta na xícara, respingando o líquido. Os ombros de Shane se curvam.

— Nada bem. Jo está hospedada em um hotel a cinco minutos do hospital faz duas semanas.

Ele admite a derrota e afasta a xícara.

— Pobrezinha. É horrível que ela esteja passando por isso e não tenha nem o conforto da própria cama.

— É, tenho certeza de que ela está sofrendo com as regalias do hotel cinco estrelas.

Ergo as sobrancelhas para ele.

— Desculpa. Sei que é horrível. Não é minha intenção parecer insensível, mas — ele me dirige um sorriso sarcástico e coça o queixo — mesmo nessas circunstâncias, ela tem de estar cercada por... — ele agita a mão no ar em um movimento circular, como um mágico conjurando seus poderes antes de levitar um insuspeito voluntário no meio da multidão — ... coisas.

— Coisas?

— Luxo.

— Ah.

— Então — ele se livra das migalhas nos dedos com três movimentos das mãos e muda de assunto —, quando vai ser?

— Daqui a duas semanas.

— O que você vai dizer a eles?

— Que vou ver um velho amigo.

Ele inclina a cabeça e me dirige um olhar que deixa clara sua desaprovação.

— O que foi? É verdade. Eles podem ficar com a minha mãe uma noite.

— Não sei se vão gostar disso.

— O quê? Ficar com minha mãe?

Ele pousa o queixo na mão e a apoia na mesa, me olhando intensamente.

— Bem, o que você sugere que eu diga a eles? Não posso levá-los comigo!

— Por quê?

— Porque não!

— Por que não?

— Porque não posso protegê-los do que ele pode dizer.

— E quem vai proteger você?

— Não preciso de proteção, só preciso da verdade.

O telefone toca e, com alívio, deixo a mesa e falo com o hospital sobre a mudança da consulta.

A semana passa voando, e a viagem de trem para a cidade litorânea é calma e agradável. Eu me visto com esmero na manhã da exposição. Enquanto aliso a saia longa preta e branca, olho meu reflexo e me pergunto o que ele verá. Virando a cabeça, mais uma vez vaporizo o coque frouxo de balé do meu recém-pintado ombré hair e enrolo as mechas soltas que emolduram meu rosto. Puxo um fio perdido no ombro da T-shirt preta justa e delicadamente passo os dedos pelo grosso colar dourado que Rose escolheu para mim. Inclinando-me para a frente, na direção do espelho do hotel, passo devagar o dedo sob o olho, esfumaçando o delineador cinza antes de aplicar outra camada de brilho nos lábios. Será que vou parecer muito mais velha do que ele se lembra? Ainda resta alguma coisa da universitária por quem ele se apaixonou? Ponho os óculos de sol enormes no alto da cabeça, guardo o folheto da exposição na bolsa estilo Cath Kidston e lanço mais um olhar nervoso ao meu reflexo, antes de fechar a porta suavemente e seguir para o porto.

O sol está alto e a maresia me acalma com nostálgicas lembranças litorâneas, me levando a pensar em passeios ao País de Gales em dias de verão. Dev sempre pedia limonada diet quando estávamos de férias — nunca em outra ocasião. Ele dizia que era porque, quando garoto, era a única situação em que tinha permissão para isso, uma antiga tradição de família de que, aparentemente, ele não podia abrir mão. Seus pais morreram em um acidente de carro quando ele tinha 7 anos, atingidos por um motorista bêbado quando se dirigiam à Escócia. A viagem fora uma surpresa de última hora, ele dissera, para o aniversário de casamento deles. Dev morou com a avó depois disso até ela morrer um pouco depois de começarmos a namorar.

Encontro a galeria, que também funciona como um centro turístico, as janelas exibindo aquarelas com paisagens marítimas. Olho meu reflexo entre os azuis frios e o laranja quente de pores do sol, reunindo a coragem para entrar em cena em vez de ficar só observando a vista. Dou um longo gole em minha garrafa de água e então entro no salão com ar condicionado. Os cheiros de tinta a óleo e lona das telas me enchem com uma sensação de familiaridade, ainda que as cenas não. Uma senhora esguia, ficando grisalha, vestida com macacão com manchas de tinta, encontra-se sentada atrás do balcão. Seus olhos aquosos se enrugam com o sorriso quando me aproximo. Os gritos das gaivotas famintas chamam a atenção lá fora; eles se mesclam com a tagarelice de uma criança de 5 anos pedindo sorvete, tornando-se parte do estúdio tanto quanto as telas tranquilas que adornam as paredes caiadas.

— Posso ajudá-la? Meu nome é Janet. — Ela sorri, mergulhando o pincel em uma água azulada e turva em um pote de geleia.

— Olá, hã, sim... Eu queria ver algumas peças da exposição...

— Ah, uma fã, suponho... — Ela gesticula, indicando um cartaz ampliado do folheto que eu seguro. "Tom Simmonds" está escrito em estilo *art déco* com um traço cinza-aço sobre um fundo cinza mais escuro, que, se você olhar por tempo suficiente, percebe que se trata de uma andorinha.

Perto dele, outro cartaz, mais ousado, com vermelhos e verdes vibrantes exibindo uma escrita floreada com o nome "Georgie Hunter" escrito na diagonal; uma pétala vermelho-sangue cai do "r".

— Sim, quero dizer, eu vi o trabalho do Tom... — Minha voz morre enquanto me pergunto quem é Georgie Hunter.

— Desculpe, mas a exposição não está aberta ao público antes das cinco da tarde de hoje.

— Ah. Ok, volto mais tarde então. — Olho para o relógio, que me diz que tenho mais três horas para esperar.

— Vai valer a pena a espera. Você é colecionadora? — pergunta ela, notando uma das obras menores dele na minha outra mão. Eu a havia comprado no eBay e a peça tinha chegado na semana passada. Chegara sem desculpas, rolando de um envelope almofadado marrom e caindo na palma da minha mão. Não disse de onde veio, não entrou na minha vida cautelosamente como um parente desonrado. Pulou para fora com um "ta--daah!", piscando na palma da minha mão, como se tivesse todo o direito de estar ali: alheio à maneira como o ar foi sugado dos meus pulmões e ao fato de que tive de me apoiar na cadeira para não perder o equilíbrio completamente.

É uma bolinha de metal que parece um rolo de barbante, mas, se você a segura à luz no ângulo certo, pode ver uma figura em uma posição fetal aprisionada dentro dela. Esperei as crianças irem para a cama e, em seguida, peguei seu velho kit de ferramentas que há anos se encontrava sob uma camada de poeira. Usei um de seus antigos chaveiros, do qual pendia uma trança de metal que ele não havia completado, e soldei a bola nele, o cheiro trazendo lembranças afiadas e agulhas ainda mais afiadas de esperança. Era uma das coisas em que eu costumava ajudá-lo quando ele tinha uma encomenda em maior quantidade.

— Não, não, eu só... gosto do trabalho dele.

Ela sorri para mim quando agradeço e deixo a sala fresca, voltando para o brilhante sol da beira-mar.

Olhando para um lado e para o outro da rua, noto um pequeno café onde vendem paninis e percebo que estou com fome. Pensando que existem maneiras piores de esperar por algumas horas, aguardo a sucessão de carros sem capota, que passam tocando músicas de verão, antes de atravessar a rua e me sentar em uma das elegantes cadeiras de ferro fundido do café. Examino o cardápio e faço meu pedido: um panini de brie e cranberry com um chá gelado de pêssego. Observo as pessoas que passam e me maravilho com a rapidez com que nos adaptamos ao ambiente. O ritmo suave de preguiçosas manhãs de verão se estende para nossos membros e nos desacelera enquanto serpenteamos pelas voltas e curvas suaves que o dia traz. Os velozes dias de trabalho — com o café comprado rapidamente e os prazos implacáveis — desaparecem inexoravelmente.

Remexo na bolsa e pego o telefone para verificar as mensagens, enquanto a garçonete adolescente, loura e bronzeada, exalando vitalidade e charme, coloca a comida na minha frente. Recolho apressadamente meus pertences à medida que ela acrescenta talheres embalados com guardanapos e sachês individuais de condimentos. Na minha ânsia de ajudar, derrubo a bolsa no chão, o conteúdo sem nenhum glamour — uma embalagem pela metade de balas, canhotos dos bilhetes de trem, um carregador de celular portátil, gloss e folheto —, tudo se espalha pela calçada litorânea. Afobada, me inclino para reuni-los, mas a Mão já está lá. A Mão, com seus dedos longos e esguios, as unhas pálidas aparadas, pega os itens e os devolve à bolsa. A Mão segura o folheto e o aproxima do Rosto. A mão que vi pela primeira vez em uma aula na faculdade de artes, a mão que deslizou uma aliança de casamento pelo meu dedo, que massageou minhas costas quando eu estava em trabalho de parto me estende o folheto e, com ele, um sorriso.

O movimento em torno dele se aquieta até não haver mais nenhum som. O tempo para: um sonho fabricado na madrugada quando eu acreditava que ele estava morto e me entregava à dor. As sardas se destacam em seu rosto com o início do verão, os olhos do azul-claro de sempre — o reconhecimento de que ele está descansado salta à minha mente. Se estivesse cansado, estariam verdes. Essa familiaridade me assusta e conforta. Posso sentir a brisa agitando fiapos do meu cabelo em volta do rosto. Sinto cheiro de café, pão quente e protetor solar, e ainda assim o tempo permanece imóvel. Posso sentir meu peito subir e descer. Posso ver... Dev.

Levo um momento para me dar conta de que o tempo recomeçou a correr, que os talheres estão novamente tilintando de encontro aos pratos, crianças frustradas ou superexcitadas estão gritando e gaivotas continuam a circular no céu. Pego minha bolsa da mão dele.

— Obrigada — digo, fitando-o.

Seu rosto parece mais curtido pelo tempo do que da última vez que o vi, algumas rugas a mais em torno dos olhos, e os cabelos estão curtos — um corte feito à máquina — e posso ver a leve linha prateada de uma cicatriz acima de sua orelha.

— Você vai? — pergunta ele.

Sua voz é caramelo quente que enche meus ouvidos e me aquece por dentro. Minha boca está seca e eu reviro o cérebro viscoso em busca de perguntas para as respostas que gritam em meu subconsciente toldado.

— ... à exposição? — Ele torna a sorrir e estende o folheto em minha direção.

— Eu — pigarreio —, sim, vou.

— Posso? — Ele aponta a cadeira e eu consinto com um movimento da cabeça.

Bebo um gole do chá gelado. O tranco frio em meus sentidos é bem--vindo e eu balanço ligeiramente a cabeça.

— Hã, sim, quero dizer, por favor, hã, sim, sente-se.

Ele estende a mão.

— Sou Tom. — Ele sorri mais uma vez e me sinto dilacerada. Anseio por envolver seu pescoço com meus braços e inspirá-lo, cheirar seu pescoço e acariciar seu rosto, mas a raiva dilacerante quer cravar as unhas em seu rosto e arrancar as camadas de falsidade. Hesitante, estendo a mão e ele a segura. A palma de sua mão é calejada e posso ver que ele anda trabalhando longas horas, a pele ao longo da base dos dedos está dura, calos se formando e endurecendo de encontro às ferramentas de suas criações. Minha mão está úmida em seu aperto; a secura da dele cria o equilíbrio. Ele faz sinal para a garçonete e pede uma limonada diet. Tento disfarçar o sorriso —

algumas coisas não mudam, mesmo quando seu mundo se transformou de tal forma que você mal o reconhece. Ele parece tão relaxado que, por um momento, me sinto perdida. Perdida no tempo e perdida à procura de palavras. Na verdade, só existe uma única coisa que me ocorre dizer.

— Onde você estava? — pergunto.

— Ah — ele baixa os olhos para as sacolas de compra aos seus pés —, no mercado. Tem um ótimo lá atrás... — Ele aponta. — Espero que você não se importe com minha intromissão em seu almoço — novamente ele me dirige um sorriso de olhos franzidos —, mas eu só queria saber se você vai. Hoje à noite. Não é sempre que estou lá, sabe, mas estarei, hã, essa noite.

Meu coração martela no peito. Isso está acontecendo de verdade ou eu ainda estou em casa dormindo?

— Hã?

— Na exibição. É que notei o seu chaveiro. Desculpa se isso é um pouco direto, mas não é sempre que vejo uma de minhas peças adaptada para itens do dia a dia. Me faz pensar o que você poderia fazer com uma de minhas esculturas maiores. — Ele dá uma risadinha e parece pouco à vontade, como se estivesse tentando me impressionar, mas percebesse que as coisas não estavam correndo conforme o plano. — Você é artista?

— Como assim?

— Artista... você obviamente sabe usar um ferro de solda. — Ele inclina a cabeça e aponta o chaveiro.

— Não, eu não sou, mas... — Essa conversa me dá a sensação de estar escalando um tobogágua. Eu me encontrava em uma borda sólida, porém apavorante, um momento atrás, e agora pareço estar girando e girando em torno dessa conversa que vai se tornando mais rápida e fora de controle a cada frase. Eu agarro os lados do tobogágua e me obrigo a parar, meus dedos apertando com força até eu recuperar o controle. — Já nos encontramos antes? — pergunto a ele, esquadrinhando seu rosto em busca de algum indício de que sabe quem eu sou. Relaxo os dedos levemente e me permito continuar deslizando em um ritmo mais calmo.

— Perdão?

Ele parece desconfortável. Inclino-me para a frente e olho diretamente em seus olhos.

— Já nos conhecemos? Antes? — torno a perguntar, ávida por alguma lucidez durante essa descida vertiginosa.

— Estou sendo muito intrometido, não é? Meu Deus, me desculpe se a deixei desconfortável. — Ele fica alvoroçado. — É que fico um pouco descontrolado quando vejo que alguém gosta do meu trabalho, sabe, um pouco intrometido demais. — Um rubor começa a se espalhar pelo seu rosto e os olhos parecem quase vítreos, como se estivesse à beira das lágrimas. Rapidamente ponho um fim em seu constrangimento quando ele começa a se levantar, procurando suas bolsas e tentando não retribuir meu olhar.

— Não, não, você não está sendo intrometido. — Levo a mão ao seu braço e, quando o toco, é como se estivesse em casa; ancorada... em segurança. Seu calor, a vitalidade, a proximidade dele me envolve. Ele está vivo. Posso vê-lo, posso ouvi-lo, posso sentir seu cheiro. Pense no desespero e na dor quando alguém próximo a você morre. O que faria se tivesse a chance de ver essa pessoa novamente? Não foi nisso que pensei quando planejei esse momento. Ele não sabe quem eu sou. Não posso segurar sua mão na minha; não posso descansar a cabeça em seu peito como costumava fazer na preguiça das tardes de domingo. Minhas emoções estão empurrando umas às outras, disputando quem chega em primeiro lugar. O alívio está presente; alívio por ele não ter nos abandonado. Esse alívio exala enquanto a felicidade reluz, luminosa, e a raiva se dissipa com um pedido de desculpas: perdão por perturbar você, diz em despedida. Eu o vejo piscar. O sangue está fluindo por seu corpo, seus pulmões sorvem oxigênio, seu cérebro envia sinais. Mas... Ele não me conhece. Mordo o lábio com força enquanto tento controlar as lágrimas desesperadas para rolar. Ele nos perdeu. Perdeu nossa vida juntos. Perdeu nossos filhos... E eu o perco novamente.

Ele me olha e eu respondo com um sorriso, pressionando gentilmente seu braço até ele retribuir meu gesto com um sorriso irreverente. O mesmo que ele abriu quando eu lhe dei de Natal uma maquininha de sorvete Mr. Frosty porque ele mencionou que nunca tivera uma na infância. Obviamente, isso foi antes de ele se dar conta da decepção que era a Mr. Frosty. A limonada dele chega, uma bem-vinda distração enquanto ele agradece à garçonete. Ele não sabe quem eu sou. O que aconteceu com você, Dev?

— Você, hã, mora aqui perto? — pergunto o mais despreocupadamente que consigo. Um turbilhão de notas sobe e desce pela minha coluna, tremulando em explosões exteriores: notas em forma de uma borboleta. Sinto um calafrio.

— Sim, mas eu morava em Devon. Você está com frio? — Ele parece preocupado por um instante e tenho vontade de me abrigar em seus braços.

— Não. — Tomo um gole do meu chá gelado. — Eu tenho um, um... deixa pra lá. — Desisto da explicação, torcendo para que os pequenos eletrodos que estão ateando fogo no caminho que percorrem das minhas costas aos ombros possam permanecer contidos. Ele morava em Devon. Devon. Por que nunca pensei em procurá-lo em Devon? Fico com raiva de mim mesma por ter perdido uma pista tão óbvia, mas logo afasto esse sentimento. Por que eu pensaria que ele ia acabar em um lugar com o seu nome? — Onde em Dev... — Pigarreio. — Devon? — Estou ávida por informações, desesperada para saber tudo sobre o homem à minha frente, e tomo outro gole de chá para esconder minha ansiedade.

— Uma cidadezinha chamada Kingswear. — Você conhece? — Cuspo o chá à medida que milhões de terminações nervosas em minha coluna explodem em uma exibição de fogos de artifício, zumbindo por dentro antes de diminuir e desaparecer. Ele sorri para mim e em seguida dá uma risada ao pegar um guardanapo e começar a limpar o chá que esguichei em suas pernas e na mesa. Ele está falando sério? Isso não pode ser verdade. Devon King estava morando em Kingswear, em Devon?

— Desculpa, o chá, hã, desceu pelo caminho errado. Você mora aqui há muito tempo? É aqui que você faz o seu trabalho?

Ele inclina a cabeça novamente e ergue uma sobrancelha, e me dou conta da impressão que devo estar passando.

— Sim, estou aqui há uns... — ele morde a parte interna do lábio e olha para o alto, tentando lembrar — ... cinco anos, acho. Não, seis, e sim — ele torna a sorrir para mim — é onde faço meu trabalho. Você mora aqui? Merda! Desculpa, eu nem mesmo perguntei seu nome! — Ele dá um tapa na própria testa.

— Mel... — Não sei por quê, mas não posso dizê-lo. Não posso. — Melissa, e não. Moro em Shropshire.

— Ah, nunca fui lá. Fica perto de Birmingham? Sou péssimo...

— Em geografia — dizemos em uníssono.

Ele coça a parte de trás da cabeça, sorri e toma vários goles de sua limonada. Noto sua perna balançando para cima e para baixo, o que, eu sei, significa que ele está pensando em algo importante para dizer.

— Você está, hã, aqui sozinha? Ou com amigos? Família? — pergunta ele, e o desejo de pôr a mão em seu rosto e acariciar sua bochecha é quase impossível de resistir.

— Estou sozinha. A sua família vai à exposição?

— Não, eu nunca fui, bem...

— Tom! — Ele ergue a mão, protegendo os olhos contra o sol, e olha para a galeria, onde um braço bronzeado e firme acena para ele, e eu reconheço a mulher da foto no Facebook dele. — Está na hora! — grita ela, frustrada. Eu aperto os lábios para reprimir um sorriso, sabendo antes mesmo de olhar para o braço dele **que n**ão haverá um relógio. Ele não suporta a ideia de o suor empoçar sob o relógio. Era quase uma fobia.

— Estarei aí em um minuto! — responde ele, também gritando. Então bebe o restante da limonada e se põe de pé. — Bem... — Ele estende a mão para mim. — Melissa, foi... — ele coça a bochecha com a outra mão — ... um prazer. — Aperto sua mão e não posso deixar de retribuir o sorriso. Ambos rimos enquanto continuamos a sacudir a mão do outro. — Vejo você hoje à noite? — pergunta ele, ainda segurando minha mão.

— Sim — respondo, não querendo soltá-lo. Seus olhos cintilam e então ele solta minha mão, pega suas sacolas, se vira e vai embora... mas não sem antes olhar para trás por cima do ombro e me dirigir uma piscadela no momento exato em que escorrega pelo meio-fio e perde qualquer pose que pudesse querer manter. Ele me olha outra vez e balança a cabeça, constrangido. Respondo com uma gargalhada profunda, que eu tinha esquecido que sequer existia.

★ ★ ★

Termino meu chá e mordisco um pouco do *panini* agora frio. As notas de antes recomeçam a vibrar em minhas costelas; um órgão gentil e choroso dá lugar às notas dedilhadas que sobem e descem, como se "The Edge" estivesse subindo uma colina, subindo cada vez mais, e então descesse correndo no instante em que percebo que preciso sair daqui. Preciso encontrar um lugar onde me sinta invisível, e observo como o título da música é apropriado: "Where the Streets Have No Name" [Onde as ruas não têm nome]. A percussão cresce — o órgão ainda assombra ao fundo — e dá lugar à necessidade desesperada de correr em direção ao mar. Eu preciso me esconder; preciso derrubar as barreiras invisíveis que me seguraram por tanto tempo. Posso sentir os grampos que seguram meu cabelo afrouxarem enquanto corro, deixando para trás as hordas de pessoas passeando, as famílias felizes com seus animais de estimação felizes e suas crianças felizes. Ignoro os olhares questionadores ao me verem passar cantando. Sigo para o oceano, reduzindo o passo para dizer a um casal idoso sentado em um banco que amo a sensação dos raios de sol em mim e que posso sentir a nuvem de poeira saindo de mim sem que eu nem mesmo soubesse que ela estava lá. Tiro os grampos do cabelo e deixo-os cair em meus ombros enquanto giro, braços estendidos e sorrindo. Nuvens escuras e melancólicas começam a se acumular quando sigo em direção ao píer. Preciso encontrar um lugar para me esconder. Sinto as primeiras gotas de chuva — parece tão perto, esse lugar ilusório onde posso ser livre, mesmo que apenas por alguns instantes.

Segurando o corrimão ao longo do cais, canto para o mar distante que ainda estou de pé como um prédio, mesmo depois de tantas vezes ter me sentido incendiada. Sinto infiltrar-se em mim a certeza de que, da próxima vez que sentir a necessidade de escapar, serei capaz de escapar com ele. Depois de todo esse tempo, há algo que ele pode fazer.

A chuva começa a cair e as pessoas fogem do aguaceiro inesperado, cardigãs puxados, cobrindo as cabeças; mãozinhas pegajosas e cobertas de pedras são agarradas por mães e pais correndo para se abrigar. A atividade explode à minha volta, mas eu continuo caminhando pela orla; você também... fique comigo. A rua começa a inundar e os degraus que desço estão enferrujando. A pele da areia, antes lisa, torna-se manchada e cheia de acne; o vento fica mais forte e sou empurrada por ele, quase esmagada por sua força; a areia alfineta meus olhos e meu rosto. Eu os limpo e, através da visão turva, avisto Tom. Andando em minha direção, ele me agarra pela mão. A imagem dele parado aqui na minha frente parece surreal e eu momentaneamente questiono minha sanidade.

— Tem um lugar — grita ele, sua voz me dando chão —, lá em cima.

— Ele aponta algum ponto à distância.

— Um lugar? — repito, e ele me fita.

— Um lugar onde você pode se abrigar — explica ele, olhando para o céu bipolar.

O vento gira à nossa volta enquanto somos golpeados e empurrados ao longo da orla.

— Você pode me levar?

— Claro, é o mínimo que posso fazer — responde ele, sorrindo, quando começamos a caminhar em direção a esse lugar distante que não sei onde fica, e aonde, no entanto, estou desesperada para chegar. E é então que me dou conta de que parei de cantar.

# 16

# Tom

Eu sabia que era você. Eu a observei do segundo andar na galeria. Observei você beber da garrafa de água e fitar a fachada da loja com tamanha intensidade que foi como se eu observasse minha própria expressão quando vejo uma obra de arte que simplesmente... me pega. Aquela sensação que me faz transbordar de alegria, mas me deixa sem fôlego, com a consciência de que, por mais que eu tente, meu trabalho jamais estará à altura daquele.

Observei você atravessar a rua, a luz do sol refletindo em seu colar, pequenas centelhas de luz dançando em seu rosto quando você olhou para a esquerda e para a direita ao se dirigir para o café. Peguei as compras de Janet emprestadas e saí da loja, atravessando a rua para dar crédito ao nosso encontro casual; eu mal podia respirar enquanto seguia até você. Eu não tinha um plano. Nenhum discurso pronto. Só sabia que tinha que falar com você. Então vi *O útero*, uma peça que esculpi como parte de um conjunto de miniaturas que o escritório de um advogado tinha encomendado, e soube que aquele era um sinal. Sei que não deveria acreditar em coisas como "sinais", mas, quando se está tão perdido quanto eu, a gente passa a aceitar que o mundo nos dá uma ajudinha de vez em quando.

Quando a toquei, eu sabia qual seria a sensação. Sabia que a palma da sua mão se encaixaria na minha perfeitamente, sabia que seu cabelo teria cheiro de maçã. Sabia que meu destino era ficar com você. Amei o subir e descer da sua respiração e o aroma de pêssego em seu hálito e o modo como você sorria timidamente, como se conhecesse uma piada secreta sobre mim.

Quando voltei ao estúdio, Georgie disse que eu parecia o gato que tinha bebido o leite, e acho que era assim que me sentia. O estúdio já estava escuro quando terminei de martelar o último prego que prendia os suportes de uma das maiores esculturas de Georgie: *A bomba borboleta*, assim batizada em homenagem a uma bomba alemã que parecia uma borboleta quando sua parede externa se abria. Elas nunca eram lançadas sozinhas, sempre em um enxame. Afinal, a destruição nunca é singular, não é? É a interpretação de Georgie do dinheiro gasto na guerra. Trata-se de uma arma de mais de dois metros, feita de centenas de arbustos de bronze entrelaçados. E traz a indefectível cruz, feita de Perspex transparente, e contém centenas de borboletas de seda verde, representando o dinheiro que poderia ser gasto em algo que se transformasse em beleza, em vez de sangue. O sangue é simbolizado por pétalas de vidro escarlates que formam o gatilho. Olhei pela janela e notei que o céu estava carregado com uma tempestade de verão, mas tudo que eu conseguia ver era você. Mesmo a essa distância, eu sabia que era você. Quando a chuva pesada começou a cair, vi você soltar o cabelo e girar, a cabeça inclinada para trás, voltada para o céu. Eu sabia que você estava sorrindo e podia ver, pela maneira que gesticulava para as pessoas que passavam, que estava cantando.

— Preciso sair um minuto! — gritei para Georgie, que polia o vidro em uma de suas outras esculturas, um caixão de bronze contendo narcisos de vidro amarelo, representando o renascimento.

— Mas chove torrencialmente! — replicou ela quando saí correndo pela rua.

Perdi você de vista por um momento e o vento me deixou sem fôlego, mas sua voz me chegava através dele. Eu podia ouvir "Where the Streets Have No Name" sendo cantada como se você estivesse ao meu lado, mas, quando avistei a estampa da sua saia entre os degraus que levavam à praia, percebi que estava mais longe do que eu pensava. Desci os degraus de dois em dois, até ver você caminhando em minha direção. Quando me aproximei, pude ver o verde acinzentado dos seus olhos, quase translúcidos.

Você parecia ao mesmo tempo descontrolada e perfeitamente no controle. Continuou a cantar até eu me encontrar diante de você, que parecia uma sereia saída do diário de um marinheiro: linda, perigosa. Você estava ali para me atrair a um território perigoso, ou era você que precisava ser resgatada? Estava encharcada e, enquanto eu explicava que poderíamos nos abrigar em uma das cavernas de antigos contrabandistas mais à frente, eu até tomei sua mão na minha, como se fosse a coisa mais natural do mundo. Nós não dissemos nada enquanto caminhávamos. Não dissemos nada quando entramos na caverna nem quando paramos na entrada e confrontamos a tempestade. Eu podia sentir seu pulso no compasso do meu enquanto observávamos raios bifurcarem no horizonte. Os trovões faziam seus dedos apertarem os meus, buscando segurança. O mar turbilhonava sob o céu fragmentado, como se estivesse canalizando a emoção acima dele, assim como meu corpo canalizava as torturantes emoções entre nós. Foi o momento mais estimulante e feliz da minha vida. Quando a chuva parou, você se virou para mim com seus olhos cinzentos esquadrinhando meu rosto.

— É você mesmo? — perguntou.

— Sim — repliquei.

Você estendeu a mão para o meu rosto e o acariciou; pude sentir as vibrações da minha barba por fazer de encontro à sua mão e então... você se foi.

Saí do chuveiro e, fazendo um arco com a mão, limpei o vapor do chuveiro e olhei meu reflexo, me perguntando o que você viu quando olhou para mim. Será que eu parecia mais velho do que era de fato? Esfreguei a mão no rosto, onde você o havia acariciado. Meus malares ainda se mantinham firmes, embora a área sob os olhos já houvesse começado a mostrar os primeiros sinais de declínio. Pela primeira vez em muito tempo, eu conseguira dormir pelo menos cinco horas na noite anterior, o que de certa forma atenuou as bolsas que tinham começado a se tornar um acessório permanente. Esfreguei a barba que despontava no queixo com sua irritante covinha, que eu sempre cortava ao me barbear, e em seguida a cabeça. Mantinha o cabelo bem curto por conveniência. Há muito tempo ele era de um castanho-avermelhado, escuro e bem encaracolado, mas acho que agora estou um tanto velho para ter cabelos compridos — um astro do rock eu definitivamente não sou.

Parado diante da cama sobre a qual se encontravam estendidas três camisas de mangas curtas, todas de estilos e cores semelhantes, refleti sobre a escolha como se minha vida dependesse disso. Estava escolhendo uma roupa da qual queria que você gostasse. Algo que fosse macio ao contato com sua pele. Eu temia que, se o tecido fosse muito áspero, pudesse espantá-la e me fazer perdê-la. Optei por uma camisa de seda azul-clara, mas então me ocorreu que pareceria chamativa demais, então rapidamente escolhi uma camiseta do Nirvana com a capa do álbum *Nevermind*, e vesti a camisa por cima dela, torcendo para que o bebê flutuando desviasse a atenção da camisa. Peguei meu único jeans rasgado e estiloso, esperando que não parecesse que eu estava tentando parecer um adolescente, mas meu reflexo me disse que estava, então troquei o jeans por uma calça de brim azul-marinho. Olhei para o meu pulso nu, sentindo falta da pulseira em minha pele. Queria saber onde tinha ido parar. A imagem do chão de paralelepípedos, quando desabei nele era um borrão na minha memória. Quando voltei a mim e olhei aquele quarto de hospital, levei um momento para lembrar onde estava: em uma de minhas viagens de venda; a quilômetros de casa, que ficava em Taunton. Senti um pânico como só experimentara uma vez antes. Como se estivesse de volta lá. Perdido. Sozinho. Estremeci com a lembrança de fugir do hospital como um criminoso, mas estava desesperado para chegar em casa; ser encontrado inconsciente, sem qualquer documento de identidade, já havia levantado questões suficientes, e eu não conseguiria enfrentar mais interrogatórios sobre o meu passado — quem sabe o que eles poderiam descobrir? Mas o meu principal pesar foi ter deixado a pulseira que Georgie havia me dado. Ela mandara gravar meu nome como uma piada: "Para que você não se esqueça de quem é", dissera, rindo. Acho que ela queria que essa substituísse a esfarrapada, que tinha o sino, dizendo-me que me libertasse do passado, mas essa era a parte de que eu não era capaz. O fecho tinha quebrado algumas vezes naquela semana; eu deveria ter consertado, porque naquele dia, meus dois pulsos foram deixados nus.

Desde então, eu não voltara a desmaiar. Aquela sensação de ficar ligeiramente sem fôlego e enjoado com o som da persiana da loja sendo baixada não era muito agradável. Eu provavelmente havia tido uma leve intoxicação alimentar. Não era o melhor cozinheiro do mundo, para dizer o mínimo.

Olhei o relógio, esvaziei a garrafa de cerveja e deixei o chalé.

O chalé era a minha casa. Não passava de uma casca quando a aluguei de George Finnegan, um homem idoso cuja família acabara de convencê-lo a ir para uma casa de repouso. A construção fica próxima à borda de um penhasco e irá ruir no mar nos próximos cinquenta anos se o penhasco continuar a erodir no ritmo atual. Não havia aquecimento central, apenas um fogão muito temperamental — com o qual ainda tenho uma relação turbulenta —, e o jardim era uma série de canteiros de horta incompletos e um gramado negligenciado. São três quartos, dois deles com lareira e chaminé originais que não tinham visto uma escova de limpeza em muitas décadas. Os tapetes tinham estranhos padrões de espirais e haviam perdido a cor original, mas conservavam firmemente manchas de tempos idos. Quando George morreu, a filha, Grace, me ofereceu a chance de comprar o chalé. Como eu não tinha conta bancária, não achei que seria possível, então chegamos ao acordo de eu alugá-lo e comprá-lo ao mesmo tempo; quando recebia uma boa comissão, pagava uma parcela intermediária. O marido de Grace tem uma posição muito bem-sucedida na área de investimentos bancários, então achei que o dinheiro não seria uma preocupação. Ela pareceu gostar da ideia de o pai ter conhecido a pessoa que ficara com sua casa, o que dava a ela uma sensação de paz — isso eu posso entender agora.

O piso atualmente estava todo lixado e polido, as lareiras, abertas, limpas e restauradas. Nos últimos nove anos, substituí todos os móveis, com achados em feiras de móveis usados e brechós, e descobri que também sou muito bom com uma máquina de costura. Tudo naquela casa era meu. Tudo naquela casa era eu.

Virei a chave pesada na porta de carvalho, olhei as paredes caiadas de branco e a varanda de madeira que percorre toda a frente do chalé, e sorri. Você amaria aquela casa. Eu simplesmente sabia disso.

Eram quase seis horas e você ainda não tinha chegado. A noite estava transcorrendo bem, a tempestade que caíra mais cedo tinha passado e as portas e janelas da galeria estavam abertas, permitindo que sons e aromas do mar entrassem. Olhei pela janela e senti o cheiro de alho misturado ao ar marinho.

— Tom! — Georgie fazia sinal, me chamando para o local onde um homem, que tinha uma semelhança impressionante com Papai Noel, só que de short bege e sandálias de Jesus, observava minha estátua fixa apenas na base, *Estabilidade*, que é um carvalho dobrado sobre si mesmo, como se sentisse dor. Você lembra dela? Apertei a mão úmida do homem.

— Adoro essa peça. Qual foi a inspiração para ela?

— Um pesadelo — respondi. Pesadelos. A maldição da minha existência. Até ali, eu tinha quatro ou cinco por noite. Eles haviam se tornado tão insuportáveis a certa altura que eu sobrevivera cinquenta e duas horas sem dormir. Aquela escultura era o resultado. Imaginei que, se pudesse transformar o pesadelo em realidade, eu poderia de alguma forma controlá-lo. Loucura, eu sei, mas isso é o que a privação do sono faz. Toquei uma folha fria que se dobra com o formato da árvore; a escultura inteira se dobra para a esquerda, defendendo-se do desconhecido, exceto por uma única rosa que se inclina na direção da dor. Meu pesadelo.

Fiquei pelo tempo que a educação exigia, ouvindo-o interpretar meu trabalho. As noites de abertura de exposição costumam atrair o entusiasta amador, professor de arte ou professor de história da arte aposentado, como é o caso deste. Aqueles que falam sem parar, mas nunca compram seu trabalho. Os bem-vestidos e quietos, que observam tanto o público presente quanto o trabalho, normalmente são os compradores, mas naquele dia, a única coisa que me interessava era você. Olhei novamente para o relógio: seis e vinte, e você ainda não tinha chegado. Peguei uma taça de *prosecco* no bar improvisado e observei Georgie em ação. Ela é deslumbrante. Os densos cachos louros, normalmente presos no alto da cabeça, estavam soltos. O vestido preto justo revelava a silhueta de Jessica Rabbit, e não pude deixar de sorrir por trás da taça quando ela, gentil e descaradamente, pousou a mão no braço de um sujeito corpulento de óculos que, pela cor de suas bochechas, também havia bebido algumas taças de *prosecco*. Georgie é lésbica. Mas isso não a impede de flertar descaradamente com homens de certa idade que mostrem interesse em seu trabalho.

Foi Georgie quem me salvou. Quando eu não tinha para onde ir, ela me acolheu. Eu vinha me abrigando em uma passagem subterrânea em Devon, morrendo de frio e faminto, então comecei a fazer esculturas com latas de refrigerantes. Não lembro onde encontrei a faca, mas ela me mantinha ocupado durante os longos dias. Às vezes, eu vendia o suficiente para comprar um pacote de batata frita ou uma xícara de café quente, mas essa era a extensão da minha renda. Não sei por quanto tempo morei nas ruas. Ela havia parado algumas vezes para me levar um sanduíche ou uma bebida. O dia em que ela me salvou, eu estava inconsciente e sangrando de uma ferida na cabeça. Não sei o que tinha acontecido; só lembro de ser atingido na cabeça com uma coisa pesada e, quando voltei a mim, todo o meu trabalho tinha sido roubado, e meus sapatos, com as poucas libras que eu escondera dentro deles, haviam desaparecido. Eu dormi e acordei algumas vezes até finalmente despertar em um hospital. Ela se sentara ao meu lado e me fizera perguntas sobre meu passado, e então me oferecera um emprego em seu estúdio. Quando agradeci, ela deu de ombros, desmerecendo seu gesto, e disse que aliviava sua culpa de classe média privilegiada.

Ela olhou por cima do ombro e me deu uma piscadela exagerada. Ergui a taça numa saudação e então fiquei paralisado quando vi seu reflexo na taça. Você se encontrava de pé diante de uma das janelas abertas e, quando virei ligeiramente a taça, seu rosto ficou emoldurado por luzes pisca-pisca. Você hesitou antes de se encaminhar lentamente para o lado oposto do

salão. Meu coração batia forte no peito quando me atrevi a fazer meia-
-volta e encarar você.

Você não me viu a princípio; parecia fascinada pela *Estabilidade*. Observei quando estendeu a mão e tocou com delicadeza a curva da árvore.
Havia fiapos de cabelo escapando da trança na sua nuca — cabelo que
eu sabia que teria uma textura mais espessa ao toque do que a aparência
nos levava a acreditar. A curva do seu nariz, ligeiramente arrebitado,
estava corada de sol e seus olhos, que eram mais separados do que seria
considerado bonito pela estética clássica, estavam emoldurados por uma
sombra cinzenta esfumaçada. Você mordeu o lábio inferior, que era
cheio, com os dentes superiores e lembro de me perguntar que gosto teria
o gloss que brilhava neles. Seu vestido era vermelho-vivo, um padrão
de bolinhas no estilo dos anos cinquenta, revelando pernas esguias e
bronzeadas. Sua mão deslizou sobre a escultura e parou perto da rosa e
então o seu rosto todo mudou. Você apertou os lábios com força e seus
olhos se encheram de lágrimas. Hesitante, você percorreu o caule e as
pétalas enquanto uma lágrima rolava pelo seu rosto. Seus olhos então se
voltaram para mim, à minha procura no salão. Nossos olhares se encontraram e pude ver o desespero no seu. Desespero que não entendi naquele
momento. Você ergueu a mão para mim, como se pedindo desculpas e
me mantendo à distância. Comecei a seguir em sua direção, mas você
recuou. Mais uma vez seus olhos dispararam de um lado para o outro, em
pânico. Fiquei paralisado enquanto você continuava recuando, os olhos
suplicantes, desculpando-se por algo que eu não conseguia entender.
Tentei avisá-la, mas o pânico a deixara alheia ao que estava à sua volta
e você seguiu direto para *A bomba borboleta*. A sala parou quando o som
áspero e estridente atraiu a atenção de todos. Você estacou e olhou para
cima, percebendo que era impotente para evitar que a cruz se inclinasse
ligeiramente para a frente, liberando o enxame de borboletas. A cor dos
seus olhos espelhava o reflexo das asas verdes flutuando à sua volta. Eles
se encheram com lágrimas de esmeralda, caindo suavemente em seus
cabelos e ombros. As asas verdes luziam e reluziam ao seu redor, criando

uma atmosfera quase etérea contra o vermelho do seu vestido. Foi a coisa mais linda que eu já vi.

O salão permaneceu em choque e então você abriu a boca e cantou. Um som puro e claro que reconheci, visualizando o vídeo icônico do rosto de Sinéad O'Connor.

Sua voz capturava a atenção de todos no salão ao cantar que fazia onze anos e dezesseis dias desde que alguém tirou de você o seu amor. Você olhou para mim com ar de desafio, cantando sobre ir aonde você bem entender. Eu estava hipnotizado pelo tom da sua voz, a maneira como você punha toda a paixão naquela letra. Observei você gesticular com as mãos elegantes, representando a música, mostrando que você poderia sair quando quisesse, a voz suave, porém determinada. Hesitante, você veio em minha direção. Eu acreditei em cada palavra que você cantava. Podia imaginá-la jantando em restaurantes caros. Com um movimento da cabeça e os cílios abaixados, você ergueu os olhos até encontrar os meus antes que a melodia levasse sua voz ao título: "Nothing Compares 2 U" [Nada se compara a você]. Você me encarava enquanto prosseguia, como se estivesse me implorando por ajuda. Ao cantar sobre um pássaro sem canto, o tom de sua voz tornou-se vulnerável, cadenciado. Você fez pequenos gestos de cabeça quando a voz suave se tornou exasperada com o médico brincalhão e revirou os olhos antes de me dirigir um sorrisinho — ele era um tolo. Então você se aproximou de mim, ignorando as expressões confusas e divertidas das outras pessoas na sala. Eu sabia que você estava apenas cantando uma música, uma canção escrita por outra pessoa, mas a maneira como você cantava para mim me fez querer tomá-la nos braços, protegê-la, garantir a você que eu faria tudo que pudesse para evitar que você chorasse de novo.

Você me fez ter a sensação de que havia de fato plantado flores em nosso jardim, de que tinha uma vida com você, mas era só a letra de uma música, palavras, descrevendo a dor de outra pessoa. Você enxugou uma lágrima exasperada enquanto explicava que era difícil viver comigo. Você fez a ficção parecer realidade.

Quando parou na minha frente, balançando a cabeça, cantando "Nothing Compares 2 U", você estendeu as mãos para mim e tomou meu rosto nelas.

E então me beijou.

Eu podia sentir as borboletas nos seus cabelos caindo à nossa volta enquanto suas lágrimas salgadas se misturavam com meu passado, meu presente e meu futuro.

# 17

# Melody

Observo os músculos em suas costas bronzeadas se flexionarem quando ele joga um pedaço de lenha seca na lareira. Perdi a noção do tempo, mas pelo frio no ar deve faltar pouco para o amanhecer. O vento marítimo abre caminho pelas frestas entre as janelas antigas e as pesadas cortinas brancas ondulam de encontro à parede. Eu puxo o lençol cinza macio até o queixo enquanto ele se agacha, fitando as chamas, antes de me olhar por cima do ombro sardento. Ele sorri. Subo um pouco na cama e descanso a cabeça na palma da mão. O olhar dele sustenta o meu até que ele passa a mão sobre a barba por fazer, se endireita e volta para a cama. Eu mudo de posição para que ele possa descansar a cabeça na minha barriga e minha mão alisa as protuberâncias e caroços em sua cabeça: um mapa de sua vida antes e depois de mim. Há novas cicatrizes — prova de sua vida sem mim — e algumas me são familiares, como a que traço agora com o dedo médio: a linha prateada irregular dois centímetros acima da orelha direita, de quando ele caiu da escada, ao prender nossos enfeites de Natal quando eu estava grávida de Flynn. Mergulho o dedo do pé na água gelada de respostas desconhecidas e torço para que a corrente não nos carregue para longe da segurança quente da cama.

— Onde você conseguiu essa cicatriz? — pergunto com cuidado.

Ele ergue a mão áspera e quente e cobre meu dedo com o dele.

— Em uma partida de rúgbi quando tinha 12 anos.

Trago meu pé de volta para o calor do quarto, contente em ficar aqui um pouco mais. Hesito ligeiramente antes de entrelaçar meus dedos com os dele quando ele leva minha mão aos lábios. Ele está mentindo.

— Você tem filhos? — pergunta ele.

Como posso dizer a ele? Como posso jogar este homem frágil em uma vida com filhos que ele não conhece — um com problemas comportamentais, a outra com só Deus sabe o que se passa em sua mente adolescente — e uma mulher que não consegue andar pelas ruas sem desatar a cantar? Ele tem uma vida aqui, uma vida feliz. Cabe a mim destruí-la?

— Não — minto. — E você?

— Não. — Nós mentimos: ficamos ali deitados, enrolados nos lençóis, nossos cheiros, nossas mentiras formando uma barreira momentânea contra a tempestade de perguntas não respondidas.

— Me fale alguma coisa sobre você — eu peço. Aquela ânsia familiar retorna à boca do estômago. A necessidade de descobrir por que ele foi embora e por que, aparentemente, ele não se lembra de mim nem de nossa vida juntos.

— Eu não gosto de umbigos.

Rio suavemente.

— Umbigos?

— Coisas sinistras. — Ele estremece. — Agora me fale alguma coisa sobre você... — Ele ergue a cabeça e me olha através dos longos cílios, os olhos cintilando com o reflexo das chamas.

— Hummm... meu peito esquerdo é maior do que o direito.

— É mesmo? — Ele levanta uma sobrancelha. — Não sei se acredito em você.

Ele começa a afastar o lençol e fingimos brigar por alguns momentos — tendo as gargalhadas, o crepitar do fogo e as ondas arrebentando como fundo para esse momento perfeito. Ele afasta meu cabelo dos olhos e beija a ponta do meu nariz.

— Adoro como seu nariz empina na ponta.

— Hã, como um Quem?

— Um o quê?

— Um Quem. Conhece o Dr. Seuss? — esclareço.

— Doutor quem? Dr. Who? — Ele ri.

— Dr. Who da Tardis? — Começo a rir da nossa confusão. Uma explosão de felicidade da mais pura leveza enche o quarto.

— Não, eu... — Ele balança a cabeça e então se assusta quando um ronco alto vindo da minha barriga vibra contra seu corpo.

Paro de rir e cubro a boca com a mão, como se o barulho houvesse escapado dali.

Ele olha para minha barriga com uma expressão de espanto.

— Com fome?

À medida que as luzes substituem os tons cinzentos tênues e furtivos, a cozinha desperta: e eu com ela. Seguro a xícara de café fresco nas mãos, seu calor penetrando meu corpo saciado. Partes do corpo há muito mortas gemem e se esticam. Sonhos de centenas de noites frias e vazias se desenrolam na minha frente. A maneira como ele coça a parte de trás da cabeça ao parar por um momento tentando lembrar onde colocou os ovos. A inclinação da cabeça, quando acende a chama com um fósforo e depois chupa a ponta do dedo quando o fósforo queima quase todo. E o jeito como ele olha para mim. Nos meses que se seguiram ao seu desaparecimento, eu repassava momentos como esse, me perguntando se havia imaginado esses olhares. Romantizando-os. Devia ter, senão por que ele teria ido embora? E, no entanto, aqui estão eles. Os olhares rápidos enquanto polvilha queijo ralado na frigideira, a maneira como agora não importa que eu tenha o resto da maquiagem da noite passada borrado sob meus olhos ou que minhas rugas tenham começado a se aprofundar. Aqueles olhares, aqueles sorrisos que me dizem que... eu sou a mulher mais linda que já apareceu em seu mundo. Equilibro minha xícara na mesinha ao lado do sofá azul-claro acinzentado que fica na extremidade da cozinha da fazenda e me sento sobre as pernas dobradas.

— Molho inglês? Numa omelete? — pergunto, exatamente como da primeira vez que ele preparara omelete para mim. A sensação de *déjà-vu* da situação me perturba. Da ilha de carvalho desgastado no meio da cozinha, ele aponta um garfo para mim.

— Espere só. — Ele vem até mim carregando dois pratos e dois garfos: café da manhã para dois. — Você vai adorar. — Ele me estende o prato e parece confuso por um momento. — Como posso saber que você vai gostar? — pergunta, balançando a cabeça.

Por um momento precioso tenho a sensação de que essa é uma oportunidade para contar a ele, mas então vejo seu rosto preocupado e penso em descontração e tranquilidade quando o vi do lado de fora do café.

— Porque estou de molho? — digo com um sorriso afetado, pegando o prato que ele me estende.

Sinto o peso de suas pernas de encontro às minhas quando ele se senta à minha frente, os pés cruzados ao meu lado ao se reclinar em uma poltrona que não combina com a minha. Mergulho o garfo na massa de ovo e queijo, de aspecto estranho, enquanto ele ri educadamente. Olho para os pés dele e tento disfarçar a expressão de desprazer. Ele para com o garfo a meio caminho da boca.

— Não gostou? — Ele morde o conteúdo do garfo, mostrando com um gesto afirmativo da cabeça sua aprovação.

— Hum, ah, hã, sim. É delicioso...

Ele torna a assentir, o sorriso transformando-se em preocupação.

— Então qual é o problema? — Ele se inclina para a frente.

— É, bem, é... — Como outra garfada e adio minha resposta. — São os seus pés — digo, por fim, apertando os lábios antes de morder o lábio inferior.

— Meus pés? — Ele parece chocado. — O que há de errado com meus pés?

Ele os descruza e os move para um lado e para o outro.

— Bem. Eles são, hã, meu Deus, não existe jeito educado de dizer isso, mas eles são feios.

Ele engole a comida rapidamente.

— Feios?

Faço que sim com a cabeça.

— Feios? Eu tenho pés feios? — Ele franze a testa e olha para eles, esticando os dedos de modo a ficarem bem separados.

— Está vendo? — Aponto para eles com o garfo. — Os dedos dos pés não deveriam fazer isso! São dedos dos pés, não das mãos, não deveriam se separar.

— Ora. Pés feios. E eu que passei a vida inteira desfilando-os por aí de chinelos e não sei mais o quê. — Ele sorri. — Já que estamos falando de partes do corpo estranhas...

Pouso o garfo ruidosamente na mesinha.

— O quê? — pergunto enquanto ele mastiga devagar, deliberadamente cobrindo a boca com a mão e olhando para cima, como se pedisse desculpas por demorar tanto. Por fim, ele engole.

— Você não tem lóbulos nas orelhas.

Eu rio.

— Tenho, sim. — Puxo o meu direito, para comprovar.

— Não, não tem. As orelhas saem diretamente do pescoço, não têm lóbulo.

— Não tenho lóbulo? — repito, chocada.

— Não tem. — Ele coloca o prato no chão e balança a cabeça, exibindo seus lóbulos.

— Os meus balançam. — Copio seu movimento, meu prato tilintando no chão enquanto balanço minha cabeça, mas, ai de mim, não tenho lóbulos. Pego o prato e continuo a comer.

— Você está aborrecida? — pergunta ele, incrédulo, enquanto raspo do prato o restante do ovo.

— Não — replico com a boca cheia, aborrecida.

Explodindo numa gargalhada, ele se levanta e tira o prato da minha mão, continuando a rir enquanto atravessa a cozinha e coloca ambos os pratos na pia lascada. Sorrio atrás dele, me levanto e envolvo com os braços sua cintura enquanto a água quente com sabão enche a pia. Apoio a cabeça em suas costas, sentindo o movimento de seus músculos enquanto ele lava os pratos e os coloca no escorredor de pratos. Ele faz meia-volta em meu abraço, ergue meu queixo e me beija suavemente nos lábios, e então desliza até as orelhas.

— Adoro que você tenha lóbulos esquisitos — sussurra ele.

— Adoro que você tenha pés feios.

— É isso então? — pergunta ele, esquadrinhando meus olhos. — É disso que as pessoas falam? Amor à primeira vista?

— É... por ora — replico enquanto ele pega minha mão e me leva de volta para o quarto.

Ignoro os gritos do meu subconsciente me dizendo que pare. Implorando que eu não minta, suplicando que eu vá embora e nunca mais volte. No entanto, minhas pernas se enroscam nele e mergulhamos na cama, enquanto grito em resposta: Eu mereço tê-lo... mereço tê-lo de volta mesmo que por um só dia. Eu vou embora. Nunca mais vou voltar. Vou proteger a todos da verdade, mas por ora... por favor, me deixe tê-lo.

Fico ali deitada, observando-o dormir. Olho seu peito subindo e descendo. Subindo e descendo. Vivo. Vivendo. Permito a mim mesma este momento para acreditar, para me deixar levar. Com um último olhar sedento, me retiro da cama. Pegando minhas roupas, desço furtivamente os degraus de pedra até a sala. Fico parada, imóvel, olhando os quadros nas paredes, a mobília descasada que, de alguma forma, acaba combinando. Acaricio a madeira da antiga cadeira de balanço — quanto tempo ele levou para consertá-la?, eu me pergunto quando noto os novos pedaços de madeira que foram acrescentados, como em uma colagem. Meus olhos seguem as tábuas de madeira que sobem e descem, que se expandem e se contraem com esta casa que vive. Pendurada no suporte para guarda-chuvas no canto, está minha bolsa, aninhada entre os casacos dele, como se sempre tivesse estado ali, como se esse fosse seu lugar. Tirando-a do gancho, sinto nos ombros o peso da minha traição. Quando inspiro, trêmula, sei com certeza que o amo demais para dizer a verdade. Eu o amo demais para ficar. Fecho a porta cuidadosamente ao passar, e a brisa morna do mar me envolve quando começo a me afastar. Contra o sol sorridente e as saudações das gaivotas, enxugo as lágrimas com a palma da mão.

Quando eu tinha uns 5 anos, minha avó costumava fazer tortas comigo: sempre aos domingos, sempre com seus discos tocando e a janela aberta, exalando o cheiro de maçãs e massa assando. Não sei por que isso me vem à memória até que ouço minha voz subir e descer com a melodia de uma versão muito antiga de "You Are My Sunshine", de Wilf Carter. Era uma de suas favoritas, e ela tocava em sua vitrola, o crepitar do tempo passando sob a agulha. Mas, quando ouço minha própria voz através das ranhuras das lágrimas, noto que seu ritmo é lento, seu tom, sombrio.

O vento rouba minha voz enquanto eu canto sobre o quanto ele me faz feliz, mesmo quando as nuvens estão cinzentas. Engasgo com um pequeno soluço, mas continuo. Será que algum dia ele vai saber o quanto eu o amo? Canto, implorando que o sol não me seja tirado. O reflexo do sol está sufocando sob as ondas famintas, e meu celular vibra furioso na bolsa; eu, porém, o ignoro. Ignoro o que estou fazendo e ignoro a vida que me espera em meu retorno. Repito o refrão sem parar, dizendo a ele o quanto ele me faz feliz e implorando que esse sentimento não me seja tirado. Umedeço os lábios, sentindo o ar salgado misturado às lágrimas e ofego um pouco, antes de vomitar, sem controle, o restante da música. Então enxugo o rosto, respiro fundo algumas vezes e finalmente sussurro o título com resolução: "You Are My Sunshine" [Você é a minha luz do sol].

Enquanto sigo pelas voltas e curvas que descem pelo caminho íngreme que leva à cidade, pego o telefone e vejo sete chamadas não atendidas de Shane. Esgotada, sento-me em um banco açoitado pelo vento e retorno suas chamadas perdidas.

— Oi, sou eu.

— Você está bem? Você o encontrou? Melody?

— Hein?

— Você o encontrou?

— Sim.

— E...?

— E nada. Ele tem uma vida nova sem mim e as crianças. Então acabou mesmo. Fim da história.

— Você está bem?

— Não muito. Volto pra casa no próximo trem.

— Quer que eu vá até lá quando chegar?

— Agradeço a sua gentileza, mas não. Eu só preciso de...

— Espaço?

— Sim... espaço.

Desligo o telefone e sigo, resoluta, para o hotel.

Sentada na beirada da cama, abro a bolsa para verificar se minha passagem está ali e pego a foto de Flynn e Rose, tirada no mês anterior em uma cabine fotográfica, na festa de final de ano da escola. Uma das raras fotos impressas que carrego comigo — o restante está nas paredes do corredor ou no computador e no celular. Eu sorrio para os dois, Rose empurrando o nariz para cima com o polegar, de pé atrás de Flynn, que está agachado, segurando uma placa que diz "idiota" e apontando para a irmã. Eles me bastam. Têm de ser. Eu tenho sorte, penso, me levantando. Quantas pessoas conseguem ter um último momento com o amor de sua vida depois de ele morrer? Torno a guardar a foto, dou uma última olhada no quarto à beira-mar, com suas paredes amarelo-claras e cortinas de tecido fino xadrez, pego minha bagagem e sigo para a estação de trem.

O painel digital me informa que o trem está no horário. Bebo o restante da limonada, jogo o copo na lixeira e olho para os trilhos. Meu telefone toca no momento em que vejo o trem apontar no horizonte.

— Oi, mãe...

— Oi, como está a sua amiga? Você está se divertindo? — pergunta ela.

— Sim, hã, bem. Estou...

— Escuta, querida, minha amiga Veronica tem um trailer no País de Gales que ela aluga, e alguém tinha reservado para esta semana, só que furaram e ela me perguntou se quero ir. Pensei em levar as crianças... Teria falado com você primeiro, mas eles estavam lá, sabe, quando ela me perguntou, e os dois ficaram tão animados para ir...

— O quê? Uma semana... com você?

— Bem, sim. Iríamos hoje, na verdade. Ganhei algum dinheiro com os cavalos e disse a eles que poderíamos gastar parte dele lá. Tem um clube perto com piscina e uma pista de karts, acho...

O trem está começando a dobrar a esquina em direção à plataforma enquanto considero as implicações dessa mudança de rumo nos acontecimentos. Então meu telefone torna a vibrar. Afasto-o da orelha por um momento e vejo uma mensagem deslizando no alto da minha tela:

"Por favorrrrrrrrrrrrr?? R+F Bjs."

— E as roupas e malas deles?

— Meu anjo, eles são mais do que capazes de fazer a própria mala e eu tenho a chave da sua casa.

— Mas, mãe, você tem certeza? Flynn pode ser um tanto difícil e Rose está...

— Olha, eles estão se comportando maravilhosamente bem e, se houver algum problema, eu os levo para casa. São apenas duas horas de distância.

O trem para e as portas se escancaram.

— Hã, eu...

Percebo que mamãe está rindo enquanto ouço os dois gritando:

— Por favor!!!!!!

Sorrio e mordo o lábio.

— Com licença, meu bem — pede um homem alto e meio grisalho, de bermuda e pernas cabeludas. — Você vai embarcar? — Ele indica o trem com a cabeça.

— Melody? — insiste mamãe.

— Não. — Balanço a cabeça para o homem de pernas cabeludas, dou um passo para trás e então digo sim para minha mãe, enquanto meus filhos dão vivas e cantam "Summer Holiday" no fundo. Rio, me despeço e deixo a estação de trem com passos enérgicos.

Meu cabelo está grudado na nuca quando viro a esquina em direção ao caminho de acesso à praia. Apoio as mãos nos joelhos e recupero o fôlego por alguns minutos, mudo ligeiramente o peso da mochila e da bolsa e começo a correr para ele. O caminho dá voltas e mais voltas, minha garganta está seca e dolorida e a pontada no lado do corpo me diz para parar, mas eu não posso.

O chalé surge à vista e eu corro ainda mais, o vento abafando o som da minha respiração. Tento não pensar em nada além de alcançá-lo, desconsiderando os pensamentos que insistem em me avisar que voltar vai tornar tudo mais difícil. Diminuo o passo quando alcanço a paisagem de cartão-postal, corro os dedos pelos cabelos emaranhados e acalmo a respiração. Giro a maçaneta fria e pesada — seu peso tranquilizador me ancorando por um momento. Minha mão, escorregadia de suor, resvala um pouco, como se me advertisse. Seu lugar não é aqui, diz ela. Você não está aqui para ficar. Limpo as mãos no meu vestido azul florido e agarro a maçaneta com firmeza... Posso não ficar aqui para sempre, mas neste momento estou.

Entro. As cores e o ar frios envolvem minha pele quente enquanto delicadamente pouso as malas no chão. A casa está quieta, exceto pelo chacoalhar quase silencioso das vidraças das janelas. A luz do sol se reflete no vidro que pende do teto, uma luminária ecoando as esculturas que vi na galeria: formas delicadas de conchas lançando uma cascata de arco-íris pela sala.

— Olá!

Tiro as sandálias prateadas e as penduro nos dedos enquanto atravesso em passinhos silenciosos a cozinha, onde as provas de cascas de ovos quebradas e raspas de queijo de nosso café da manhã permanecem.

— Olá! — repito, me sentindo algo entre intrusa e moradora.

Ainda balançando as sandálias nos dedos, vou hesitante até o andar de cima. Ouço um gemido baixo vindo do quarto e paro por um segundo. Meu coração martela no peito à medida que os sons se tornam mais altos, mais urgentes. O rangido característico das molas da cama reverbera pelo chão de madeira e meus dedos dos pés se crispam um pouco com aquelas queixas. Ele tem outra pessoa. O pensamento desaba sobre mim, devastador; espinhos malignos arranham meu contentamento anterior. Os sons se transformam em algo mais primitivo. Meus pés prosseguem em seu caminho, minha mente incapaz de detê-los. Observo minha mão como se pertencesse a outra pessoa, as unhas pintadas de rosa pálido em contraste com o carvalho da porta. Percebo que o esmalte está descascando no dedo indicador enquanto a porta se move para a frente sob a pressão.

Os lençóis estão desarrumados. Contorcendo-se, aprisionado neles, encontra-se Tom. Seu rosto está contraído, como em agonia. Fico paralisada, incapaz de tirar os olhos do destroço à minha frente, assim como não conseguimos deixar de olhar um acidente na estrada ao passar. Ele grita de novo, sem perceber que estou ao seu lado. A dor que vejo em seu rosto é demais para aguentar. Estendo a mão para sacudir seu ombro de leve, mas, quando toco sua pele quente, seus olhos se abrem de repente. Ele me olha fixamente com o olhar vazio, vítreo. Começo a sorrir. Ele me olha fixamente e ergue a mão. Fecha os dedos, apertando-os de encontro à palma da mão. Meu sorriso vacila. Seu punho fechado me acerta. A dor empola minha pele, passa pela bochecha e penetra o olho quando me sinto lançada para trás. A parte posterior da minha cabeça estala como uma casca de ovo quebrando ao bater no chão. Fico caída por um momento enquanto a dor se expande da bochecha para o olho, para a cabeça, para o pescoço, para o coração.

— Ah, meu Deus! Mel! — Ele se levanta, atrapalhado, e se ajoelha à minha frente. O olhar vítreo é substituído por preocupação e remorso enquanto ele cobre a boca com a mão, os nós dos dedos ligeiramente vermelhos em razão do impacto com o meu rosto. — Você está bem? Me desculpe... — Seus olhos se enchem de lágrimas enquanto ele segura meu queixo com cuidado e vira meu rosto para avaliar o estrago. — Você está bem? — repete ele.

— Todo mundo — eu tento falar, mas meus lábios parecem não se mover. Cautelosamente, eu os toco com a língua e sinto o gosto de sangue. Tom se encolhe. — Todo mundo sofre... — replico.

— Vou buscar uma bolsa de gelo. Me desculpe, eu tenho sonhos, pesadelos, eu... — Eu o interrompo, tomada pela pesarosa introdução do R.E.M. Digo a ele que conheço esse sentimento, quando você já está farto desta vida e no entanto... tem de seguir em frente. Ele gesticula, indicando que vai buscar gelo, mas eu o agarro pelo braço.

— Não vá — digo a ele. — Todos nós choramos e todos nós sofremos... às vezes. — Ele se senta e me abraça, acariciando meu cabelo. Fico olhando para ele e posso ver que ele busca em meu rosto e em minhas palavras o perdão. Canto para ele, dizendo-lhe que quase sempre as coisas dão errado na vida e então rio e o cutuco, encorajando-o a cantar também, e é o que ele faz. Ele canta a parte sobre como seus dias podem se tornar noites e que, às vezes, você tem a sensação de que deveria desistir, mas mesmo assim não desiste. Sentindo-me exausta de repente, respondo, dizendo que ele não está sozinho. Terminamos a música juntos enquanto ele me embala em seus braços e eu me dou conta de que eles estavam certos quando diziam: "Everybody Hurts" [Todo mundo sofre].

# 18

# Tom

Sentados na areia morna, eu a envolvi com meus braços. Sua cabeça estava sob meu queixo e eu beijei o topo dela como se viesse fazendo isso havia anos. Você estava tagarelando sobre como costumava fazer bolos de lama quando era pequena. Posso imaginá-la, olhos brilhantes e travessos, joelhos sujos e arranhados e dedos grudentos.

— Você também fazia? — você perguntou. — Parece que as crianças de hoje não brincam de coisas assim. Há muita preocupação sobre *E. coli*, suponho...

Foi nesse momento que tomei a decisão de contar. Contar que eu não era o que você pensava. Tínhamos passado os dois últimos dias juntos, e eu já não conseguia imaginar ficar longe de você. Acho que você pressentia que eu não estava falando toda a verdade sobre mim, você também parecia estar omitindo alguma coisa — esperando que eu mostrasse que confiava em você, talvez... O que estava acontecendo entre nós era algo que sempre pensei que fosse um mito. Um conto de fadas. Como alguém pode se apaixonar — completa e incondicionalmente — sem conhecer de fato a pessoa? Uma coisa específica de sonetos e de Shakespeare; de baladas e filmes vencedores do Oscar: eu sabia que você sentia o mesmo. Devia sentir. Quando acordei e vi sua cabeça sendo lançada para trás, seu olhar de choque substituído pela compreensão me mostrou que você também sentia.

— Não sei.

Observo sua mão desenhando espirais na areia.

— Quero dizer, não lembro. — Sua mão parou de se mover por um momento antes de continuar a desenhar círculos cada vez maiores. — Não lembro de muitas coisas. — Suas costas retesaram-se ligeiramente, mas em seguida você relaxou, apoiando o peso em mim. Olhei para o mar e então mergulhei de cabeça na verdade. — Não consigo lembrar de nada da minha vida até onze anos atrás.

Você ficou em silêncio por um momento.

— Do que se lembra? — você perguntou, sem surpresa na voz, apenas curiosidade. Desamarrei o pedaço de renda branca que estava amarrado sobre o elástico em seu cabelo. O vento a havia soltado, torcendo-a várias vezes.

— Minha lembrança mais antiga não é como a sua ou das outras pessoas. Não me lembro de uma infância ou de um lar. Não lembro de pais, da escola ou da faculdade. Não sei se frequentei a universidade ou qual foi o meu primeiro emprego... Minha primeira lembrança é de levar um chute na barriga em uma passagem subterrânea em Worcester.

— Worcester?

— Sim. Pelo meu estado, imagino que eu devia estar dormindo na rua por algum tempo. Talvez tivesse sido assim sempre... Eu não sei. — Refiz o laço em torno do seu rabo de cavalo.

— Como conseguia sobreviver? — Você virou o corpo para a esquerda e apoiou o lado do rosto em meu peito, levando minhas mãos aos seus lábios.

— Pedindo, roubando... só comida... mas... fiz coisas das quais não me orgulho, não tive escolha. Até que Georgie me encontrou: ela me deu um emprego, um lugar para morar... uma vida.

— Você lembra de alguma coisa? Qualquer coisa sobre sua vida de antes? — você perguntou e, ao acariciar o seu rosto, pude sentir a areia fina nele.

— Nada. No entanto, sempre me pergunto...

— Sim? — você me incentivou, quase com esperança.

— Eu tenho um pesadelo, e nesse pesadelo tem um garoto. Provavelmente não é nada, mas nele metade do rosto do menino está faltando. Como se tivesse sido desfocado.

— Você tem outros sonhos assim?

— Não é um sonho. É um pesadelo. Ele é deformado e está sempre tentando me arranhar... é mais um animal do que uma pessoa. Sonho com uma árvore também. Foi por isso que fiz *Estabilidade*. E tem sempre uma rosa vermelha crescendo nessa árvore, mas até mesmo ela se torna maligna e às vezes avança sobre mim, me sufocando.

— Já tentou descobrir quem é você?

— Eu sou Tom. Sou um artista e moro aqui. Eu sei quem eu sou.

— Me desculpe, não foi minha intenção...

— Desculpa. Eu só... tomei a decisão, há muito tempo, de deixar o passado para trás. Estou em um bom lugar. Nunca estive mais feliz e, além do mais, posso acabar descobrindo coisas das quais não quero saber.

— Posso entender. Vamos andar um pouco?

— Vamos andar um pouco? — Dei uma risada. — Eu digo que poderia ser um assassino e você diz: "Vamos andar um pouco?" — Balancei a cabeça, incrédulo, e você me deu uma cotovelada nas costelas.

— Eu também poderia ser uma assassina... — você replicou, e me dei conta de que você tinha razão. Não sabia nada sobre você, além do fato de que cantava quando estava aborrecida, que fazia bolos de lama quando era criança e... que eu a amava.

Eu estava lavando seu cabelo com você deitada na banheira de pés em garras que eu comprara de segunda mão em uma casa em Truro. Lembro que havia camadas e camadas de bolhas.

— Eles não sabem. Os médicos. Depois do acidente, fiz uma tomografia e eles descobriram uma espécie de abscesso no meu cérebro. Mas não era perigoso nem nada. Eu só tomei antibióticos por alguns dias e pronto. Já me consultei com muitos médicos, mas eles simplesmente não sabem por que canto. Dizem que tenho componentes da síndrome de Tourette, mas... Bem, deixa pra lá. Vamos falar de coisas mais importantes. Os anos oitenta. Não sei se foi ruim você ter se esquecido dessa época, para ser franca, embora alguns filmes clássicos...

Seu sotaque ficava mais acentuado quando você estava relaxada, eu havia notado, um som levemente anasalado típico de Birmingham. Não era exatamente um Frank Skinner, o comediante — seu sotaque era mais suave —, mas a cadência subia e descia de forma semelhante. Você estava movendo os dedos dos pés sob a torneira gotejante quando notei. Vi seus dedos movendo-se debaixo de uma torneira, mas, por um segundo, a banheira era verde e suas unhas estavam pintadas de vermelho. Fiquei enjoado por um instante e então as paredes pareceram inclinar-se. Pisquei e tudo voltou ao normal.

— Você pinta as unhas? — perguntei ao mesmo tempo que mergulhava as mãos na água e pegava o copo esmaltado branco.

— Aqui estou eu falando sobre todos os filmes incríveis dos anos oitenta. Cito *Top Gun: Ases indomáveis*, e você quer saber se pinto as unhas? — Você riu.

— Desculpa, eu só... não é nada.

— Ah, não... não me diga que você é um daqueles homens que gostam que a mulher faça as suas unhas, é? — Você me olhou por cima do ombro e eu não pude deixar de sorrir. — Porque vou te dizer uma coisa, Tom, eu não acho que aguentaria. Com *cross-dresser* acho que vai ser difícil de lidar. — Virei o copo cheio de água na sua cabeça e você cuspiu e agitou as mãos procurando uma toalha.

— Você bem que mereceu — eu disse, entregando a toalha a você, que a passou pelo meu pescoço, me puxando em sua direção. Então me beijou profundamente antes de despejar um copo cheio de água em mim. Você sorriu para mim e eu acariciei seu rosto, me perguntando o que fiz para merecê-la, suas feridas ainda visíveis, as minhas ainda ocultas.

Observei você picando as anchovas; observei a maneira como sua língua se projeta pelo canto da boca quando você está concentrada. Você limpou a lâmina da faca em um pano enquanto cantarolava. Eu já havia notado isso sobre você. Você cantarolava quando estava contente e cantava quando estava aborrecida. Cantarolava dormindo também. Abri a porta da cozinha para deixar entrar um pouco de ar fresco enquanto você fritava alho e pimenta. Eu queria perguntar. Mas não queria ouvir a resposta. Você ficaria? Eu sabia que precisava perguntar, mas não podia; tinha medo da resposta.

— Quando você volta ao trabalho? — perguntei, hesitante, enquanto servia uma taça de vinho tinto e a entregava a você. Limpando a testa com as costas da mão, você pegou a taça e tomou um grande gole.

— A mãe da Jo, a mulher para quem trabalho, está doente no momento, então eu não tenho certeza. Mas o futuro ex-marido dela, Shane, talvez me peça para fazer algumas coisas na casa. — Observei a cor surgir em suas bochechas à menção de "Shane".

— Você se dá bem com ele? Com Shane? — perguntei, o ciúme fazendo as palavras da minha pergunta se chocarem umas com as outras.

— Hã, sim, ele é... — os cantos da sua boca se ergueram — ... legal. — Você inclinou a cabeça para mim e sorriu. — Está com ciúme?

— Hã? — perguntei, como se não tivesse ouvido bem. Você jogou o pano de prato em mim. — Por quê? Deveria estar?

— Bem, vamos ver: ele é bonito, engraçado, gentil... — Senti meu rosto murchar ao reconhecer o tom verdadeiro de sua voz. Você começou a picar azeitonas pretas, ocasionalmente me olhando através dos longos cílios. — Mas — você acrescentou — ele não é você. — Jogando as azeitonas na panela, você acrescentou tomates picados e mexeu com uma colher de madeira, tampou a panela e apagou o fogo.

— Vocês estavam juntos? Antes... — Apontei para você e depois para mim.

— Não. Nada nesse sentido. — Você pegou sua taça de vinho, veio até mim e sentou-se em meu joelho.

— Tenho medo de que você vá embora — eu disse, a boca colada em seu pescoço. Ou você não me ouviu ou optou por não responder, porque a próxima coisa que fez foi me beijar. Só fomos comer uma hora depois.

Inclinei-me para a frente e limpei o molho de tomate de seu queixo enquanto você comia o espaguete. Estávamos sentados na varanda, o sol mergulhava no mar e as ondas batiam e se debatiam em seu sono.

— Adoro esse lugar — você disse.

— Não precisa ir embora — repliquei.

Você assentiu brevemente e então ocupou-se em pôr o prato no chão, pegar a taça de vinho e aconchegar-se sob meu braço. Encostou a cabeça no meu peito, que parecia ser onde você se sentia mais confortável.

— Posso ouvir seu coração batendo.

— Ele não me pertence mais. Você o roubou.

— Me faz parecer a bruxa malvada da Branca de Neve — você riu.

— Sabia que no conto de fadas original não era o coração dela que a madrasta queria? Eram os pulmões e o fígado.

— Eca.

— Uns caras sinistros, esses irmãos Grimm. As irmãs feias também tentaram cortar os próprios pés.

— O quê?!

— É verdade, na história elas tentaram cortar os dedos para que os pés coubessem no sapatinho de cristal.

— Caramba! Como você sabe essas coisas se não lembra do próprio nome?

— Não sei. A mente é uma coisa curiosa...

— Decerto que é. — O vento suave brincava com a bainha do seu vestido.

— Eu toco piano — anunciei.

— Eu sempre disse que você tinha dedos de pianista.

— Quando foi que você disse isso?

— Qu-quando eu... você recolheu minhas coisas no momento em que nos conhecemos... no, hã, café.

— Ah.

— Pensei comigo mesma: que mãos bonitas ele tem, como as de um pianista. Você tem um piano?

— Ainda não. Mas vou encontrar um logo.

— Vamos procurar amanhã? — Você sentou-se, entusiasmada. — Você pode me mostrar aonde vai em busca de todos os seus tesouros. — Seus olhos estavam límpidos e animados.

— Ok. Tem um mercado que abre às quintas-feiras aonde podemos ir, mas eu preciso trabalhar um pouco amanhã e quarta. Tenho outra exposição marcada para novembro.

Estávamos de mãos dadas ao atravessar o mercado lotado. Nossa vida naquela semana havia encontrado um ritmo próprio. Conversávamos durante a maior parte da noite — nenhum dos dois tinha o sono muito fácil —, e então, quando o céu se iluminava, dormíamos um sono inquieto, nossos braços e nossas pernas emaranhados e possessivos. Deitado ao seu lado acordado, com seu calor e sua familiaridade insinuando-se em minha alma e em meu coração, eu tentava entender minhas emoções. Como podia me sentir assim com alguém que mal conhecia? Afora Georgie, eu nunca tinha confiado em ninguém, muito menos amado. Como era possível que eu confiasse em você e a amasse tão intensa e tão imediatamente? Afastei uma mecha de cabelo da sua bochecha. Eu não tinha explicação para o que sentia, mas, estranhamente, também não tinha medo. Meu único medo era perder você. Toda vez que a via sorrir, toda vez que você ria, toda vez que olhava para mim, eu descartava qualquer pensamento racional de autopreservação. Eu não sabia disso então, mas meu corpo sabia por quê. As sinapses no meu cérebro podiam estar sufocadas pela vegetação, podiam estar asfixiando sob o tecido cicatricial da amnésia, mas estavam ali, lá no fundo, tentando respirar; agarrando-se a você.

Eu preparava o café, enquanto você tomava banho. Você se acostumara a sentar-se na varanda, com a brisa do mar secando seus cabelos, enquanto bebíamos café e líamos o jornal. Eu conhecia você tão bem, e não conhecia absolutamente nada, em igual medida.

Levamos uma hora para chegar até lá, uma hora no calor e desconforto do transporte público, mas, em meio a tudo isso, éramos um casal. Nunca fiz parte de um casal antes. Não no sentido que agora eu entendo que isso significa. Eu paguei, você encontrou o assento. Indiquei com a cabeça uma barraca de café, você nos guiou naquela direção. Pequenas coisas que parecem tão naturais para outras pessoas, mas para mim sempre pareceram estranhas. Como eles se comunicam sem falar? Mas você me fez perceber como é fácil. Seus olhos se iluminaram ao ver alguns móveis recuperados, sua cutucada nas costelas me disse isso. Apertei sua mão em resposta. Ficamos no meio das cômodas e dos móveis de jardim desgastados e malcuidados. Você soltou a minha mão e começou a procurar e a vasculhar: tirando bules e xícaras de porcelana do lugar, velhas mesas de computador e estrados semimontados, e então você viu algo fora do meu campo de visão. Era um espelho. Nada de especial, mas você o fitava, hipnotizada. Fiquei observando você por um momento, a maneira como mudava o peso do corpo de um pé para o outro, como uma criança empolgada. Você bateu as mãos pequenas na sua frente e depois tocou as laterais da moldura, maravilhada. Quando cheguei mais perto, ainda não conseguia entender o poder que ele estava exercendo sobre você. A moldura se encontrava lascada em alguns pontos, provavelmente por ter sido transportado de um lugar para outro sem o devido cuidado. Havia volutas nos cantos da moldura de teca. O espelho em si estava manchado e envelhecido. Passei os braços em torno dos seus ombros e você se recostou em mim.

— É exatamente igual ao que minha avó tinha quando eu era criança. Eu o estilhacei brincando de esconde-esconde com uma amiga quando tinha 9 anos — você contou. Olhei nosso reflexo e notei uma rachadura que o percorria diagonalmente, quase nos dividindo em dois. Seu sorriso desapareceu ao olhar nos meus olhos.

— Ficaria bonito em nossa sala... — eu disse.

Oscilamos juntos olhando nosso reflexo fraturado. Você estava usando uma blusa limão, cujo botão superior estava aberto, e sua clavícula reluzia ligeiramente com os resquícios do protetor solar com que eu vira você se besuntar naquela manhã enquanto eu preparava o café. Suas contusões escondiam-se sob a pálida maquiagem que você aplicara e seus cabelos estavam soltos, presos na lateral por um grampo no qual estava fixada uma margarida. Ajeitei seu corpo, como os dois pedaços do espelho. Desejei poder consertar tanto as falhas do reflexo quanto as ocultas debaixo dele. Ainda desejo.

— Posso comprá-lo para você? — você perguntou. — Por favor? — Havia um tom em sua voz que não reconheci.

— Eu compro. — Tirei os braços dos seus ombros e fiz menção de pegar a carteira em meu bolso.

— Não — você disse com firmeza.

Ergui a sobrancelha diante do seu tom de comando.

— Por favor? — você pediu em um tom mais suave. — Por favor, seria um prazer para mim.

Então você o pegou com cuidado e o levou para o homem baixo e calvo com uma pochete de couro marrom.

Contentes, bebericamos nossos drinques na parte externa de um pub no porto; os cheiros e ruídos do verão estavam a toda nossa volta. O clima entre nós tinha mudado. Agora havia um peso por trás dele; havia palavras que eu sabia que precisavam ser ditas, mas dançávamos em torno delas com comentários sobre a paisagem, sobre o tempo.

— Tom... — você começou a dizer, estendendo a mão — eu...

— Não — eu a interrompi. — Por favor. Não diga.

— Eu preciso. Tenho uma vida fora daqui.

— Então a deixe.

— Não posso... Há coisas que não posso contar para você, coisas que...

— Você pode me contar. Não ligo pro que quer que seja que você acha que precisa manter oculto. Eu nunca senti isso antes. — Sorri e acariciei a palma da sua mão. — Pelo menos, acho que nunca senti. — Abri o que esperava que fosse um sorriso irônico. Você balançou a cabeça como se espantasse uma voz sussurrando em seu ouvido.

— Não posso contar — você disse com determinação. — Vamos só aproveitar o que temos pelo tempo que pudermos. Tenho outra noite até... — Seu lábio tremeu e pude ver que você estava lutando contra a vontade de chorar. Então levou a taça de vinho aos lábios.

— Case comigo. — Você se engasgou, cuspindo o vinho, e então empurrou os óculos de sol para o alto da cabeça. — Case comigo — repeti.

— Eu, eu não posso. — Você olhou à nossa volta, pouco à vontade, pois nossa conversa tinha sido ouvida por outros frequentadores do pub.

Sem pensar, ou possivelmente pensando demais, tive uma ideia. Apoiei-me em um dos joelhos, para seu choque e constrangimento, e comecei a cantar. Eu precisava mostrar a você que seu distúrbio não me envergonhava e queria que você soubesse o que eu sentia. Pigarreei e evoquei o grande Percy Sledge: "When a Man Loves a Woman". Lembro-me de pensar quanta verdade havia naquela letra: eu não conseguia pensar em nada além de você, e eu sabia, lá no fundo, que não trocaria o que estava sentindo por mais nada. Você inclinou a cabeça em minha direção e mordeu o lábio inferior enquanto eu continuava cantando. Eu não via nada além de amor refletindo-se de volta para mim, mesmo enquanto eu tropeçava nas palavras. Você ria baixinho e reconheceu a atenção que estávamos recebendo com um sorriso enquanto gentilmente balançava a cabeça. Acrescentei um pouco de coragem quando tornei a cantar o título, implorando que você não me fizesse nada de mau. A pequena multidão me dirigiu uma salva de palmas quando você me ofereceu sua mão e me puxou para que eu ficasse de pé. Você passou os braços pelo meu pescoço e me beijou, para deleite do nosso público. Foi só mais tarde, quando estava deitada em meus braços, que me dei conta: você não disse sim.

Não consegui dormir. O vento soprava ferozmente, e você cantava enquanto dormia. Eu me virei de lado e fiquei observando seu rosto franzir a testa e interpretar a letra de "Without You". Naquele momento, você estava praticamente gritando as palavras, como um dos participantes do programa de talentos *The X Factor* quando cantam a capela. Algo estava errado. Bem lá no fundo, eu sabia disso. Sabia enquanto caminhávamos para casa e eu falava sem parar sobre como poderíamos redecorar o chalé, incluir alguns de seus objetos favoritos. Na ocasião, eu estava tão cheio de otimismo diante do futuro que não prestara atenção de fato a seus comentários. Todos eles clamavam por cautela e, embora você estivesse alegre, havia uma agudeza em sua voz. Acho que eu simplesmente me deixei levar pelo momento e pela garrafa de champanhe que pedira. Pensando em retrospectiva, no caminho de volta para casa, não sei se você disse muita coisa, mesmo quando penduramos o espelho recém-adquirido na base da escada, na parede ao lado da porta da frente. Afastei o cabelo de sua testa e saí em silêncio do quarto. As janelas estavam chocalhando levemente e eu podia ouvir a chuva suave contra as janelas. Apesar do pé-d'água, estava quente dentro de casa e eu me sentia abafado. Minha cabeça doía pela tarde que passara bebendo e o sono inquieto e pesado que se seguira. Abri o armário da cozinha e procurei um analgésico, mas não havia nada ali além de uma caixa vencida de antigripal. Abri mais alguns armários até que vi sua bolsa enfiada atrás do sofá da cozinha. Sem pensar, eu a abri; você havia tomado um analgésico quando chegamos e, portanto, eu sabia que você tinha alguns guardados ali. Procurei em meio a pacotes de balas já abertos e pacotes de lenços de papel até que os encontrei. Puxei a caixa de papelão que estava presa na carteira, abrindo seu fecho. Moedas saíram voando e eu sorri ao me arrastar pelo chão tentando encontrá-las, lembrando que, em sua ânsia de comprar o espelho para mim, você não tinha fechado a carteira direito. Peguei os dez pences que restavam no chão, me levantei e abri a carteira devidamente, deixando cair o troco nela. Um pedaço de papel estava saindo da seção de anotações e eu tentei empurrá-lo de volta, mas ele não se encaixava. Então o puxei. Era uma foto. De um menino. Metade do seu rosto estava coberto de cicatrizes. Sem nenhuma dúvida, aquele era o garoto que me assombrava havia anos.

# 19

# Melody

Acordo e sinto o peso dele na beirada da cama. Minha garganta está dolorida e, quando tento falar, mal consigo emitir um som, e é nesse momento que me vem a certeza. Tenho que deixá-lo.

Sei o que você deve estar pensando de mim. Como posso enganá-lo? Como posso levar um homem — tão claramente vulnerável — em uma jornada que nunca poderíamos completar, a um lugar onde ele nunca poderia ficar? Não tenho outra resposta para você além de que eu estava sendo egoísta. Indulgente. Tê-lo de volta em meus braços é viciante. A sensação de tocá-lo, seu cheiro, é como só uma dose a mais para o alcoólatra. Só mais um pouquinho e eu vou embora; no entanto, quanto mais tenho, mais quero. No começo, um golinho era suficiente, um olhar, um roçar dos dedos. Não mais. Eu preciso abraçá-lo, tocá-lo, ouvir o som de sua respiração. A necessidade foi se tornando mais exigente. Menos saciada. Até que — aqui deitada agora — eu me dou conta de que tenho que forçar a rolha de volta ao seu lugar antes que cause mais danos a mim mesma e a ele.

Eu me sento na cama. Ele está sentado no pé da cama, imóvel, fitando um ponto em outra direção.

— Você sabe que nunca me senti mais feliz do que nessa última semana com você? — Seu tom é cauteloso, uma advertência sussurrada de coisas não ditas. — Eu nunca tive a sensação de pertencer a alguém. Essa casa é o mais perto que já cheguei dessa sensação de pertencimento. A maneira como conheço os sons e defeitos desse lugar... mas, com você, tenho a sensação de que estou em casa. É uma loucura que alguém que não consegue confiar em ninguém possa, de alguma maneira, confiar em uma completa estranha, não é? E, no entanto, eu confiei. Até ver isso. — Ele se vira para mim, os olhos verdes, não mais com seu tom azul natural.

Ele joga a foto na cama e eu luto para respirar.

— Quem é você?

— Tom, esse é... é... esse é o motivo por que não posso ficar.

— Como você conhece esse garoto?

— Eu não posso... — implorei.

— Só me responda uma pergunta... seu nome pelo menos é Melissa? — Ele estreita os olhos e me lembro da maneira como ele me olhou antes de me bater durante seu pesadelo, e por um momento me dou conta de que tampouco eu conheço Tom. Não sei que efeito estes anos tiveram sobre ele. Viver nas ruas, sem história, sem passado, sem amor.

— Não — respondo.

Ele assente e então sai do quarto. Eu me encolho quando a porta da frente bate, sacudindo a estrutura da casa, e ouço o espelho recém-pendurado estilhaçar-se em mil pedaços.

Eu nunca deveria ter ficado, sei disso agora. Eu já sabia de início, mas ignorei a voz da razão. Visto o jeans, a blusa, prendo o cabelo em um rabo de cavalo e enfio os pés nas sandálias.

Mudei de ideia.

Vou atrás dele para explicar. Quem sabe ele não me perdoa? Quem sabe ele não vai querer conhecer as crianças? Um brilho de esperança cresce em mim como uma chama, e então, tão rápido quanto se acende, a fria consciência de que menti para ele da pior maneira, de que traí sua confiança, o asfixia com um suspiro. Recolhendo meus poucos pertences, eu os jogo na bolsa e corro para o térreo: a necessidade de fugir me domina de tal forma que eu me movo como Danny Zulo em "Greased Lightning" — sim, é sério, os passos de dança e movimentos pélvicos que acompanham as partes "Huh! Huh!" deixariam Danny orgulhoso. Olho ao redor como quem pede desculpas, enquanto os cacos de vidro rangem sob meus pés e uma calma desce sobre mim. Como um robô, pego a pá e a vassourinha e, metodicamente, limpo os estilhaços, como se, um a um, os movimentos da escova erradicassem o dano que causei. Olhando meu reflexo quebrado no conteúdo da pá, despejo os cacos no lixo e pego minha bolsa na bancada da cozinha. Como em um sonho, pego meu batom e, diante da moldura com seu esqueleto de papelão exposto, escrevo: "Me desculpe." As duas palavras me olham de testa franzida, com vergonha. Isso é tudo que você pode dizer?, elas zombam. Sento-me no degrau inferior, rolando o batom entre as palmas das mãos. O que foi que eu fiz? Ele merece saber a verdade, mas a que custo? Ele deve estar sofrendo — sim, ele foi enganado —, mas sua vida vai prosseguir aqui. Se eu ficar, se contar a ele sobre as crianças, se o atirar no meio de nossa vida caótica e tudo o que meu problema de saúde implica... Meus pensamentos são interrompidos pelas vibrações do celular.

— Melody? Ah, Melody! — A voz da minha mãe falha e ela começa a chorar. Minhas veias se enchem de gelo; meu corpo paralisa.

— Mãe? — Não há resposta, somente soluços descontrolados. — Mãe! — eu grito.

Posso ouvir a voz de Flynn — gentil, porém imperiosa — e ao mesmo tempo os sons abafados do telefone sendo passado a outra pessoa.

— Ei. Olha, mãe, você precisa vir para o hospital. Em Aberystwyth. Agora.

— O que aconteceu? É a mamãe? Ela está machucada?

— Não, a vovó está bem. É a Rose... Ela... ela tentou se matar.

O balanço do trem em nada me ajuda. Os passageiros tagarelas que tentam puxar assunto também não ajudam em nada. A dor que sinto é uma sensação estranha, uma que nunca experimentei antes. A culpa anda de mãos dadas com a maternidade, já falamos sobre isso antes, mas esse sentimento? Essa impotência, essa acusação enfurecida é algo novo. Apoio a cabeça no vidro da janela e me concentro no som "ch-ch-ch, puh-ch-ch-ch, puh..." Tento esvaziar a cabeça, ouvindo apenas esses sons: "ch-ch-ch, puh-ch--ch-ch-puh..." Meu corpo se move suavemente com ele; o gemido baixo da buzina é o único outro som que me permito ouvir: "ch-ch-ch-puh..." As colinas verdes lá fora ficam mais escuras; o verde-limão se transforma em sálvia, a sálvia mergulha no oliva, o oliva se desfaz em cinza-avião, e o cinza-avião, em esquecimento. Sinto meu corpo tremer, meus olhos — arenosos e doloridos — se abrem para encarar olhares desconfortáveis, braços protetores ao redor de crianças chorosas.

— Senhorita? — Um cobrador torna a sacudir meu ombro. Minhas bochechas e meu maxilar doem e mais uma vez minha garganta está seca e dolorida.

— Desculpe, senhorita, mas você estava... — Ele tosse, pouco à vontade.

— Gritando como uma louca — completa uma senhora, ultrajada, com um capacete de cachos grisalhos.

Eu pigarreio e me desculpo, e todo mundo volta ao estado pré-mulher louca. Minha dor de cabeça se manifesta com um latejar acima do olho direito e vasculho a bolsa em busca de um analgésico, mas não encontro. Alongo o pescoço de um lado para o outro e continuo a desconfortável viagem em um silêncio desconfortável.


— Com licença, mas... — Uma enfermeira ocupada ergue a mão para deter minha pergunta, antes de sair apressada para algum lugar. — Com licença, você poderia...? — Mais uma vez outro olhar do tipo "Já falo com você em um instante" vindo de um porteiro. — Se puder apenas... — Tento novamente, dessa vez para um homem alto com um crachá preso à camisa que pode ou não trabalhar no hospital.

Minha mente e meu corpo estão se tornando menos tolerantes. O caos reina à minha volta: cadeiras de rodas, macas, médicos, enfermeiros, bêbados, bebês com otite — o barulho é demais. Posso sentir que estou desmoronando, minha cabeça recebendo socos bruscos, até que explodo.

— *Heeeellllllllppp!* — grito meu pedido de socorro. Ah, meu Deus. Os Beatles de novo. Quem iria saber que eu era tão fã deles? Ok, aqui vou eu de novo, só que dessa vez é diferente. Estou desesperada. Preciso ver Rose, então, quando começo a dizer às pessoas que quero alguém, qualquer pessoa, não canto no modo cabeça balançando e pé batendo com que todos nós vimos os adoráveis garotos de Liverpool se apresentando. Canto da maneira como imagino que Danny Dyer cantaria. Embora — digo à enfermeira assustada que tenta tirar minha mão de sua gola —, que "eu deprecio que ela tenha sido encontrada", posso sentir que canto com agressividade. Eu a solto e a empurro, antes de gritar para os dois seguranças que surgem do nada que ponham minhas pernas de volta ao chão enquanto sou carregada, sem a menor cerimônia, por um corredor. Meus pés tornam a tocar o chão e minhas mãos são contidas atrás das costas. Nesse momento, ainda estou me debatendo, implorando-lhes que venham em meu auxílio, mas eles apenas seguram meus braços com mais força. Tento dizer que, quando eu era jovem, realmente não precisava da ajuda deles para nada, mas que agora não tenho tanta certeza. Percebo que estou ficando cada vez mais frustrada enquanto tento desesperadamente controlar a voz: mas ela não se cala.

Eu ainda estou me debatendo, lutando para me livrar de suas mãos, tentando dizer a eles que preciso ir até Rose, mas tudo o que consigo é deixar de lado os quatro garotos dos anos sessenta e, em lugar deles, tentar explicar minha situação com "Bullet in the Head", do Rage Against the Machine. Não sou exatamente fã dessa banda, mas Flynn sempre a tocava quando estava tendo um dia particularmente ruim, de modo que acabo com uma espécie de mix do meu conhecimento limitado. Nesse momento, estou gritando que eles deveriam estar fazendo o que lhe ordenaram que fizessem. Não tenho ideia do que estou falando, afora o fato de que acabo gritando a palavra com efe, dizendo a eles que não vou fazer nada do que pedirem e cuspindo no rosto dos seguranças. Mortificada, percebo dois policiais/ex-jogadores de rugby galeses surgirem e percebo que não vou chegar a Rose. Por muito tempo, não poderei ajudá-la. Ainda estou gritando para eles "Fodam-se!" e reiterando que não vou fazer o que me pediram. Grito com eles sem parar, e então, para minha absoluta vergonha, digo a pior frase associada à figura materna: grito com eles, chamando-os de "Filhos da p..." — bem, você pode preencher a lacuna —, e em seguida algo sobre assassinato e nomes. Posso ver a boca do policial se mexendo, formulando frases, mas não consigo ouvi-lo acima das profanações que minha boca está vomitando. Presumo que estão lendo meus direitos. Sou rudemente algemada e levada do hospital à força, chutando uma cadeira no caminho no verdadeiro estilo roqueiro, antes de ser enfiada em um carro de polícia.

Meu corpo está tremendo; uma energia nervosa o percorre e eu não consigo ficar parada. A dor de cabeça é geral e, quando chegamos diante da delegacia de polícia, sinto-me como se estivesse aprisionada, sepultada dentro desse corpo. As luzes no interior da delegacia queimam minha pele, tudo em meu corpo parece sensível, a mão condutora na parte inferior das minhas costas parece agulhas e o tecido da blusa arranha minha pele. Minhas pernas doem e meu corpo parece pesado demais para elas sustentarem. Cambaleio um pouco. Eles me fazem perguntas, mas não consigo falar. Minha boca está colada. Meus dentes travam e minha garganta se fecha. Sou trancada em uma cela, mas eles nem precisavam se dar ao trabalho. Eu me encontro em minha própria prisão. Nunca foi tão ruim assim. Tento fazer parar as imagens de Rose. Tento não pensar nela porque, se continuar pensando, nunca vou sair daqui. Deito na cama dura; a aspereza do cobertor cinza irrita minha bochecha. Fecho os olhos e tento me concentrar no som do trem de antes: "ch-ch-ch, puh, ch-ch-ch, puh..."

Eu me concentro na respiração, mas a imagem de uma Rose mortalmente pálida — imóvel e de olhos inertes — me atravessa e eu retomo as afrontas e a raiva até começar a bater a cabeça na parede. De leve inicialmente.

Tum. Tum. Tum. E então as pancadas começam a soar mais como um estalo e, em seguida, vem uma paz silenciosa e escura.

Quando acordo, me encontro contida por grossas correias de Velcro, em um hospital. Levo um momento para me conscientizar de onde estou e da razão de estar aqui. Meus olhos estão irritados, vermelhos e furiosos. Minhas pálpebras pesadas lutam contra o próprio peso e eu fixo os olhos em uma policial de aparência severa do outro lado do quarto. Sinto a testa apertada e percebo que ela deve estar envolta em algum tipo de atadura. Ela ainda não notou que estou acordada e aproveito para me acalmar. A imagem do sangue de Rose drena meu corpo, mas, antes de permitir que as emoções assumam o controle, preciso falar com essa mulher. Ela não é amiga nem inimiga. Não me conhece e eu não tenho a menor ideia se ela tem filhos ou se gosta do seu trabalho. Essa mulher não tem importância para mim e, ao mesmo tempo, é a pessoa mais importante da minha vida. Se quiser chegar a Rose, vou precisar da sua ajuda. Ela tem uma compleição sólida; não que seja gorda, mas é grande e firme. Usa óculos de aros grossos e os cabelos louro-escuros estão firmemente presos em um rabo de cavalo. A franja está precisando de um corte e ela a afasta do aro dos óculos com irritação. Está escrevendo algo oficial, batendo a tampa mastigada da caneta enquanto olha pela janela pequena.

— Oi. — Eu sorrio. Ela volta a cabeça para mim e ergue uma sobrancelha reprovadora. — Posso — tento gesticular na direção do jarro de água em cima do armário ao lado da cama — beber um pouco de água, por favor? — Minha voz está rouca, como se eu tivesse dor de garganta.

Ela se levanta da cadeira como se nunca tivesse sentido menos vontade de fazer alguma coisa em toda sua vida. Então leva o copo aos meus lábios secos e me deixa beber.

— Devagar — diz ela. Sua voz contém a ameaça e a promessa do que está por vir. O tom mais suave ao me advertir que não lute contra as correias me oferece esperança, mas a aspereza de seu "Ok?" é mais um comando do que uma pergunta.

— Que horas são?

— Já passam das oito e meia. Acho que você perdeu o café da manhã. — Mais uma vez, o tom suave com a resposta seca me confunde. — Qual é o seu nome? — A voz é totalmente profissional.

— Melody King. Por favor, se eu puder explicar...

— Data de nascimento? — A atitude objetiva, que não deixa nenhuma necessidade de interpretação.

— Quinze de junho de 1979. Sinto muito pelo meu comportamento no hospital. Eu estou em Aberystwyth? Eu posso, estou... — Tento gesticular com as mãos contidas. — Posso explicar por que me comportei daquela maneira?

Ela suspira ruidosamente, mas não rejeita meu pedido.

— Há alguns anos tive um acidente que me lesionou, de certa forma. Não existe uma explicação para o meu problema, os médicos tentaram, mas não conseguiram descobrir por que eu faço o que faço... Eu canto. Quando estou ansiosa.

Ela franze a testa em confusão ou incredulidade, não tenho certeza.

— Eu costumava apenas cantar, mas o problema está se espalhando para minhas habilidades motoras agora e eu não consigo detê-lo.

— Você está me dizendo que não tinha nenhum controle quando... — Ela desliza para trás na cadeira, pega um caderno, volta algumas páginas e diz: — ... cuspiu na cara dos seguranças?

— Não. Nem quando eu estava, ah, meu Deus, xingando. — Fecho os olhos momentaneamente envergonhada.

— Então você estava ansiosa?

— Por favor, ouça antes... — "I Shot the Sheriff" começa a tocar silenciosamente na minha nuca. Está abafada no momento, como a porta da frente fechada em uma casa onde está havendo uma festa. — ... que eu comece de novo. Minha filha, Rose, foi internada no hospital. Ela, ela... — Engulo em seco quando a porta da casa em festa abre e fecha, deixando vazar um pouco da confissão e absoluta negação de Bob Marley sobre o policial — tentou cometer suicídio. Eu não estava lá, sabe, ela estava de férias com minha mãe. Ninguém quis me ajudar na recepção e eu preciso ver se ela está bem. — Começo a virar a cabeça de um lado para o outro.

— Ok, ok... Melody?

Ainda estou tentando olhar à minha volta para ver se consigo vislumbrar além das cortinas azuis em torno da cama.

— Melody? — A voz dela é forte e autoritária. — Preciso que você respire... — Ela aperta o botão da enfermeira ao lado da cama. — Inspire pelo nariz, expire pela boca. — Ela o aperta de novo. Um gnomo de jardim em forma de médico chega. — Você pode dar algo para acalmá-la, por favor? Isso ajuda, Melody? — Faço que sim com a cabeça. Percebo alguma atividade ao lado da cama, um raspão brusco e, em seguida, copos e pratos de papel são jogados em lixeiras, agradecimentos e promessas de repetir em breve o encontro são proferidos, garrafas vazias são jogadas no cesto de reciclagem e, finalmente, a festa chega ao fim e o anfitrião desaba no sofá, mergulhando em um sono profundo e sem sonhos.

Sons distantes: risos; rodas de um carrinho; aro de metal em haste de metal; gaveta aberta e fechada; aparelhos médicos; tosse cavernosa; mensagens urgentes; pedidos de café e o ruído de embalagens de doces... Minha cabeça está cheia da atividade do hospital, mas meus olhos permanecem fechados. Há sangue no cabelo dela. Há sangue em sua boca. Há uma arma, há uma lâmina de barbear. Há os olhos verdes de Tom. Há uma varanda, há um forno a gás, há o mar, há Rose e depois não há nada.

— Melody?

— Mãe?

— Melody... você pode me ouvir?

— Mãe?

— Por que ela não está respondendo?

— Do que você está falando? Eu estou respondendo!

— Vai levar um tempinho para ela recuperar a consciência. Tivemos de administrar um sedativo forte. Ela ficou muito agitada enquanto dormia.

— Quando ela vai acordar?

— É difícil dizer. Em uma hora mais ou menos, eu creio.

— Com que frequência o distúrbio de Melody se manifesta?

— Não sei de fato. Alguns dias por semana, talvez...

— Mais do que isso, vó.

— Flynn? — Tento forçar meus olhos a se abrirem, mas eles permanecem pregados. Uma tampa pesada em meu caixão invisível.

— Ela fica agitada com frequência quando dorme? — pergunta um homem, uma voz profunda, rica, nítida, como uma safira. A voz de Flynn é pesada e cansada.

— Sim, eu acho. Ela canta na maioria das noites, às vezes a mesma música, mas ultimamente é só um grito. Nenhuma variação, nenhuma mudança de escala, só um grito horrível e muito longo, interrompido quando ela precisa respirar, mas que logo recomeça.

— Deve ser muito difícil para você e sua irmã — a safira observa.

— Às vezes — resmunga Flynn —, mas estamos acostumados. — Pressinto que ele dá de ombros.

— Ah, Flynn — responde minha mãe.

— Não é nada. Todo mundo tem suas merdas para enfrentar.

— Não fale merda — digo, rouca.

— Mãe? — Demoro um momento a me ajustar à fatia de luz que vai se expandindo até eu poder ver propriamente.

— Rose? Ela está bem?

— Sra. King, sou o Dr. Banks. — Viro a cabeça em sua direção. Ele tem um nariz afilado, semelhante a um gancho, olhos tão escuros e pequenos que não consigo ver onde a pupila termina e a íris começa. Cabelos ruivos se erguem em tufos por toda a cabeça e o rosto está semioculto por uma barba irregular ruiva e castanha. Ele me faz lembrar uma galinha.

— Rose está bem?

— Rose se encontra estável, sim. — Olho para Flynn e minhas entranhas murcham. Ele foi apequenado pela magnitude desses acontecimentos. Parece encolhido, derrotado e tão jovem, mas quando meus olhos encontram os dele, o olhar fixo em mim é o de uma pessoa muito mais velha, uma pessoa que precisou enfrentar toda uma vida de problemas.

— O que aconteceu? — pergunto a ele.

— Ela se cortou... vem se cortando.

— O quê? Como é que eu não sabia?

— Você não deve se culpar — intervém mamãe.

— Quem mais há para culpar?! — Eu me arrasto na cama, tentando me sentar, e percebo que minhas contenções se foram. Olho à volta, procurando a policial, mas percebo que ela também não está ali.

— Onde está a policial? Eu estou presa?

Flynn me passa um copo de água.

— Você foi liberada.

— Hã?

— Porque você é doida, está sob os cuidados do hospital no momento.

— Ah. — Sinto um pequeno alívio. — Me contem o que aconteceu. Você sabia o que ela estava fazendo? — pergunto a Flynn, que balança a cabeça.

— Eu sabia que ela não estava, você sabe, muito bem. Quero dizer, a escola tem sido dura para ela e, bem, quando descobrimos que papai estava, você sabe, vivo e que ele tinha nos abandonado... ela ficou mal. Mas, quando estávamos de férias, ela parecia muito melhor. Fez amizade com uma galera normal, não como o bando de emos da escola. E tinha um garoto também.

— Um garoto?

— No camping para trailers. Ele parecia interessado nela e ela estava, você sabe... — Ele revirou os olhos e adotou uma expressão desconfortável.

— Ela estava, você sabe, o quê? Ela estava dormindo com ele? — pergunto, histérica.

Mamãe leva a mão ao pescoço e começa a brincar com suas pérolas.

— Ué, como eu ia saber disso? Mas acho que eles só se beijaram. De qualquer forma, não é essa a questão — ele se apressa a continuar. — Ontem eu o vi com a língua dentro da garganta de outra garota, uma que tinha ficado amiga de Rose. — Ele esfrega a nuca. — Eu não devia ter contado a ela.

— Foi Flynn que a encontrou, Mel. Ela estava inconsciente e havia sangue por toda parte, por toda a cortina do chuveiro.

— Vó. — Ele a interrompe. — Eu não devia ter contado a ela — repete ele.

— Ah, Flynn. Não é culpa sua. Ela já fez isso antes? Essa coisa da automutilação?

— Foi o que os médicos disseram. Tem cicatrizes antigas no alto do braço dela aparentemente.

Nesse momento eu lembro da mancha vermelha no banheiro do hotel. E que eu pensara que o lugar simplesmente não tinha sido limpo corretamente. A gaze que faltava no armário do banheiro. Como pude não perceber que isso estava acontecendo? Tento lembrar da última vez que a vira de roupas íntimas e não consigo. Eu a visualizo. Seu rosto quando descobriu que Dev estava vivo, seu reflexo na porta de vidro da estação de trem, seu rosto quando entrei no gabinete do diretor da escola... Qual foi a última vez que a ouvi rir? Como pude não perceber o quanto ela havia se tornado triste? E distante. Eu estava tão envolvida na tentativa de encontrar Dev que perdi Rose de vista.

— Posso vê-la?

— Melody, preciso que você fique aqui e descanse pelo restante do dia de hoje e essa noite — diz o Dr. Banks, em um tom de diretor de escola.

— O senhor NÃO vai me impedir de ver minha filha! — explodo. — Ela precisa de mim. Que tipo de mãe seria eu se não fosse até minha filha quando ela está machucada?

— Mãe, se acalme...

— Eu não vou me acalmar. Quero ver Rose agora! — Atiro as cobertas para o lado e começo a mover os braços para cima e para baixo.

Ah, que inferno.

Estou "batendo as asas" porque — vejo o rosto de Flynn se iluminar, divertido, e minha mãe se esforçando para não rir — comecei a cantarolar e dançar "The Birdie Song". No momento estou abrindo e fechando as mãos com os dedos unidos, batendo os braços dobrados como asas e balançando o bumbum.

— Com um pouquinho disso e um pouquinho daquilo e sacudindo o bumbum.... — canto antes de dar o braço ao Dr. Banks e o fazer girar.

Pelo amor de Deus, as músicas dos anos oitenta têm muita culpa no cartório.

# 20

# Rose

*30 de julho*

Eles todos sabem. Mamãe, vovó, Flynn, as pessoas no hospital. Todos eles sabem.

Eu só quero deixar uma coisa bem clara. Eu NÃO estava tentando me matar, ok? Não estava. Eu não sou suicida. Sei que isso parece estranho quando me cortei tão fundo que quase sangrei até a morte, mas sinceramente não sou. Essa é a verdade.

A vida é um lixo. A minha vida. Nossa vida é simplesmente um lixo.

Isso começou faz algum tempo. Não consigo lembrar por que fiz isso. Eu só peguei um clipe de papel, desdobrei-o e arranhei a pele do meu braço. A sensação foi tão pura. Depois fiquei calma, como se tivesse tomado alguma coisa. O Peixinho Dourado, Rose King, idiota, ruiva esquisita, nada disso importava. Não, isso não é verdade: tudo isso ainda importava, mas importava menos. Já não tinha tanta importância que, no último teste de física, eu tivesse acertado apenas 90 por cento. Não tinha mais tanta importância que eu não possa comprar nem um par de sapatos com minha mãe sem parecer um circo de horrores e não tinha mais tanta importância o fato de papai ter nos deixado. Ele não morreu, não desapareceu, ele simplesmente nos deixou.

Posso lidar com parte desse lixo por isso. Eu me corto e posso lidar com as coisas. Mesmo sabendo que era errado, que eu estava errada, importava menos por causa disso. É só a minha maneira de enfrentar tudo. Eu não uso drogas, não fumo como um bando de gente da escola, não bebo. É mesmo tão ruim assim?

Eu não sou idiota. Sei que fui longe demais e sinto muito por isso. Sinto que tenha tido de colocar isso nos ombros de Flynn, como se ele já não tivesse o bastante com que lidar. Eu simplesmente não consegui parar.

As coisas estavam melhores. Têm estado melhores. Eu não me cortava havia quase um mês. Ser amiga de Lisa ajudou. Me aceitar como sou e não ter que fingir que sou a garota que era quando era amiga de Megan ajudou, e uma semana sem mamãe também ajudou. Eu sei que parece horrível, mas foi tão bom ser capaz de ser uma família normal de férias. Foi legal fazer amizade com garotas que queriam sair comigo, que não sabiam sobre mamãe ou sobre o quanto me saio bem na escola, que só queriam fazer coisas normais. Ir à praia, jogar *rounders*. Fazer bodyboard. Foi tão legal. Depois teve o Alex. Ele chegou na terça e já conhecia Courtney... As famílias dos dois têm vans no camping e se conhecem desde sempre. Ele é simplesmente lindo, como Bieber, e era tão fácil conversar com ele. Estávamos todos sentados na praia falando sobre aquele vídeo do gato e ele começou a cobrir meus pés com areia.

— Você tem pés feios — disse ele e irrompeu numa gargalhada.

Nossa galera cresceu e, na sexta, já éramos sete. Eu, Courtney, Alex, George, Dylan, Katie (que parece uma mini Katie Price — toda caras e bocas) e Ella. Mas, no centro da galera, éramos eu e Alex: sentávamos ao lado do outro quase sempre; íamos comprar sorvete e fazer bodyboard... parecia ser sempre nós dois. Ele ficava enrolando meu cabelo no dedo muitas vezes e então, na tarde de sexta, quando estávamos sentados nas dunas, ele me beijou. Foi meio nojento no início, mas então entendi a coisa. Bem, no dia seguinte ele estava nas dunas com Katie.

Não que eu tenha pensado que ele era o amor da minha vida, nem nada assim. Não sou idiota, mas pensei que ele gostasse mesmo de mim. Flynn queria bater nele, mas eu ri e disse a Flynn que relaxasse. Eu faria o mesmo se alguém mais gato aparecesse, eu disse. Esperei até que ele e vovó fossem ao supermercado comprar algumas coisas, me tranquei no banheiro, e foi isso.

Bem, como eu disse, agora todos eles sabem. Então a questão é: o que acontece agora?

## 21

# Melody

Lar. Olho a escuridão do meu jardim pela janela da cozinha e ouço os ruídos do nosso lar. Uma palavra tão pequena que significa tanto. Procure sua definição e encontrará: *"casa de habitação; domicílio familiar; grupo de pessoas vivendo sob o mesmo teto; família"*. Lembro de ajudar Flynn com uma definição diferente quando ele tinha 10 anos. Lar — *"uma instituição para pessoas que precisam de cuidados ou supervisão profissionais, um lugar onde alguma coisa floresce, onde é mais tipicamente encontrada"*. Ele ficara confuso com a definição, perguntando-me por que eles não falavam da sensação de estar em "casa" no sentido de segurança.

— Não entendo! — Ele havia jogado o lápis em cima da mesa.

— O que você não entende? — eu perguntara, tentando encontrar o momento heureca quando tudo se tornaria claro. Flynn sempre precisava daquela ajudinha extra para entender as coisas. Quando isso acontecia, ele dava um meio sorriso e dizia: "Ah... por que eles não dizem isso?"

*"Um lugar onde alguma coisa floresce."* Fico repetindo isso mentalmente. Este é o nosso lar. Meus filhos estão florescendo? Eu estou?

Rose está dormindo no andar de cima. Ela dormiu a maior parte do dia enquanto Flynn e eu andamos na ponta dos pés. Pela casa e ao falar um com o outro. Nenhum de nós quer tocar no assunto, nenhum de nós quer quebrar a espessa camada de gelo sobre o amargo pavor do que aconteceu.

A máquina de lavar roupa termina seu ciclo e eu me agacho no chão, tirando uma camisa da escola do fundo do cesto de roupas, a única camiseta branca de Flynn, uma calça creme de combate, uma blusa, calcinhas e um sutiã — tudo isso enroscado em um pedaço de renda branca. Afasto a sensação das mãos dele ao amarrá-la em meu cabelo, a areia macia correndo entre meus dedos, o cheiro de sua pele e o calor de sua respiração em meu pescoço. Nada disso tem lugar aqui, entre nossas coisas. É uma intromissão, uma imposição. Sentando-me com as pernas afastadas, começo a tentar desembaraçar a renda, mas ela está enrolada em um botão, presa em um zíper, enlaçada em nossa vida. Começo a puxar as roupas, na tentativa de libertá-las, mas quanto mais puxo e tento soltá-las, mais elas ficam presas.

— Argh! — grito, me levanto e abro com força a gaveta de bagunça da cozinha. Pegando uma tesoura, volto a me sentar e começo a picar a renda em pedaços minúsculos, as roupas se amontoando no chão, desembaraçadas e livres.

Fechando os olhos, tento acalmar a respiração, inspirando profundamente para não começar outro sucesso da Black Lace. É somente quando me sinto segura de que não estou prestes a dançar a conga que abro os olhos e percebo que cortei o dedo. Lentamente, abro a mão, olho a renda ensanguentada e me pergunto como algo que era puro, bonito e feito com amor, agora é apenas um trapo sujo.


As bolhas sobem no copo enquanto eu o encho com água fria. Os dois comprimidos pesam na palma da minha mão. Fluoxetina. Eu já percorri esse caminho, os efeitos colaterais de me sentir cansada e enjoada, de não querer comer, mas dessa vez não tenho escolha. Não posso ajudar Rose se não me ajudar. Coloco os comprimidos na boca e os engulo.

— Mãe? — Ela para timidamente no canto do meu quarto. Puxo as cobertas da cama e ela hesita um instante antes de entrar. Levanto o braço e ela se deita em cima dele, a posição bem treinada na infância, dos pesadelos e das febres noturnas. Deslizo os dedos pelo seu cabelo pesado.

— Você está bem?

Ela suspira. Não sei mais o que dizer. É minha culpa? Tenho vontade de perguntar a ela.

— Vai ficar me perguntando isso? — replica ela, mas posso ouvir um sorriso em sua voz.

— Não sei mais o que perguntar — respondo. Passei horas tentando descobrir como lidar com esse "episódio" e a única resposta que encontrei é sendo honesta. Nós sempre tiramos de letra o que a vida nos reservou quando éramos honestos um com o outro. Agora me pergunto, em que momento paramos de agir assim?

— Me pergunte o que eu quero no chá amanhã.

— O que você quer no chá amanhã?

— Não sei. *Fajitas?*

— Ok. Vamos ver um filme?

— Claro.

— E o que vamos ver? Algo engraçado ou um suspense?

— Que tal um de terror, bem violento?

— O quê?!

E então ela começa a rir. Um riso profundo, vindo da barriga. Sinto seu corpo relaxar e se sacudir com a risada. É contagioso e eu não consigo não me juntar a ela, mesmo que nosso humor pareça inapropriado ao restante do mundo. Flynn enfia a cabeça pela porta.

— O que é tão engraçado? — pergunta ele, deslizando as mãos pelos cabelos e parecendo confuso.

— Só escolhendo um filme para amanhã à noite — e recomeçamos.

— Que tal, que tal... — Rose mal consegue falar — ... *Scarface?* — Essa conversa politicamente incorreta está mesmo acontecendo e mal podemos respirar em meio às risadas e às lágrimas. Flynn se senta na beira da cama, balançando a cabeça.

— Você sabe que isso é abuso psicológico, certo, mãe? — Eu tento me desculpar, mas estou rindo demais.

— *Moulin Rouge?* — acrescenta ele com um sorriso bobo. — Não?

— *Evita?* — explode Rose.

— *Vovó... Zona?* — acrescenta Flynn, e nesse ponto paro de rir.

— Isso é levar as coisas longe demais, Flynn — digo, ligeiramente perturbada. — Minha bunda não é daquele tamanho.

— Se você diz — ele sorri com afetação. — Devo colocar a chaleira no fogo?

— Faça isso. Eu ia tentar dormir, mas meu quarto foi invadido pela ruiva maluca. — Encosto a cabeça na de Rose.

— Posso tomar um também? — pergunta Rose.

Flynn revira os olhos.

— Ok. — Ele se levanta da cama.

— E biscoitinhos! — acrescento.

— Tem certeza disso, mãe? E o tamanho da sua... — Eu o silencio com o rápido lançamento de um travesseiro.

— Errou. — Ele dá língua para mim e deixa o quarto correndo quando Rose atira outra almofada nele. A irreverência do momento desaparece quando a manga de sua camisola sobe e eu vejo o curativo em seu braço: cobrindo a dor, o desgosto, o desconhecido. Ela vê meu rosto mudar e puxa a manga para baixo.

— Não — digo gentilmente. Ela me olha por entre os cílios dourados.

— Não pense que você precisa esconder isso.

— Mas...

— Você não tem nada do que se envergonhar. Nada. — Acaricio o rosto dela. — Isso — ela fica tensa quando puxo sua manga para cima — significa que você viveu um momento horrível e o enfrentou. Talvez não da melhor maneira, mas ainda assim sobreviveu — dou um beijo em sua testa —, você ainda está aqui. Nós ainda estamos aqui.

Por um breve momento o rosto dela se abre e eu a vejo como uma garotinha. Aquela linda criança que cantava "Santa Claus is coming tooooooo toooowwwwwnn!" [Papai Noel está chegando à cidaaaaaaade!] a plenos pulmões e então exigia: "Bate palma, mamãe, palma!" Incapaz de resistir, sempre batíamos, e então ela fazia uma reverência, como se tivesse acabado de se apresentar no Royal Albert Hall. Ela fazia isso repetidamente; cada vez que aplaudíamos, mais barulhentas e grandiosas eram suas apresentações. Quanto mais ela ria, mais exagerava nas palavras da música até finalmente subir no meu colo e se aconchegar. Sugando a própria língua e enrolando o cabelo no dedo. Como eu queria que tudo que tivesse de fazer para deixá-la feliz agora fosse bater palmas.

Tomamos o chá, comemos biscoitos e então eu leio para ela. Trata-se de um antigo livro de fábulas e contos de fadas de quando ela era pequena. Parece um ato tão natural, ler para minha filha deitada na cama. Quando foi que paramos com as histórias para dormir? Leio até o calor e a umidade do chá se extinguirem e meus braços e minhas mãos parecerem espetados por alfinetes e agulhas. Leio até a respiração dela desacelerar, tornar-se pesada e um ressonar vir do fundo de sua garganta. Cuidadosamente, me solto dela e me deito de lado, fechando o livro em silêncio e observando os personagens na capa: figuras de outrora, agora reinventados pela Disney ou pela Pixar. Meu coração acelera.

*"Posso ouvir seu coração batendo."* Fecho os olhos. Posso ouvir as ondas arrebentando, o formigamento da pimenta do molho do espaguete em meus lábios.

*"Ele não me pertence mais. Você o roubou."* Ouço a voz dele, como se estivesse neste quarto conosco.

*"Me faz parecer a bruxa malvada da Branca de Neve..."* Abro os olhos, acaricio a capa do livro e então o coloco na mesa de cabeceira. Deito-me de lado e fico olhando Rose dormir, pensando nele, pensando no chalé onde somente ele se encontra. Preparando suas refeições sozinho, a cama feita, a varanda vazia. Como ele estará? O que deve ter pensado quando voltou e encontrou meu ridículo pedido de desculpas? Será que se perguntou onde eu estava? Será que se importa? Acaricio o rosto delicado de Rose, sua pele quase translúcida. Minúsculas veias azuis, pulsando sob a pele. Veias que ela rasgou. Eu fiz a coisa certa protegendo-o disto, mas será que fiz o melhor para eles? Vejo o rosto dele quando se ajoelhou, seu sorriso como a primeira coisa que eu via de manhã. Fecho os olhos, apoio a mão na cintura da minha Rose e resvalo para um **sono** profundo.

Acordo com um sobressalto e, por um momento deliciosamente confuso, penso que ainda estou com ele. Que vou me virar e ver seu sorriso sonolento. Ouvir o vento assoviando sua melodia suave ao abrir caminho pelas antigas rachaduras nas molduras das janelas castigadas pelo mar. Que Rose e Flynn estão felizes de férias e que tudo, ao menos por uma vez, está bem. Mas então vejo o curativo, ouço os lixeiros conversando lá fora, em vez do barulho das ondas se quebrando ou uma gaivota grasnando. Olho para o relógio na parede e me dou conta de que dormimos por dez horas. A náusea toma conta de mim, me instiga a ficar imóvel, mas não posso. Temos uma consulta com o psiquiatra às onze. Sacudo delicadamente o ombro de Rose e ela resmunga sobre a hora — como qualquer adolescente — e puxa o edredom, cobrindo a cabeça. Tomo um banho e tento não pensar nele. Tento não pensar nele enquanto afasto as torradas, sem comê-las, tento não pensar nele enquanto engulo mais comprimidos. Tento não pensar nele ao escolher uma roupa que não me faça parecer uma mãe fracassada. Mas ele está aqui. Está em cada movimento da escova, em cada pia de louça lavada, todas as vezes que desço as escadas e em cada palavra que falo. Ele está aqui a cada suspiro que dou.

Ah, merda.

— Mãe, essa música é muito sinistra — diz Rose ao cuspir a pasta de dente. — Você vai ficar mesmo me vigiando o tempo todo?

Reviro os olhos enquanto canto até o final da música.

— É claro que não — Flynn acrescenta quando aparece com os cabelos despenteados e marcas do travesseiro no lado do rosto. — Você dormiu? — pergunta ele e ela assente.

— Muito. E você?

— Sim. Nada de sonetos à meia-noite?

— Não, os comprimidos devem estar funcionando.

Agito os braços, incrédula, enquanto eles continuam a falar sobre mim como se eu fosse uma música tocando no rádio na cozinha.

— Meu Deus, essa música dura uma vida, não é? — Aceno e desço a escada, ainda confirmando que vou dar uma de stalker, de olho em Rose no futuro próximo.

— Pare de se remexer — Rose me diz enquanto esperamos.

— Desculpe. — Entrelaço as mãos.

— Rose King?

Ambas nos levantamos, seguimos a enfermeira sorridente até o consultório e nos sentamos. É igual ao consultório de qualquer outro médico em que já estive. Não sei exatamente em que aspecto eu esperava que fosse diferente, para ser sincera. Um grande sofá de couro, talvez? Ah, isso é no de um psicólogo, não?

— Então, Rose... — Eu me sobressalto ligeiramente quando um homem alto e grisalho, que me lembra um cavalo, entra. Ele atravessa a sala galopando, todo lábios e dentes, e se reclina em sua cadeira. — Como você está? — Sua voz é suave e não combina nem um pouco com sua aparência. Eu estava esperando o tom estrondoso de um pregoeiro, mas o dele é suave, gentil.

— Hã, bem, acho.

Ele sorri e eu resisto ao impulso de meter a mão em minha bolsa e oferecer uma mordida da minha maçã (os comentários de Flynn sobre o meu traseiro não passaram despercebidos).

— Ela está muito bem. — Esfrego o braço dela com firmeza e lhe dou tapinhas. Ela olha para minha mão e assume uma estranha expressão que parece dizer: "O que você está fazendo?"

Ele não fala nada inicialmente. Rose e eu entabulamos uma conversa silenciosa de sobrancelhas erguidas e dar de ombros.

— Rose... é um belo nome. Flores lindas, não são? Pétalas tão delicadas... mas é preciso também tomar cuidado com aqueles espinhos, certo? — Ele torna a sorrir. — Você acha que é mais como as pétalas ou os espinhos, Rose?

— Os espinhos.

— Você se acha bonita, Rose?

— Não. — Ela fala sem hesitação.

— Mas você é, Rose, você é... — começo.

— Sra. King, é nesse momento que vou pedir à senhora que saia, se estiver tudo bem para você, Rose. — Ele fala isso de um jeito que não me ofende. Eu me pergunto se, com uma voz daquela, ele poderia ofender alguém.

Ela faz que sim com a cabeça. Uma confirmação breve, rápida. Não chega a ser um choque. Já tinham me dito que a maioria dessas seções seria somente com Rose.

— Claro — digo, tentando imitar o tom dele, mas acabo soando como uma garota de um disque-sexo. Mais uma vez Rose me olha com a cara de "O que você está fazendo?". Fecho a porta ao sair e tento não pensar na conversa difícil que está acontecendo ali dentro.

— Tudo bem aí? — pergunto quando levamos as compras para a cozinha.

— Você pode parar de me perguntar se estou bem?! — grita ela, deixando cair as sacolas de compras com os ingredientes para fajitas e as guloseimas para a sessão de cinema em casa à noite, e sobe a escada correndo.

Ponho as sacolas na mesa da cozinha e sigo os sons de alguém, um americano, gritando entusiasmado sobre alguma coisa, até a sala.

— Você precisa dar um pouco de espaço a ela — murmura Flynn com a boca cheia de torrada, mantendo o olhar fixo no vídeo do YouTube em seu telefone.

— Eu só queria saber se a sacola estava pesada. Não era porque pensei que ela estivesse prestes a cortar os pulsos.

— Ah.

— Tudo bem com *você*? — pergunto sob pena de ele gritar comigo.

— Eu, minha querida mãe, tenho um encontro.

Um sorriso doce e zombeteiro ergue os cantos da minha boca enquanto o observo espanar as migalhas da camisa, jogando-as na calça jeans escura. Sento-me no braço do sofá.

— Ora, ora, Casanova, me conte, quem é essa beleza de que falas?

— Meu Deus, mãe, você é estranha. Por que está falando assim?

— Não faço ideia. De qualquer forma, vamos lá, quem é ela?

— É a garota do trem.

— Ah, meu Deus. *A garota no trem?*

Ele revira os olhos para mim.

— Aquela da sua performance de "Don't Stop me Now".

— Ah. Hmmm, ela era bonita.

— Já faz algum tempo que somos amigos no Facebook. A gente tem... se dado bem.

— Se dado bem? — pergunto, perplexa. Seria mesmo o que eu estava pensando? — Flynn, fico feliz que você esteja, hã, ciscando por aí e que se sinta à vontade com essa coisa... hã... — Começo a fazer com as mãos movimentos que se assemelham a um moinho de vento desequilibrado e alguns movimentos constrangedores com os quadris para reforçar minha mensagem. Ele me olha como se eu estivesse vomitando em seus sapatos. Continuo, mesmo assim: — Mas... hã, não esqueça de... — Faço os gestos de quem abre uma embalagem de preservativo e o sopra como um balão de gás. Exatamente por que faço isso, eu não sei. Tenho quase certeza de que nunca enchi um preservativo como um balão de gás. — ... tomar precauções.

— Ah, mãe — ele se levanta e bagunça meu cabelo. — Você é um amor... — ele ri — ... mas a ideia de eu estar transando com alguém é um pouco demais, até para você. Eu espero conseguir dar uns amassos antes que ela realmente note o meu rosto, para ser sincero. Mas obrigado por pensar que ela poderia querer... — e então ele imita meus movimentos com os quadris. E continua rindo enquanto sobe a escada. — Vou encontrá-la em Wolverhampton. Ela mora em Birmingham! — informa ele por cima do ombro.

Eu o ouço bater delicadamente na porta de Rose e depois fechá-la ao entrar. Parada no pé da escada por uns momentos, ouço o som profundo da voz de Flynn e, em seguida, o tilintar da risada de Rose em resposta.

Desligo a chaleira, meu estômago se revirando com a ideia de beber café enquanto meu laptop zumbe, despertando. Vasculho minha bolsa, pego o papel que Rose me entregou ao sair do consultório do psiquiatra e abro a página de autoajuda. Depois da sessão de Rose com o Dr. Osborne, ele me chamou de volta ao consultório, explicando que não achava que Rose precisasse de medicação no momento e que queria primeiro experimentar terapia cognitivo-comportamental e algo chamado "atenção plena" ou "mindfulness". Ele me disse que ela estará envolvida com o CAMHS, o serviço de saúde mental para crianças e adolescentes, e que um agente de nível três nos visitará uma vez por semana. Clico na aba "atenção plena" e leio sobre o que se trata. Fico boquiaberta por alguns momentos enquanto tento entender o básico das informações ali apresentadas. Ter a atenção plena significa permanecer no agora, penso. Ter consciência do que se encontra à sua volta e perceber tudo o que está aqui e agora, em vez de pensar no que há para se preocupar. Ok, entendi. Sinto o calor do laptop sob minhas mãos. Sinto a madeira dura da cadeira embaixo da minha bunda. Certo. O que vem a seguir? Ah, técnicas de respiração. Gosto dessas, eu já experimentei antes para ajudar com a depressão. Ah. Tenho que me concentrar na barriga — preferia não ter que fazer isso, mas vou tentar. Foco nela se expandindo e se contraindo, concentrando-me em todo o processo da respiração: para dentro e para fora. Merda, será que ainda é para eu me manter consciente da cadeira? Prossigo com a respiração, tentando também ficar atenta à cadeira e à minha bunda, que está ficando dormente. Tenho um traseiro dormente, que está na cadeira de madeira dura, acompanho a respiração para dentro e para fora e me concentro na barriga subindo e descendo. Droga, será que coloquei o frango na geladeira? Não importa, mantenha-se no momento, mantenha-se consciente da bunda dormente, da cadeira, da respiração, da barriga. Caramba, isso é difícil. Pare de divagar, volte ao momento, bunda dormente, laptop aquecido, inspirando bem fundo, expirando até soltar todo o ar. Preciso soltar um peido. Tenho consciência de que preciso peidar. Tenho consciência da minha barriga subindo e descendo, mas preciso contrair a barriga, caso contrário vou peidar. Estou consciente de que tenho um traseiro dormente, de que preciso peidar e de que a cadeira é dura e o laptop está quente — ah, e de que estou inspirando e ooops. Peidei. Tenho plena consciência de que peidei e de que tenho uma bunda dormente e quente. Estou consciente de que há um cheiro desagradável na cozinha. Inspiro o cheiro desagradável e, agradecida, o expiro. Inspiro de novo... Ok, já chega. Preciso abrir a janela e tirar minha bunda dormente da cadeira. De pé, esfrego a base da coluna e tento ignorar a sensação de tontura e náusea quando abro a janela.

— Desculpa ter saído daquele jeito — murmura Rose ao passar por mim. Ela vai até a geladeira, pega uma lata de Coca, e a abre com um estalo de metal raspando em metal.

— Tudo bem.

O rosto dela se franze.

— Que cheiro é esse? — pergunta ela.

— Deixa isso pra lá. Venha aqui. — Ela se entrega ao meu abraço e é somente nesse momento que me dou conta de que o tempo todo em que estava praticando a atenção plena eu não tinha pensado nele uma única vez.

## 22

# Tom

Então, onde eu estava mesmo da última vez que nos falamos? Ah, sim, eu me encontrava em casa sozinho.

Georgie estava gritando:

— Tom? Tom?! Meu Deus, essa casa está uma bagunça.

Eu a observei começar a empilhar os pratos sujos e abrir a torneira. Ela balançava a cabeça e, desconfiada, cheirou um dos pratos.

— Oi.

Ela deu meia-volta e pude ver em seu rosto que eu não estava com minha melhor aparência. Muito pelo contrário.

— Ah, Tom. — Ela desligou a torneira, foi enxugar as mãos em um pano de prato, pensou melhor e, em vez disso, enxugou-as em seu jeans impecável. — Isso não é apenas uma gripe, é?

Empurrei a roupa suja que estava no sofá para o chão e me deixei cair.

— Quando foi a última vez que você dormiu?

Fechei os olhos e esfreguei a nuca, alongando os músculos do pescoço para a direita, depois para a esquerda. Abri os olhos, que estavam quentes e doloridos. Estreitei-os e olhei para ela. A preocupação estava estampada em seu rosto.

— Sinceramente? Não sei. — Minha voz estava alquebrada, fraca; derrotada.

— Certo. Suba, tome um banho. Faça a barba, escove os dentes. Vou limpar aqui embaixo e fazer uma garrafa de café.

— Eu...

— Faça isso. Você está me deixando preocupada. — Ela virou-se de costas e começou a procurar o detergente. Suspirando, me levantei do sofá e subi a escada.

A água estava quente e revigorante, mas eu mal registrei isso. Os ruídos de Georgie na cozinha me deixavam em guarda, alerta. Eu não queria me sentir alerta, queria permanecer anestesiado. Percebi que não a queria lá. Saí do chuveiro pingando, sem toalha, e entrei no quarto. Havia roupas espalhadas por toda parte. Eu não sou idiota. Sabia que estava mal, que não me encontrava em um momento bom, mas, de verdade, não ligava. Uma porta do armário da cozinha bateu e eu me encolhi. Ela precisava ir embora. Eu não precisava de resgate; precisava que me deixassem em paz.

À medida que descia, os ruídos foram se tornando ensurdecedores: a máquina de lavar roupa retinia e gorgolejava, a cafeteira sibilava e pingava. Georgie estava com o rádio ligado, e os gritos e as risadas do DJ reverberavam pela casa. Tentei me concentrar em uma coisa de cada vez, mas ele estava por toda parte, o barulho, a intromissão. Cobri os ouvidos, mas até o ruído de um saco de lixo estalava dentro da minha cabeça.

— Chega! — gritei para ela, que se inclinou para um lado. A sala também se inclinou e então não havia mais nada.

— Ai! — Eu me encolhi quando ela colocou a bolsa de gelo na lateral do meu rosto. Meu lábio superior estava inchado e meu braço doía terrivelmente.

— Shhhhh. — Ela mantinha a bolsa de gelo segura com firmeza e me olhava como se eu fosse um estranho.

— Eu estou bem. De verdade. Você pode ir.

Ela deu uma risada fria, vazia.

— Você não está bem, Tom. Você está tudo, menos bem. Chamei o médico de novo.

— O quê? Eu não preciso de médico. Só preciso de um pouco de paz e silêncio.

— Não precisa não. Você precisa conversar com alguém, e, além disso, ele está aposentado, portanto você não pode usar sua desculpa habitual de ser complicado demais. Ele é um velho entediado que não se importa se você não é uma pessoa de verdade, com documentos ou não.

Afastei a bolsa de gelo e me aprumei.

— O que você sabe? — Olhei para ela com atenção. — Sabe quem eu sou?

— Tom...

— Sabe? — gritei.

— Tom, acalme-se. Se você...

— Meu nome nem mesmo é Tom!

— Acalme-se — disse ela devagar, erguendo as mãos, como se falasse com uma criança. — Eu sei quem você é: um homem gentil, atencioso, que recebeu um fardo pesado na vida. É um artista incrível e um amigo maravilhoso.

Ergui as mãos, exasperado, e me levantei do chão. Comecei a andar em círculos, tentando encontrar as palavras para explicar a ela.

— Eu encontrei uma pessoa. A mulher da exposição. Eu a conheci. Mais ou menos... — Cocei a nuca, frustrado. — É difícil explicar, mas eu simplesmente, nós simplesmente, combinamos. Mel, ela era, é, perfeita. Ríamos das mesmas coisas, coisas idiotas, mas parecia verdadeiro, certo. Eu sabia que alguma coisa estava um tanto estranha, mas acho que ignorei. Fingi que tudo estava... bem. Eu nunca acreditei em amor à primeira vista, mas era o que parecia, como eu imaginava que devia ser, pelo menos. Eu a pedi em casamento. — Nesse momento, ela ergueu as sobrancelhas. — Não me olhe assim. Eu não queria que ela fosse embora. Eu sabia que ela iria, mas eu.... — Enfiando a mão no bolso do jeans, tirei a foto. — Eu encontrei isso. — Passei a foto para ela e observei enquanto sua ficha sobre as implicações da fotografia caía. Claro que Georgie sabia tudo sobre meus pesadelos, tínhamos conversado sobre eles com frequência, principalmente quando comecei a criar a *Estabilidade*.

— Quem é ele?

— Eu não sei. O nome dela nem é Melissa.

— Qual é?

— Não sei. Eu saí. Estava com raiva. Não esperava que ela simplesmente fosse embora.

— O quê? Desapareceu?

— Ela me deixou um bilhete, pode-se dizer.

— O que dizia?

— Desculpa.

— Só isso?

— Sim.

— Você vai atrás dela?

— Não posso. — Erguendo a mão, comecei a enumerar, com a ajuda dos dedos. — Não sei o nome dela, não sei onde ela mora, exceto que é em algum lugar de Shropshire. — Sei que ela fazia bolos de lama quando era criança, mas não sei o número do seu telefone. Sei que ela acha meus pés feios, mas não sei seu sobrenome. Ah, meu Deus, Georgie... Eu sei que a amo, mas não sei quem é ela nem sei por que não me falou sobre o garoto. — O chão duro machucava meus joelhos quando me ajoelhei. — Quem é ele? E se... e se eu fiz alguma coisa a ele, antes de perder a memória? E se fui eu quem o deixou com as cicatrizes?

Houve uma batida na porta e ela se levantou para receber o Dr. Rider. Depois do habitual oferecimento de uma bebida, da procura de onde pousar a maleta, dos comentários sobre o tempo, ele sentou-se e me olhou por cima do aro dos óculos.

— Quando foi a última vez que você desmaiou?

— Faz alguns meses.

— Certo. E por quanto tempo ficou inconsciente?

— É difícil dizer. Um tempo razoável, suponho, já que acordei em um hospital.

— Hummm. O que acontece antes de você perder os sentidos?

— Barulho.

— O que quer dizer com barulho?

— Bem, da última vez, ouvi a persiana de uma loja sendo baixada e pronto.

— E hoje?

— A mesma coisa, acho. Eu não durmo há... sei lá, mas, quando não durmo, é difícil lidar com muito barulho. Agora estou bem, de verdade. Só preciso descansar e vai ficar tudo bem. — Sorri.

— Hummm. Bem, acho que podemos tentar alguns comprimidos fitoterápicos para dormir. Você pode comprá-los na farmácia. Eu gostaria de vê-lo novamente em uma semana. Veja se dormir um pouco mais ajuda.

Ignorando os calos nas palmas das mãos, prossegui com as esculturas. Seus olhos me encaravam em três dimensões desconstruídas. O arco de suas sobrancelhas, a maneira como seus cílios se curvam para a direita. Martelando o aço, estreitava os olhos, forçando a visão à luz fraca, certificando-me de que uma das extremidades era mais fina que a outra à medida que eu a torcia e fazia a curva de sua pálpebra. Concentrando-me na memória fugaz de você me olhando na primeira noite em que dormimos juntos; o assombro em seus olhos — como se eu fosse a coisa mais especial que você já tivesse visto. Acrescentei uma peça fina — a curva do vinco de sua pálpebra, profunda e pesada. Meus ombros estavam começando a queimar e minhas mãos já tremiam. Eu precisava parar de trabalhar, mas não conseguia me forçar a fazer isso. O cheiro do ferro de solda, o toque do metal e o peso das ferramentas: as únicas sensações que faziam parte do meu passado. No fundo, eu sabia disso. Coloquei a escultura ao lado de alguns potes antigos de tinta que eu guardava no galpão, depois fechei as mãos com força antes de relaxá-las, tentando recuperar algum controle, e então vi você. Como um raio, como um relâmpago, sua imagem com tinta amarela no cabelo, que era comprido — e descia pelas costas —, e você estava rindo. A imagem era tão clara que perdi ligeiramente o equilíbrio. Então você se foi. Fechando os olhos, tentei trazer a imagem de volta, mas não consegui.

Eu havia encerrado o trabalho. A casa parecia vazia e fria sem você. Liguei a TV e zapeei pelos canais, mas minha mente não se aquietava. Quem é você? Por que veio aqui? Quem é o garoto? Tudo não passou de uma mentira? Desliguei a TV e subi a escada. Preparei um banho de imersão, estremecendo ao me esticar para colocar o plugue no dreno da banheira. Peguei um gel de banho qualquer, minhas costas me lembrando que eu não era mais tão jovem assim. Como eu poderia suportar metade da minha vida quando a outra metade não me pertencia? Você me conhecia? Me encontrou por acidente? Veio me procurar?

Chutando as roupas para o canto do banheiro, entrei na banheira, tentando não pensar em você deitada ali, falando sobre os anos oitenta. Meus olhos ardiam por trás das pálpebras quando os fechei e meu corpo se retesou diante do calor do banho até que finalmente liberou um pouco da tensão sob a superfície.

Uma dor incandescente atravessou minhas narinas e eu tossi e cuspi. A água do banho estava morna. Eu havia adormecido. A água enchia minha garganta e meu coração lutava para bater regularmente. Pânico e confusão tomaram conta de mim, emoções que eu não sentia havia muito tempo. Sentimentos que eu não queria ter. Tremendo, saí da banheira e avistei meu reflexo no espelho. Meu passado fantasmagórico me encarava. Eu não podia fazer isso de novo. Não podia voltar àquele lugar, mas tampouco podia seguir em frente.

Envolvendo o corpo nos lençóis, enterrei a cabeça em seu travesseiro. Ainda podia sentir o cheiro do seu cabelo, da sua pele e, mesmo com o gosto amargo da traição, ainda era o cheiro de casa. Meu corpo estremecia com soluços tortuosos, soluços secos, sem lágrimas: era apenas uma liberação física. Sentir pena de mim mesmo nunca foi minha especialidade. A vida é uma merda; você faz o que pode do que ela dá. Foi assim que sobrevivi nos últimos onze anos. Você pode enlouquecer desejando que a grama seja mais verde; o copo está meio cheio tinha sido o meu lema desde que conseguia lembrar. E daí se não recordava o passado? Eu tinha uma amiga, uma carreira, um lugar para chamar de lar. A autopiedade é uma daquelas coisas em que não consigo ver nenhum benefício, mas, nesse momento, quando os soluços deram lugar às lágrimas e aos gemidos, eu me permiti perguntar: o que fiz em uma vida passada para merecer tudo isso? Claro, isso poderia ter sido apenas a privação do sono cobrando seu preço perverso, mas, por trás do pensamento positivo, eu sabia que o garoto com a cicatriz era o motivo. A razão do carma que eu precisava expiar.

Quando acordei, o sol do meio-dia queimava minha pele e eu cheirava a suor. Rolei, saindo da cama, olhei toda aquela bagunça à minha volta e por um momento fiquei chocado. O ar viciado do quarto estava denso de depressão. Pelo amor de Deus, controle-se, eu disse a mim mesmo. Então puxei as cortinas, abri a janela e senti a fresca brisa marinha fluir pelo quarto, lançando ácaros pelo ar. Arranquei os lençóis da cama, juntei uma pilha de roupas sujas e desci a escada.

Pela primeira vez em dias senti fome, não só de comida, mas também de respostas. Pus a chaleira no fogo, fritei um pouco de bacon e fiz um sanduíche com duas fatias de pão ligeiramente velho, fazendo uma anotação mental de ir ao mercado mais tarde. Me recostei na ilha da cozinha, apoiei a foto no saleiro e na pimenteira e comi meu sanduíche de bacon. Devia haver uma pista em algum lugar. Fitei a garota com capa de mago por algum tempo também, me perguntando se ela seria a namorada dele... Não, parecia jovem demais para ele. Amigos, talvez? Olhei a placa de "idiota" e percebi que o canto estava ligeiramente rasgado. Terminei de beber o chá e examinei a foto em busca de pistas sobre o local onde fora tirada, mas não consegui encontrar nada. Virei a borra do chá na pia e, então, uma ideia me ocorreu. Aquela coisa de cabine fotográfica em festas era uma onda relativamente recente, não era? Eu me perguntei quantas haveria em Shropshire.

Tamborilei com os dedos impacientemente na lateral do laptop enquanto esperava uma eternidade que ele aquecesse e ligasse. Levou um tempo para se conectar ao Wi-Fi também, mas isso normalmente não me chateava, porque eu raramente me conectava. Georgie cuidava de toda essa parte. Por fim, cliquei no Google e fiz uma busca por cabines fotográficas em Shropshire. Merda. Havia montes delas. Com um suspiro, peguei um de meus blocos de desenho e comecei a escrever uma lista. Então cliquei em alguns resultados da busca. Desses, alguns eram de fotos vintage e, com alguma satisfação, risquei-os da minha lista. Tornei a pegar a fotografia. Os adereços não pareciam nenhuma maravilha, então concluí que devia ser de uma das empresas mais baratas. Depois de cerca de uma hora, eu havia reduzido a lista a cinco possibilidades. Agora o que eu poderia fazer?

Digitei um e-mail rápido e conciso para todas as empresas, explicando que estava com um orçamento apertado, mas que tinha visto uma cabine fotográfica em uso em uma festa de adolescente e estava interessado em alugar uma delas para a filha de um amigo que estava fazendo 16 anos. Deixei os detalhes do meu contato, mas, antes de clicar no botão para enviar, acrescentei um breve P.S. perguntando se eu podia ver o conjunto de adereços que usavam para poder garantir à menina que eram apropriados à sua idade. Fechei a tampa e apertei enviar.

Passei as horas que se seguiram limpando a casa e depois fui dar uma caminhada. O vento estava bem forte, nuvens brancas passavam correndo por outras cinzentas e mais pesadas, e o sol tinha de disputar o centro das atenções. Segui o caminho costeiro, com quadrados verdes entre dois azuis misturados em um caos organizado. A capa de um livro infantil surgiu em minha mente: um elefante de retalhos. Balancei a cabeça, espantando a imagem, e me concentrei nas conversas que tivemos, dissecando cada uma delas, esperando que, de repente, eu encontrasse clareza e uma explicação.

*"Eu sempre disse que você tinha dedos de pianista."*

Reduzi o passo por um momento. Houvera algo de defensivo em sua resposta. Fiquei imóvel por um instante e apoiei as mãos na cerca de madeira que margeava o caminho, olhando além do verde das colinas para as ondas que se quebravam lá embaixo. Você havia gaguejado.

*"Qu-quando eu... você recolheu minhas coisas no momento em que nos conhecemos... no, hã, café."*

*"Suponho que essa foi a primeira coisa que você viu em mim."*

*"Foi e pensei comigo mesma: que mãos bonitas ele tem..."*
Você já me conhecia, não é?

Tornei a repassar a conversa. Concentrando-me no tom da sua voz, na maneira como você havia hesitado levemente antes de dar uma resposta apressada. Meus dedos agarraram a madeira, e pude sentir a endentação do martelo que havia cravado os pregos enferrujados nela. As rachaduras nas tábuas castigadas, a textura fria e lisa que os elementos haviam criado. Não houve nenhuma hesitação na última parte da conversa e seu tom era firme — essa parte era verdade? Essa foi mesmo a primeira coisa que você notou em mim?

Soltei a cerca e continuei subindo o caminho íngreme, rápido o suficiente para ficar ligeiramente sem fôlego e sentir as panturrilhas queimando. Desejei nunca ter visto você e desejei que nunca tivesse ido embora. Me aproximei do topo do penhasco, mas não parei para olhar a vista; segui em frente. O sol perdera a batalha e o céu estava escurecendo. O cadarço da minha bota havia desamarrado e eu me abaixei para atá-lo. Nesse momento, vi um flash de seu rosto quando a pedi em casamento, o amor em seus olhos. Era real? Descendo o caminho, comecei a pensar naquele dia, o reflexo de nós dois juntos no espelho, o sentimento de pertencer que eu experimentara, o modo como você insistiu em comprá-lo e a maneira determinada que procurou por ele. Você estava buscando algo especial. Ia embora de qualquer jeito, não é? Acho que eu já sabia disso, no fundo, mas estava preso naqueles sentimentos. Intoxicado de você, de nós. Eu poderia deixar você ir? Não podia ignorar o passado como tinha feito tantas vezes antes; não podia aceitar quem eu era e seguir em frente. Havia muito a esconder e esquecer. Você sabia quem eu era. Eu tinha certeza disso. Mas... eu não sabia quem você era.

A chuva escorria pelas janelas em mantos furiosos. Não se tratava de um tamborilar delicado, mas de jatos fortes que se chocavam contra as vidraças. O começo do outono martelava as paredes, batia na porta, esperando permissão para entrar. Levei uma batata à boca, do pacote preparado no micro-ondas, cliquei na minha caixa de entrada e esperei que ela se abrisse. Tomei um gole de cerveja e me inclinei para a frente. Havia duas respostas. Uma me dizendo que a empresa havia fechado, e se queixando da situação econômica. A outra era mais promissora. Listava as datas disponíveis e, no fim, dizia que tiveram muito sucesso com eventos de jovens na área e que aguardava um contato meu. Tomei outro gole da cerveja. O que fiz em seguida? Outro e-mail chegou à caixa de entrada. E tinha um anexo. Raspei o sal do fundo da caixa com uma batatinha, e terminei a cerveja enquanto esperava o download. A imagem apareceu em fragmentos enquanto o tempo exercia seus efeitos na conexão. Porém, quando finalmente foi baixada, projetando-se debaixo de um par de óculos escuros gigantes, havia uma placa de "idiota". Uma placa de idiota rasgada no cantinho.

— Mas o que você vai fazer quando chegar lá? — perguntou Georgie, impaciente, enquanto eu jogava roupas em uma bolsa de viagem verde. Ela havia aparecido assim que acabei de engolir o café da manhã para verificar se eu tinha dormido.

— Vou procurá-la. Ou ele.

— Tom, você sabe o quanto isso parece louco? Você só a conheceu por uma semana e ela obviamente estava escondendo coisas de você. Ela pode ser qualquer uma!

— Não importa — eu disse, enquanto procurava o barbeador elétrico pelo quarto.

— Tom, pare por um segundo. — Eu a ignorei, girando em círculos, tentando encontrar o carregador do barbeador. — Tom!

— O que foi?! — Parei e olhei para seu rosto confuso e aflito.

— Só estou preocupada com você.

Fui até ela e a abracei.

— Eu sei, mas preciso fazer isso. Não posso voltar ao ponto em que estava, simplesmente ignorando de onde vim, vivendo o momento. Não posso. Não sou mais aquela pessoa.

Coloquei as mãos em seus ombros e a afastei de mim. Ela ergueu os olhos, e neles havia apreensão.

— Mas e se você descobrir algo que não quer saber? — perguntou ela baixinho.

— Então acho que vou ter que lidar com isso... Eu a amo, Georgie. Tenho que encontrá-la. Ela é a única felicidade real que já tive. Estou chegando aos quarenta, calculo. Não posso passar o resto da minha vida sem saber sobre a outra metade da minha vida.

Ela assentiu, derrotada.

— Então — ela pegou o carregador e o entregou a mim —, qual é o plano quando você chegar lá? Birmingham? Você não pode fazer isso por telefone?

— Não, preciso ir, preciso fazer alguma coisa. Vou ao lugar que aluga as cabines fotográficas ver se consigo descobrir onde a foto foi tirada.

— E depois?

Coço a parte de trás da cabeça e dou de ombros.

— Verei o que consigo descobrir, acho.

— E quanto à exposição?

— Está tudo pronto.

— O quê? Tudo?

Não olhei em seus olhos.

— Não tenho dormido muito. — Dou uma olhada rápida no relógio na parede. — Vou mostrar a você.

A luz acendeu no galpão e observei o rosto de Georgie quando ela, hesitante, começou a tocar as esculturas.

— Tom, elas são... — Ela virou o olho pendurado por um fio. Cada dimensão em um nível diferente, figurativa e fisicamente. A sobrancelha era feita de uma pesada peça manchada que encontrei em uma caçamba de lixo; os cílios que pendiam em um ângulo de 45 graus foram feitos esticando as fibras metálicas do interior de uns fios grossos que encontrei na praia. Eu os enrolei de modo que cada um deles ficasse arqueado no mesmo formato dos seus. — ... extraordinárias. — Georgie se dirigiu até o grande lençol que se erguia como o manequim de uma costureira. Ele se curvava até a curva suave de seu ventre, seu umbigo piscando com um estilhaço de vidro da praia, uma concessão à minha aversão a eles. — É ela, não é? — perguntou ao deslizar o dedo ao longo da borda de seus lábios entreabertos, a língua delicada mal visível no canto, feita com tela de arame.

Assenti com a cabeça. Ela olhou para mim e sorriu com simpatia.

— É melhor você ir logo ou vai perder o trem.

Dei-lhe um beijo rápido na bochecha e saí. Ia à sua procura.

# 23

# Flynn

Pela primeira vez na vida, as coisas estão dando certo para mim. Consegui uma vaga na faculdade no que quero fazer. Nada daquelas drogas de aulas de álgebra ou de como reclamar de um rádio com defeito em francês (tipo: quando eu vou precisar fazer isso?). Passo todos os dias pintando, desenhando. Fazendo o que gosto de fazer. Comecei a encontrar o meu lugar. Vou ficar longe dos imbecis que estão no meu pé há anos. As coisas estão dando certo para mim, e conheci uma pessoa: o nome dela é Kate. Quando ela me mandou uma mensagem, pensei que estivesse curtindo com a minha cara, mas já ficamos conversando no Skype algumas vezes e ela comenta, muito, sobre coisas que posto no Facebook. Ela parece me entender, acha engraçadas as mesmas coisas que eu e gosta dos mesmos programas na televisão. Temos um gosto musical completamente diferente, e meio que implicamos um com o outro por isso.

No entanto, eu me sinto culpado. Quando penso em Rose. E em mamãe.

Era tanto sangue. Bastaram alguns empurrões na porta com meu ombro para entrar. Eu sabia que precisava, ele estava escorrendo sob a porta do trailer. Uma poça. Eu sabia que ela tinha uma atitude exasperada grande parte do tempo, mas pensei que era, você sabe, só coisa de garota. Ela estava encostada na parede perto da janela, o lugar cheirava a mofo, aquele cheiro meio úmido misturado com sabão Imperial Leather que banheiros de trailers parecem ter. As pernas dela estavam respingadas de sangue, aquela pele quase transparente que os ruivos têm. Mas dessa vez estava cinza. Por um instante, pensei que estivesse morta, até que ela abriu um sorriso. Não era um sorriso de verdade, era meio como, sei lá, como um oops, olha só o que aconteceu... Não era me ajude; era olha o que eu fiz. Era apenas... oops. É isso que me preocupa. Não que ela esteja com vergonha do que vinha fazendo, mas que não tenha medo disso. Vejo que ela está tentando esconder isso da mamãe. Sei que ela ainda está fazendo essa coisa, pelo menos acho que está. Quando fui ao quarto dela no outro dia, depois que gritou com a mamãe por ter perguntado se ela estava bem, tinha um cheiro no quarto dela... é difícil explicar que cheiro era exatamente, mas estava lá. Tenho vontade de gritar com ela, dizer que ela é uma idiota, mas não posso. Tenho que tomar cuidado com o que digo porque foi culpa minha ela ter feito aquilo, para começar. Bem, não é culpa minha que ela seja uma idiota, mas que ela tenha descoberto sobre aquele imbecil.

Vou encontrar Kate no sábado. Ela mora em Birmingham, então vamos nos encontrar no meio do caminho, em Wolverhampton. Mas agora ela tem que trabalhar. Ela trabalha em uma sapataria, mas só vai começar depois do almoço — por causa de um inventário ou algo assim. Consegui economizar um pouco do dinheiro que a vovó nos deu nas férias — vai dar para pagar a passagem de trem e comprar um McDonald's. Não é exatamente romântico, é?

Tenho uma lembrança de mamãe, semiadormecida, preparando uma xícara de chá e segurando um bilhete, sorrindo. Um post-it com a letra floreada do papai. Perguntei do que ela estava sorrindo. Parecia estranho sorrir quando tinha acabado de se levantar, cabelos desgrenhados, bocejando. Papai não estava em casa, lembro disso, porque os sapatos dele não se encontravam no pé da escada. Ele sempre os deixava lá, arrumadinhos. Ela disse que era poesia e riu. Também há outras lembranças de post-its, presos em lugares aleatórios como o espelho do banheiro, e ela sempre ficava rindo ou sorrindo quando os via, dizendo coisas como "bobo" ou "palhaço". No entanto, não lembro dos bilhetinhos de post-it depois do acidente. Não sei por que fui lembrar deles agora — acho que é porque desde que comecei a falar com a Kate que comecei a pensar sobre como mamãe era quando ele estava aqui. Acho que gostaria de fazer Kate sorrir da maneira como ele fazia mamãe sorrir.

Estou nervoso com o encontro... E se ela me vir e sair correndo? Bem, acho que só há uma maneira de descobrir.

# 24

# Tom

Enfiando a mão no bolso do meu único jeans decente, peguei uma nota de dez libras e paguei o café para viagem e o panini quente — acrescentando uma panqueca no último instante. Atravessei a rua correndo e me abaixei diante do homem de meia-idade, uma sombra do que eu fui.

— Aqui. — Ele ergueu a cabeça, me olhando com um olho roxo e inchado. O cheiro de desespero enchia o ar. Com mãos trêmulas, ele pegou o copo e sua palidez mudou como se ele estivesse se enchendo de calor. Ele, então, tomou um gole hesitante. Coloquei o panini e a panqueca ao lado dele, que me observava sem desconfiança ou julgamento, enquanto eu — com um olhar permissivo — os cobria com a borda de seu cobertor puído. Lembro bem desse sentimento. A sensação de querer enfiar tudo o que puder na boca. A fome que o rói por dentro, quando você não consegue mais pensar em nada além de comida. Mas a fome é trapaceira. Ela invade seus pensamentos quando está acordado e o devora enquanto você dorme. A fome que eu descrevo não é a sensação e o ronco que você deve conhecer, nem o sentimento de "eu deveria ter tomado o café da manhã antes de sair". Essa é uma dor que a tudo consome entrelaçada à alegria. Às vezes, ela o engana e dá a você a sensação de que nunca mais vai precisar comer. Ela o deixa doente. É sua amiga. É sua inimiga. Você a quer mais do que tudo, mas, quando a saciedade vem, seu corpo não consegue lidar com isso, então você a expulsa. Uma vez senti tanta fome que quase comi meu próprio vômito. Eu podia ver os restos de uma salsicha meio digerida que encontrara em uma lixeira. Estava com tanta fome que nem a mastigara como devia.

Afastei-me rapidamente, sabendo o perigo de alguém mais notar minha generosidade. Eu poderia ter oferecido dinheiro a ele, mas às vezes nas ruas ter dinheiro é mais perigoso do que não ter. Ao me afastar, me perguntei qual seria a história dele. Ele saberia quem é? Teria enlouquecido ou estaria ali sabendo tudo que havia perdido e tudo que queria?

Enquanto me distanciava, avistei meu reflexo na vitrine de uma loja e pensei no quanto eu chegara longe. Meu cabelo estava mais comprido do que nos últimos tempos, as ondas começando a aparecer, curvando-se sobre a gola da camisa preta. Na frente estava começando a aparecer um redemoinho, todo em pé de um lado. Às vezes, ao tocar o cabelo, eu esperava sentir o peso de seu comprimento correr pelos meus dedos — não esquecia o hábito de prendê-lo atrás das orelhas. Desviei os olhos das duas mulheres que vinham caminhando em minha direção, de braços dados, oscilando em saltos altos e jeans muito justos, seus olhares não me deixando necessidade de interpretação. Nunca liguei muito para a minha aparência. Sempre me olhei no espelho para examinar meus traços em busca de pistas, e não por vaidade. Minhas sobrancelhas sempre pareciam certinhas e eu me perguntava se eu já as tinha feito. Será que antes eu era o tipo de homem que fazia as unhas e depilava o peito? Sou atraente, suponho que eu saiba disso, mas nunca havia pensado de fato no assunto, exceto para conjecturar se tinha herdado os olhos da minha mãe e o sorriso do meu pai: talvez meus pés "feios" viessem do meu avô. Mas talvez eu não tivesse mais uma família. Ninguém havia me encontrado. Talvez ninguém tivesse nem mesmo procurado por mim. Eu não tinha uma mãe desesperada, nem um estoico coronel como pai, de pé diante da lareira com um uísque na mão, mostrando-se durão, sem expressar emoções. Não me entenda mal: eu tive algumas transas de uma noite e nunca tive dificuldade em encontrar alguém com quem passar a noite quando não queria ficar sozinho, mas a abordagem confiante das mulheres da cidade sempre me deixou nervoso.

Parei diante do McDonald's e examinei um mapa de ruas. Deslizando os óculos de sol para o alto da cabeça, tracei minha rota até ali com o dedo. O céu escureceu por um minuto e a brisa trouxe a mordida do outono que beliscava a cauda do verão. Por um minuto, tive a sensação de que alguém estava me observando. Olhei por cima do ombro, mas era apenas meu reflexo na vitrine, escondendo a massa de consumidores de fast-food na hora do almoço do sábado. O sol retornou e eu peguei o celular para ativar a navegação por satélite. Uma das empresas de cabines fotográficas me informara que a cabine deles fora instalada na cidade naquele dia para fazer uma promoção. A empresa era pequena e o proprietário estava lá, tentando atrair alguns clientes, disseram. Eu não consegui encontrar o nome da rua no mapa, então passei alguns minutos xingando minha incapacidade de entender a tecnologia, antes de finalmente ver a setinha azul me indicando a direção certa. Me senti um imbecil segurando o celular diante de mim, como um velho cansado segurando o braço de alguém, que me guiava pelo caminho. Levei cerca de cinco minutos para encontrar a rua certa (olhei o mapa no telefone e descobri por ali). Os cheiros e sons da vida urbana de Birmingham me atacavam. Eram demasiados; alto demais. Passei por um grupo que parecia ser de estudantes berrando a plenos pulmões, rindo, gritando. Eles não estavam nem a um metro de distância uns dos outros, mas o volume de suas vozes poderia ter enchido um estádio de futebol. Será que fui assim na adolescência?

Eu me sentia sufocado pelas risadas altas, exclamações ensurdecedoras sobre maquiagem, brilho para os lábios e garotos vindas de um grupo de meninas adolescentes ali perto e tentei bloquear o barulho enquanto caminhava em direção a um homem atarracado, de rosto amigável, sentado em uma cadeira dobrável atrás do que parecia ser uma mesa de madeira improvisada. Nela, havia uma série de adereços: uma moldura dourada vazia, óculos de leitura de todas as formas e tamanhos, um chapéu de marinheiro, bigodes com hastes e finalmente — como eu sabia que haveria — placas com vários insultos e declarações. Ele me lembrou de uma toupeira de desenho animado — olhos pequenos, óculos empoleirados na ponta do nariz e rosto bondoso.

— Pois não, amigo — ele me cumprimentou. — Como posso ajudá-lo? — O sotaque dele era forte, mas havia uma cadência que reconheci do seu jeito de falar. Eu havia esquecido que Georgie costumava zombar do meu sotaque nos primeiros tempos de nosso relacionamento. Ela imitava um sotaque exagerado, quase de Liverpool. "Você fala como se tivesse a boca cheia de cuspe", uma vez ela dissera. Acho que perdi muito disso agora.

— Sim, esperava poder descobrir um pouco sobre os tipos de eventos que você faz...

— Todo tipo, amigo: casamentos, festas... fiz até um velório há algumas semanas — ele ri com o corpo todo —, festinhas de escola, festivais de verão, esse tipo de coisa.

— Festinha de escola? — perguntei, o coração batendo um pouco mais rápido, a respiração mais superficial.

— Sim, fiz uma há alguns meses em Telford... com licença. — Ele pega um boá de penas que uma das garotas derrubou da mesa. — Cuidado com os artigos, meninas. — Ele sorri, paciente.

Telford.

— Você se importa se eu...? — Indiquei a mesa com um aceno da cabeça. Estremeci com o grito de uma garota gordinha com longos cabelos escuros quando ela colocou os óculos de tamanho exagerado no nariz. Examinando a eclética mistura de adereços, parei, imóvel, ao descansar a mão na placa. Eu não queria parecer rude ou, pior, assustador, então pedi a ele um folheto, apertei sua mão e fui embora depois de uma promessa vazia de que entraria em contato.

Deslizando a mão no bolso, peguei os fones de ouvido, conectei-os ao telefone e escolhi uma estação de rádio de música clássica para ouvir. Eu precisava proteger meus sentidos. Não tinha a sensação de que iria desmaiar, mas os cheiros — cebola frita — e os sons — uma banda de metais — ainda me perturbavam. Nunca fui uma pessoa de grandes multidões; aglomerações à beira-mar eram o máximo que eu podia aguentar. Eu simplesmente não gostava de estar perto de muita gente. Enquanto me afastava do centro da cidade, mantive a cabeça baixa e bloqueei os gritos de "Pai!", os berros de crianças pirracentas e os sons da movimentada tarde de sábado ao meu redor. Não sabia por quanto tempo estava andando quando olhei para cima e vi um prédio. Era como eu imaginava que um bolo de casamento seria se eu o tivesse esculpido: três camadas quadradas em ordem crescente, cada uma delas coberta pelo que pareciam círculos de arame.

Inclinei a cabeça para cima e fiquei maravilhado com a construção. Será que fui um arquiteto antes? Balancei a cabeça; idiota, não consigo nem somar as compras sem uma calculadora, quanto mais calcular medidas e complexidades para projetar um prédio. A placa apontando para o edifício me disse que se tratava da biblioteca.

Entrei na magnífica estrutura e parei no centro — curvas de vidro me rodeavam, estilos antigos e novos combinados em cada canto. Era agitado e mais barulhento do que eu teria esperado de uma biblioteca, mas ainda assim encontrei consolo entre suas paredes. Percorri prateleira após prateleira de livros, minha mão deslizando pelo corrimão da escada rolante enquanto eu subia para outro piso e começava minha busca. Não tenho certeza do que estava procurando de fato. Eu não sabia nada sobre Telford, além do fato de que na cidade havia um shopping, que eu tinha visto anunciado algumas vezes... Lembro-me de pensar que ali existia uma ponte, alguma coisa relacionada à revolução industrial. Meia hora depois, eu havia encontrado a seção sobre história local e lido sobre a Ponte de Ferro. A localidade fora batizada em homenagem a Thomas Telford, que projetara várias pontes sobre o rio Severn. O mais importante, porém, foi que descobri que havia apenas quatorze escolas secundárias públicas ali. Havia algumas escolas particulares também, mas, pela cabine fotográfica mais modesta, eu podia deduzir que provavelmente não se tratava de uma delas. Eu estava anotando os nomes e endereços quando tive novamente aquela sensação: como se estivesse sendo observado. Olhei por cima do ombro, mas tudo que pude ver foi a agitação da multidão sem nome, cada um ali dedicado à sua lista de afazeres de sábado à tarde.

Meu estômago roncou. Eu não comia nada desde o café da manhã e minha cabeça estava começando a doer. Arrumando meus pertences, joguei na lixeira algumas anotações de que não precisava, pus a mochila nas costas e decidi voltar para o hotel e comer alguma coisa, tomar um banho e me deitar para descansar um pouco.

Estava escuro quando acordei e me senti momentaneamente desorientado. Peguei o copo de água ao lado da cama. Eu tinha sonhado com você. Ainda podia sentir a pressão na minha mão onde você a apertara com força. Seu rosto estava contorcido de dor, vermelho e suado. No sonho, eu não estava preocupado com você; eu lhe dizia que continuasse. Seus olhos estavam saltados e eu podia ouvir a dor em sua voz me implorando que a fizesse parar. Que parasse a dor. Você estava diferente, mais jovem.

Meu telefone me informou que eram cinco e meia da manhã. A cidade estava começando a despertar, sons de tosse nos quartos adjacentes; vozes baixas dos funcionários do hotel e os zumbidos e ruídos dos ônibus em suas primeiras viagens matinais penetravam o quarto. Meus pés percorreram o caminho até o banheiro. Liguei o chuveiro e fiquei sob o jato quente da água. Fechei os olhos, mas as imagens do sonho já estavam desaparecendo. E, então, lembrei: você não me chamava de Tom, você usava outro nome. O forte jorro de água urbana golpeava minhas costas enquanto eu tentava lembrar o nome. Mas ele evaporou como o vapor que me envolvia. Secando o cabelo com a toalha branca e áspera do hotel, apertei bem os olhos, tentando forçar meu cérebro danificado a funcionar, a preencher as lacunas. E, então, vi suas mãos; vi os anéis em seu dedo, um anel de prata com um pequeno diamante solitário e uma aliança de casamento da mesma cor.

*"Sou alérgica a ouro."*

Era apenas um sonho: meu cérebro tentando dar sentido aos pensamentos em minha cabeça. No sonho, você me implorava que parasse — mas você era só o meu subconsciente me dizendo que eu era maluco por procurar alguém que não queria ser encontrado. Os anéis que vi em seu dedo não passavam de uma miscelânea de lembranças, de esperanças, do meu pedido de casamento. A prata — apenas a lembrança de uma conversa que tivemos certa vez. Ignorei a sensação de que era algo mais. Todos nós já tivemos sonhos assim. Talvez um sonho em que discutimos com alguém e que parece muito real ou aquela sensação de acordar com o coração martelando no peito enquanto você foge de alguma coisa nas sombras. Sonhos são coisas poderosas.

Depois do café da manhã, voltei ao quarto e olhei a lista de escolas. O que eu ia fazer agora? Faltava ainda uma semana para o fim das férias de verão, pensei, e uma rápida busca no Google confirmou minha suposição.

Além disso, eu não podia começar a rondar os portões das escolas como um pervertido, não é? No entanto, por mais que eu tentasse, nada mais me ocorria. Pegando um lápis e um bloco na mochila, comecei a rascunhar uma lista de coisas que eu podia fazer para encontrar você. A lista era pequena. Afora a escola, eu não tinha nenhuma outra pista. E, mesmo que o encontrasse, isso não significava que ia encontrar você, não é? Elaborei um mapa mental de todas as coisas que sabia sobre você, na esperança de que alguma coisa, alguma pista pulasse em cima de mim. Peguei novamente a foto e fitei o rosto do menino. Ele parecia feliz. Um adolescente. Não o vilão que meus pesadelos retratavam. Ele tinha cicatrizes, mas ainda assim era um garoto bonito. Tinha dedos longos, como os meus, pensei.

*"Eu sempre disse que você tinha dedos de pianista."*

O que exatamente eu estava procurando? E então dei uma risada. Como eu deixara isso passar? Onde o braço da menina se erguia, via-se a minúscula parte do bolso de um casaco de escola, e nele, no canto de baixo, vislumbrava-se um desenho vermelho-vivo. Apenas a curva de uma linha, mas certamente isso seria suficiente para identificar a escola. A adrenalina alimentava minha impaciência enquanto eu procurava escola atrás de escola na área de Telford até que — com olhos quase incrédulos — encontrei. A curva vermelha de uma ponte: Summerfell Academy.

Não havia mais nada que eu pudesse fazer até o começo do ano letivo e, mesmo então, ainda não tinha certeza do meu plano. Comecei a recolher minhas coisas, verifiquei o horário do próximo trem para casa e então fechei a porta atrás de mim. Eu estava certo de ter ido a Birmingham porque estava mais perto de encontrar você, e suponho que mais perto de me encontrar.

Depois de esperar um grupo de mulheres que tinha se hospedado ali para uma despedida de solteira fazer o check-out, entreguei a chave e me abaixei para pegar a mala.

— Ah, Sr. Simmonds?

— Hã? — Olhei para a minúscula recepcionista que mal conseguia enxergar acima do balcão. Seus cabelos louros eram muito curtos e ela estava imaculadamente vestida com o uniforme do hotel. As sobrancelhas de formato perfeito erguiam-se em uma interrogação amigável.

— O senhor tem uma mensagem.

— Uma mensagem? Deve ser engano. — Retribuí o sorriso.

— Quarto 27A?

— Sim, mas...

— Ontem à noite deixaram uma carta para o senhor. — Ela digitou algo no computador. — Tentamos avisá-lo, mas seu telefone estava no modo não perturbe.

— Ah, sim, eu estava cansado e queria... deixa pra lá.

Ela me entregou um pedaço de papel dobrado.

— Você sabe quem a deixou? — perguntei. A ansiedade começando a subir pela minha coluna.

— Me desculpe, não sei. Era David no turno de ontem. Tenha uma boa viagem. — Ela sorriu, me dispensando, e voltou-se para atender um casal de idosos que se aproximou do balcão.

Dei um passo para o lado, segurando a carta com força, e segui para o restaurante. Sentei-me enquanto a equipe do hotel retirava as sobras dos retardatários do café da manhã: os hóspedes de fim de semana de ressaca que querem desfrutar de tudo que estão pagando mesmo que não queiram nada além de ficar deitados em um quarto silencioso.

Ponho a carta em cima da mesa e fico olhando para ela. Não era um envelope, apenas um pedaço de papel dobrado. Eu o apanho e reconheço, pelo toque, que se trata de papel cartão de um bloco de desenho. Respirando fundo, eu o abro.

*Caro Sr. Simmonds,*

*Sei quem o senhor é e o que está tentando fazer. Ela não o quer na vida dela, nós não o queremos em nossa vida. Se algum dia teve alguma consideração, deixe-nos em paz.*

*Por favor. Se algum dia a amou, fique longe.*

Todos os pelos do meu corpo estavam arrepiados. Olhei ao redor, esperando ver alguém que me observasse. Eu estava atordoado. A letra manuscrita era desigual, porém forte, e a mensagem era clara.

*Sei quem o senhor é.*

Mais uma vez, tive a sensação de estar sendo observado. Peguei minhas coisas, deixei o hotel e comecei a abrir caminho pelas ruas. Suspeitava de cada olhar, cada pessoa segurando um jornal, cada indivíduo falando ao telefone. Era você? Quantas pessoas estavam me vigiando? Eu me senti violado, nada parecia certo. Nada parecia real. Comecei a correr.

*Se algum dia teve alguma consideração.*

— Tome cuidado! — gritou um homem de terno quando meu ombro esbarrou nele.

— Ei! — assustou-se uma mulher, segurando um copo de café.

Corri para a estação de trem, enfiei minha passagem na catraca. Eu precisava chegar em casa. Errei ao ter vindo. Errei ao tentar encontrar você.

Quando cheguei à plataforma, respirava pesadamente e estava me sentindo mal. Sentando-me na beirada de um banco, inclinei a cabeça para a frente, entre os joelhos, e tentei controlar a respiração. Meu pulso começou a desacelerar.

*Por favor, se algum dia a amou...* Deixei a frase fluir através de mim. *Por favor...* e então tudo ficou mais claro. A mensagem. Não era uma ameaça. Era um pedido. Um pedido para que eu não me aproximasse. Quem quer que tivesse escrito a carta conhecia você e estava tentando protegê-la. Talvez fosse outro homem, alguém com quem você estivesse comprometida... mas minha pergunta era: por que você precisava ser protegida de mim?

E então vi seu rosto. Eu a vi, os olhos arregalados, em choque, quando bati em você, seu rosto no sonho, sentindo dor e me implorando que parasse. Que tipo de homem eu era?

## 25

# Melody

O primeiro dia de aulas chegou. Odeio quando as crianças voltam à escola e odeio preparar os lanches para levarem. Jogo um pacote de passas na lancheira de Rose e então o tiro. Será que ela agora está grande demais para as passas? Será que deveriam ser frutas secas gourmet ou... Meu Deus, quando foi que essa tarefa se tornou um campo minado?

— Argh, passas. — Ela espia sobre meu ombro, respondendo à minha pergunta com sua repulsa.

— Mas você gostava de passas.

— Sim, quando eu tinha uns 7 anos.

Deixo as passas de lado.

— Ah. Bem, o que você quer então?

— Uma maçã está bom, mãe, sinceramente. Um wrap ou uma barra de chocolate também serve. Eu dificilmente tenho tempo de comer tudo mesmo.

Lá vamos nós outra vez. Meu corpo dói de fadiga enquanto disseco a frase dela, buscando significados ocultos. Por que ela não tem tempo? Será que se ocupa se trancando no boxe do banheiro com uma lâmina? Cheirando cocaína? Não consigo aquietar a desconfiança que sinto em relação a ela. Eu nunca teria pensado que ela se automutilaria, portanto agora eu me encontro em um campo cheio de "e se...": olho para um lado e vejo "E se ela estiver usando drogas?" Olho para o outro lado e deparo com "E se ela estiver fumando?" As dúvidas estão em todas as direções. E se ela estiver dormindo com garotos por aí? E se estiver sendo assediada?

— E aí? — Flynn entra na cozinha, os headphones pretos volumosos em torno do pescoço. — Ah, passas. — Ele pega uma caixa. Seu lanche agora vai em uma sacola plástica. Lancheiras não são mais legais. Ele me dá um beijo áspero com a barba crescendo na bochecha e sai com um "Até".

— Que horas você volta? — eu grito.

— Uma e meia mais ou menos. Tenho a tarde de hoje livre!

A porta se fecha com um ruído atrás dele.

— Isso não é justo. Como é que se tem tanto tempo livre na faculdade?

— Logo, logo você estará lá.

Será? Será que ela vai para a faculdade ou para uma instituição de assistência? Tento espantar esses pensamentos e me sento. Venho me sentindo muito cansada ultimamente. Dolorosamente cansada.

Sinto falta dele.

— Então, quais são as aulas de hoje?

Ela se detém com a colher cheia de cereal pairando perto da boca.

— Inglês, biologia e religião — responde ela e, então, enfia a colher gotejante na boca. — Quer um pouco, mãe? — Erguendo a caixa de cereal, ela a sacode em minha direção.

— Não. — A onda de náusea toma conta de mim.

— Você está fazendo alguma dieta estranha?

— O quê? Não! O que te faz pensar isso?

— Bem, você não parece estar comendo muito ultimamente.

— São os comprimidos.

— Ah.

Ela despeja mais cereal em sua tigela, adiciona o leite e em seguida acrescenta uma pilha de açúcar.

— Estou sempre com fome — explica ela com o leite escorrendo pelo canto da boca. — Eu como e não fico satisfeita. — Ela dá de ombros e sorri para mim, as bochechas infladas.

— É o que dá ser adolescente.

— Acho que sim. — Ela olha para o relógio na parede. — Merda, estou atrasada!

— Não fale merda — acrescento em tom de derrota, esfregando a parte superior das pernas, que latejam.

Em uma comoção de casaco, mochila e perfume, ela se vai. Começo a desenhar padrões com o dedo no açúcar derramado. Círculos e mais círculos: grãos doces rolando sob meus dedos. É inútil tentar não pensar nele. Ele está em minha mente a cada minuto do dia, e na maior parte da noite eu rolo de um lado para o outro, o sono sempre além do meu alcance. Comecei a me permitir tempo para pensar nele. Tentar compartimentalizar cada parte do dia para que eu possa suportar o fato de ele não estar aqui — esses são os meus quinze minutos. Fecho os olhos e, por esses quinze minutos, me vejo em seus braços, segurando sua mão na praia, observando-o cozinhar. Acho que eu sempre soube que nosso relacionamento era especial.

Eu sabia que era diferente de muitos dos nossos amigos. Eu percebia na maneira como elas falavam dos maridos, revirando os olhos e com um suspiro exasperado. Em sua leve desconfiança quando os parceiros viajavam, seus temores dissimulados por uma piada. Estava lá no modo como ele me olhava quando eu acordava, quando punha o rímel (ele sempre, inconscientemente, abria a boca enquanto me observava, recostado na cama com uma xícara de chá nas mãos... me perguntando por que faço isso). Estava lá em suas piadas e em minha risada, mesmo quando eu dormira apenas três horas porque Flynn tinha chorado a noite toda. Estava lá na maneira como eu olhava o relógio, em expectativa, sabendo que ele estaria em casa em dez minutos, me enchendo de alegria. E, mesmo depois que ele desaparecera... meus sentimentos nunca mudaram. Ainda estavam lá.

Quando meu tempo acaba, arrumo a bagunça. Meu cérebro está turvo e eu me pego de pé na sala me perguntando por que vim até aqui. Há uma mancha no canto do espelho, então eu a limpo com a manga; pareço mais velha, mais magra — infeliz. Não sei por quanto tempo fico ali parada, seguindo os ângulos do meu rosto e as linhas profundas em torno dos olhos, mas, por fim, minha visão fica ligeiramente turva.

Certo. Preciso fazer alguma coisa. Vou preparar uma refeição adequada para essa noite e me obrigar a comer. Rose tem razão. Não estou comendo, não estou dormindo e, quando durmo, os sonhos são nítidos e perturbadores.

Isso está começando a ficar evidente.

Abro o laptop. Nuvens pesadas cobrem o céu e o azul cobalto de fora é substituído pelo brilho azul artificial da tela. Sei o que estou procurando. Já procurei os primeiros sintomas antes: a náusea matinal, a fadiga, os sonhos vívidos, os constantes lapsos na concentração. Posso senti-la crescendo. Há quanto tempo está ali? Uma minúscula forma que incha e cresce à medida que vai se alimentando de mim. É claro que poderia ser um milhão de outras coisas: os antidepressivos, por exemplo, a constante preocupação com Rose, ou a dor em que me vejo novamente envolta.

Não posso continuar me escondendo. Tenho que me aprumar, tomar jeito. Assim, ligo para o consultório do médico e marco uma consulta para essa tarde. Talvez eles possam me dar alguma coisa para cessar a náusea pelo menos e, então, agendar uma ressonância.

Ligo a TV e os Teletubbies acenam para mim. Lembro-me de Flynn, sentado em sua cadeira de plástico azul, sempre se balançando, sentado de lado: pezinhos gorduchos se projetando sob o pijama de fleece com estampa de trenzinhos; olhos azuis imensos acima das bochechas redondas e vermelhas enquanto ele espiava acima do espaldar da cadeira quaisquer que fossem as maravilhas que Dipsy e seu chapéu estivessem aprontando — um pedaço de torrada roída agarrada na mãozinha. Lembro-me da sensação de seus dedinhos rechonchudos quentes e grudentos, ouço o ruído de quando ele sorvia o leite com chocolate do copinho, o cheiro denso e doce de seu cabelo fino.

— De novo, mamãe, *pô favô*... — pedia ele.

De novo. E de novo.

O supermercado está silencioso; a agitação das férias escolares — e a corrida de última hora em busca de novos uniformes — acabou. Nos corredores, somente crianças que ainda não estão em idade escolar, presas nos carrinhos de compras ou manuseando as frutas e legumes. O meu carrinho está cheio de ingredientes frescos para a lasanha que pretendo fazer. O ato de fazer compras me acalma; reunir o sustento para nutrir minha família me dá um muito necessário senso de proteção. Em um impulso, resolvo levar um dos bolos favoritos deles. Sigo em direção à confeitaria, onde um solitário bolo festivo se encontra na prateleira. É uma coisa de aparência estranha. Um domo de fondant verde brilhante, que cobre um pão de ló bem leve recheado com creme fresco — não me lembro da primeira vez que o comemos —, mas sei que o rebatizamos de bomba verde. Parece adequado à maneira como nossa vida está no momento. Uma bomba após a outra, mas, pelo menos esta, eu posso controlar.

Uma garotinha loura de uns 3 anos, com cachinhos caindo pelas costas, praticamente agarra o último bolo na prateleira. Isso me irrita mais do que deveria. A garotinha é inocente; vestida como uma princesa Disney do filme *Frozen*, tem a coroa ligeiramente torta, e o rosto está meio lambuzado de pastilhas de chocolate que ela acabou de devorar — a embalagem se encontra caída no chão, ao lado dela. Mas, ao pegar aquele bolo, ela deixou de ser inocente: tornou-se a ameaça à paz da minha noite cuidadosamente planejada. Paro ao lado dela, olhando-a de cima. Ela me dirige um sorriso travesso: um sorriso que me diz que está acostumada a ser o centro do mundo. Um sorriso que fala de uma infância protegida, com pais indulgentes e quartos cor-de-rosa. Vá embora, eu digo a mim mesma, mas descubro que estou enraizada ali naquele lugar. Por que ela deveria ficar com o bolo? Sou tomada por uma sensação de injustiça que sei que não deveria sentir em relação a essa princesinha, mas não consigo evitar. Eu quero esse bolo. Meus filhos o merecem. Mais do que esse anjinho mimado, com glitter na bochecha lambuzada e brilhantes sapatos prateados.

— Solte. Seja uma boa menina — digo a ela. Ansiosa, olho por cima do ombro e fico aliviada ao ver que a mãe, vestida com jeans de grife por dentro das botas caras, está ocupada deslizando a tela de seu smartphone enorme. A princesa sorri para mim.

— Eu sou a Elsa. Livre estou — fala ela, radiante.

— Solte — repito e então... e então começo. Eu sabia que estava vindo, sei disso, mas nem tinha me passado pela cabeça que isso ainda estivesse na minha memória. Começo a cantar sobre montanhas e pegadas na neve e algo sobre um "rei na criação gelada". A garotinha passa a rodopiar em seu vestido, cantando comigo, declarando que "ela é uma rainha". Olhando ao redor, em pânico, continuo a cantarolar sobre o vento, sobre não haver ninguém por perto e ninguém se importar com o que estou dizendo. A garotinha começa a pular, gritando que a neve não a incomoda "de um jeito". Finalmente ela devolve o bolo à prateleira enquanto se curva para a pequena multidão que agora nos cerca. A mãe, eu noto, filma tudo — como vem, sem dúvida, filmando cada minuto desta preciosa pré-Madona desde o momento em que ela abriu os olhos — cada marco, da primeira papinha até o papel principal no teatrinho de Natal do berçário. Depois de uma rápida salva de palmas, a multidão se dispersa e com a princesa agora absorta na tela do telefone, eu pego o bolo e saio apressada antes de ser seduzida pela necessidade de construir um boneco de neve.

Os médicos estavam otimistas, como eu sabia que estariam. Fui encaminhada para uma ressonância magnética. Não posso fazer mais nada, além de tranquilizar meus filhos — pelo menos no curto prazo — de que está tudo bem. Picar as cebolas libera as lágrimas que eu vinha reprimindo. Fico mais tempo nessa tarefa do que o necessário, desfrutando o ardor e o alívio que as lágrimas trazem. Jogo as cebolas no azeite e mexo até que sua inócua acidez se torne dourada e doce. Então acrescento a carne moída, alho e orégano, e no momento em que Rose coloca a mochila na mesa, a panela de molho de tomate está borbulhando.

— O que temos para o jantar?

— Lasanha. Quer ajudar?

Ela dá de ombros.

— Ok.

— Como foi a escola? Pode pegar a travessa?

Ela torna a dar de ombros e pega a travessa de vidro refratário, coloca sobre a bancada e abre o pacote de massa de lasanha.

— Tudo bem, acho. É para começar a montar?

— Sim, mas tome cuidado. Está muito quente.

Abro o pacote de molho de queijo com os dentes e começo a adicionar o leite na panela.

— Me deram uma espécie de passe livre para, se eu começar a me sentir chateada — ela põe colheradas da mistura de carne moída na travessa —, poder sair de sala e ir falar com a Sra. Ford.

— Sra. Ford? A nova Mentora de Aprendizagem? Ela me pareceu legal. Isso é bom, então.

— Acho que sim — ela cobre o molho com as folhas de lasanha —, embora eu não precise.

Continuo a mexer o molho de queijo.

— Ah? — Tento não parecer demasiadamente interessada. Se perceber atenção excessiva, ela vai se fechar.

— Bem, na escola eu fico ocupada, então nunca senti necessidade de... eu nunca... — Ela serve mais molho sobre a massa. — Eu nunca fiz aquilo, você sabe, na escola.

Voltando toda minha atenção para o molho de queijo, começo a misturar vigorosamente.

— Quantas folhas? — pergunta ela.

— Hein? Ah, quantas você quiser. Mas cuide para que fiquem bem cobertas pelo molho, senão fica massudo. Você acha então que precisa de um hobby, alguma coisa para mantê-la mais ocupada em casa? Isso ajudaria?

— Não sei. Acho que sim.

Paro ao lado dela enquanto despejo o molho.

— Quer que rale o queijo? — pergunta ela.

— Sim, por favor — respondo.

Enquanto ela abre a geladeira, faço um esforço imenso para cessar as perguntas. Isso foi o máximo que ela se abriu comigo faz algum tempo.

— Eu... hum, quanto?

— Continue.

— Eu comecei a... já chega?

— Continue, estou com espírito de queijo...

— Eu escrevi algumas, hã, histórias. Sabe, como contos? Estou usando o velho laptop da garagem.

Meu coração bate forte.

— Qual? O antigo do Flynn?

— Arrã.

— Estou surpresa que ele ainda funcione.

— Bem, só roda o Word. Não consigo entrar na internet nem nada.

— Não sabia que você gostava de escrever. Por que começou a escrever histórias?

— Não sei. Tivemos uma aula na escola em que tínhamos de assistir a um curta de animação e escrever nossa versão e, acho... bem, a aula passou muito rápido e eu fiquei com um pouquinho de pena quando o sinal tocou.

— Ah. As maravilhas do sistema educacional. — Sorrio.

— Então, eu estava pensando, como meu aniversário já está chegando, se eu poderia ganhar um laptop novo...

— Já chega de queijo. Hum, sim, quero dizer, você vai ter que me mostrar qual, e provavelmente vai ter que ser um modelo mais antigo. — Ela enlaça meu pescoço e, por um instante, eu quase perco o equilíbrio. Eu a abraço com força, inspirando o cheiro de escola e condicionador de cabelos. Ficamos assim por mais tempo do que o necessário para um abraço de agradecimento.

— Você está cheirando bem. — Ela ri.

— Obrigada. É um novo spray corporal.

— Não, eu me referi ao seu cheiro de alho! — Ela me dá um beijo na bochecha e sai da cozinha, rindo.

Ponho a lasanha no forno e sorrio. Meu primeiro sorriso genuíno dos últimos tempos.

Quando acordo no Dia da Ressonância, meus lençóis estão encharcados. Previsivelmente, minha garganta está seca, portanto sei que voltei às minhas práticas noturnas. Levanto bem antes das crianças e fico mais tempo no banho do que de costume, capricho na maquiagem e no cabelo, e tento me preparar para a notícia que sei que receberei. O telefone toca no momento em que enxugo a boca após meu encontro matinal com o vaso sanitário, e continua a tocar enquanto lavo a boca com enxaguante bucal.

— Mãe! É o Shane no telefone! — Limpo os borrões do rímel sob os olhos, deixo a água fria correr em meus pulsos, me ajeito e me aprumo.

— Oi! Tudo bem? — pergunto, depois de pigarrear.

— Oi! Você está bem? Sua voz não parece muito boa.

— Garganta inflamada. Então, o que houve?

— Nada, eu só, só pensei que seria bom pôr o papo em dia. Você sabe, te atualizar sobre como Flynn está indo na faculdade. Eu teria entrado em contato antes, mas estou trabalhando em Birmingham durante as férias escolares, ministrando um programa de pós-graduação.

Eu me pergunto se isso é verdade ou se, como eu, ele sente que talvez precisemos colocar algum espaço entre nós. Ouvindo sua voz, percebo como minhas reações mudaram. Não sinto mais a necessidade de verificar minha aparência no espelho, no caso de ele fazer uma visita inesperada, o que vinha se tornando cada vez mais frequente nas semanas que antecederam a Cornualha. Nós tínhamos adotado uma espécie de rotina. Ele chegava com biscoitos e eu providenciava café. Eu assava a pizza, ele fazia salada. Eu me apoiava nele, ele permitia. Ficávamos à vontade na companhia um do outro. Receio que, agora que meus sentimentos estão diferentes, eu possa perdê-lo.

A imagem de Tom, antes de eu ir, era algo muito mais abstrato do que quando o vi, o encontrei. Eu me pergunto se Shane percebeu como meus sentimentos em relação a ele mudaram. Ele veio nos ver alguns dias depois de Rose receber alta. Será que notou como meu corpo ficou rígido quando ele me abraçou, seus olhos examinando meu rosto, preocupados? Ou será que ele pensou que era por causa do que eu estava passando com Rose? Será que percebia que meus sentimentos por ele haviam se desviado, mudado sua natureza, atravessado a fronteira da atração para a amizade?

— Ooh, olhem só pra isso! — respondo e sorrio diante do orgulho constrangido que flui em seu tom.

— Parece mais interessante do que é, eu garanto.

— Sem problemas. Eu não esperava que você entrasse em contato durante as férias. Flynn parece feliz de verdade, tranquilo. Ele está? Está tudo bem? — Começo a entrar em pânico. Será que o deixei de lado? Me concentrando demais em Rose?

— Sim, não; está sim. Parece que ele se ajustou perfeitamente. Eu queria, você sabe, checar se você está bem depois... da sua viagem. Você não falou muito a respeito, com tudo que estava acontecendo com Rose.

— Eu estou bem.

— Tem certeza? Jo disse que você não vai à casa dela desde que voltou.

— Não ando me sentindo muito bem, e... não estava tranquila para deixar Rose sozinha. Flynn me disse que conversou com você sobre isso...

— Sim, acho que isso está na cabeça dele. Para ser franco, acho que tem muita coisa na cabeça dele. — Penso na ressonância e em como eles vão enfrentar isso quando eu tiver de dar a notícia a eles. Talvez eu devesse conversar com Shane primeiro, ver qual o estado de espírito de Flynn. Como seria, eu me pergunto, descarregar os pensamentos aprisionados em minha cabeça? Suspiro, repentinamente, me sentindo muito velha e cansada ao perceber que de fato me faria bem conversar com alguém. Não, alguém não. Shane. Eu confio nele e ele conhece Flynn e sabe o que está se passando por trás daqueles olhos azul-escuros, provavelmente melhor do que eu.

— Quando você estava pensando?

— Estou livre hoje à tarde. Por volta de uma.

— Ok. Você quer vir aqui?

— Claro. Até mais tarde!

Quando desligo o telefone, vejo Rose e Flynn piscando um para o outro. Flynn joga o cabelo para trás e Rose enrola o dela no dedo, com olhar lânguido.

— Quando você estava pensando? — repete Rose em um tom sensual.

Flynn pisca os olhos para ela e assume sua voz "de garota":

— Você quer vir aqui? — Os dois explodem numa gargalhada.

— Rá-rá. Muito engraçados.

— Sinceramente, mãe. Convida ele logo para sair. — Eles riem quando Flynn cutuca as costelas de Rose com o cotovelo.

— Somos apenas amigos — digo a eles, e torço para que o que vou dizer a Shane não mude isso.

— Que seja — diz Rose, dando de ombros.

Meus filhos maravilhosos. Como se sentirão quando eu der a notícia a eles? Como vão lidar com isso?

Jogando a segunda garrafa de água vazia na lixeira, paro na frente do hospital, observando as portas que deslizam suavemente. Pessoas entram. Pessoas saem. Cada um com o pé firmemente apoiado na montanha que assoma sobre nós durante toda a nossa vida: casais idosos quase no topo, crianças pequenas e titubeantes começando a subir. A sempre presente sombra que se arrasta às nossas costas, tornando-se cada vez mais comprida à medida que nos aproximamos da luz. Eu enfio as mãos no cós do jeans e brinco com a parte inferior da blusa florida com o polegar. Ah, bem. Vamos acabar logo com isso. Vamos descobrir o quanto já avancei.

Estou estranhamente calma quando Shane chega. Estudei meu reflexo no espelho e tudo parece exatamente igual. Meu cabelo, meus olhos, minha altura. Tudo igual e, ao mesmo tempo, tudo diferente. Vulnerável. Exposto. A água que despejo na chaleira vem dos mesmos canos, da mesma caixa-d'água e, no entanto, é diferente. Será que está contaminada? Será que devo comprar um filtro? O café instantâneo que coloco na xícara — a que nunca dei muita atenção antes — é apenas café comum, comprado no supermercado, mas agora eu o olho com desconfiança. Será que eu deveria estar bebendo descafeinado esse tempo todo? Que dano desconhecido isso terá me causado? Posso sentir o cheiro de decomposição vindo do cesto de lixo, o fedor de fruta madura e sacos de batatas comidos pela metade. Eu o esvazio, borrifo a tampa com spray antibacteriano e, em seguida, paro, olhando para o frasco. Será que eu deveria estar usando isso, respirando seu vapor? Poderia ser ele o responsável? O agente levando toxinas para o meu corpo suscetível? Ouço uma batida na porta e fico feliz por ter pedido que ele viesse. Fico feliz em poder falar com alguém antes de enlouquecer.

— Café?

— Por favor. — Ele se senta à mesa da cozinha, põe um pacote de biscoitos com gotas de chocolate na mesa, enquanto eu tento ignorar a sensação de que ele está me estudando. Será que ele consegue pressentir?

— Então — ponho as xícaras na mesa —, como ele está indo? De verdade?

— Até agora, muito bem. Falei com a orientadora e ela diz que ele está muito motivado; ouve os conselhos e se dedica. — Ele sorri. — Quando eu disse a ela que ele pode ter dificuldade na transição, ela se mostrou genuinamente confusa. Disse que não via absolutamente nenhum sinal de problemas comportamentais. Observou que ele pode ser um pouco distante, mas isso se deve ao fato de estar muito focado nos estudos.

— Ótimo. Isso é bom então. Quem sabe ele só precisava se afastar daquela escola?

— Não vamos nos precipitar... faz só duas semanas, mas, sim — ele esfrega o queixo —, a faculdade parece realmente estar sendo boa para ele. — Shane toma um gole de café e me olha de uma forma que me faz pensar que a conversa não chegou ao fim. — Como ele está em casa?

— Bem. Você sabe, simplesmente, Flynn. Ele resmunga, faz piadas, ele, bem, é ele. Fica muito tempo no computador, mas isso é de se esperar, certo? Trocando mensagens com a nova amiga. Ele falou com você sobre ela?

— Sim. Ela parece legal. Bom para ele, bom também para a autoestima dele. Eu não sei o que é, mas acho que tem mais alguma coisa acontecendo com ele. Flynn está preocupado. Com você e com Rose. E eu...

— Bem, é natural. Ele a encontrou semiconsciente e ensanguentada. É normal que esteja preocupado.

— Sim. Totalmente, mas ele está preocupado com você também.

— Comigo? Estou muito melhor. Estou tomando os antidepressivos, estou dormindo um pouco melhor...

— Ele se sente responsável por você, por tomar conta de você e de Rose, e eu me pergunto se isso não é demais. Para ele.

— Então o que você sugere? Qual é a sua... — Eu me recosto e cruzo os braços, o sarcasmo resvalando em minha boca — ... opinião profissional? Por favor, me esclareça, porque eu pensei que estivesse fazendo um ótimo trabalho, levando-se em conta que minha filha está se automutilando, que eu sou maluca e o pai dele é... bem, o pai dele é... — Jogo os braços para o alto e mordo o lábio inferior.

— O que aconteceu? Quando você foi vê-lo?

— Ele não sabe quem eu sou.

— Como assim?

Eu me levanto e fico de costas para ele, olhando o jardim pela janela, notando que as primeiras folhas estão começando a cair.

— Ele está feliz. Ele é engraçado, é tudo que sempre foi, mas não se lembra de mim nem de nós. Ele não tem nenhuma lembrança da nossa vida ou de sua infância. — Eu abraço meu próprio corpo.

— Você conseguiu falar com ele, então?

— Sim, eu falei com ele.

— E contou para ele?

— Contar para ele? — Deixo escapar uma risada seca. — Não. Eu não contei para ele. Não contei que ele tem dois filhos. Uma que se automutila. E um que tem de lidar tanto com a raiva quanto com a responsabilidade que sente que tem em relação à família. Não contei a ele que passei os últimos onze anos gritando por ele enquanto dormia e aprendendo a viver com sua morte. Ele tem uma vida, uma vida segura. Ele é incrivelmente vulnerável, Shane. Criou uma vida para si mesmo do nada. Ele mora em um chalé que foi essencialmente ele mesmo quem construiu. — Fecho os olhos e estou de volta ao chalé, a brisa marinha balançando as cortinas. — Dá para ouvir o mar do quarto e você pode...

— Do quarto?

Meus olhos se abrem de supetão quando a voz dele me traz de volta.

— Sim. Do quarto.

— Melody... quanto tempo você passou com ele?

Eu enxugo uma lágrima desgarrada com irritação.

— Melody? — Posso ouvir a apreensão em sua voz. — Quanto você se aproximou de Dev?

— Tom. O nome dele é Tom. Dev está morto.

— Melody?

Respiro fundo e, então, conto a ele.

Fico olhando pela janela enquanto conto a ele sobre a maneira como Tom olhou para mim quando nos encontramos pela primeira vez diante do café. Como me senti ludibriada por ter encontrado Dev e por tê-lo perdido novamente. Conto a ele sobre as esculturas, e por que sei que, bem lá no fundo, Tom deve se lembrar de nós. Conto a ele sobre a ida à casa de Tom, como eu sabia que era a coisa totalmente errada, mas ao mesmo tempo a coisa totalmente certa a fazer.

Faço uma pausa de um momento, ouvindo a respiração de Shane. Sei que deveria me virar para encará-lo. Será que minhas palavras o estão magoando? Ou será que ele sempre soube que eu nunca seria dele, que sempre pertenceria a Dev? Falo sobre os dias passados nos braços de Tom na praia, as noites conversando e olhando para o fogo. Conto a ele sobre o pedido de casamento e como Tom encontrara a foto, e como eu viera embora.

E, então, me viro para encarar Shane. Ele está sentado com a cabeça apoiada nas mãos — parece triste, mas não zangado. Eu me sento de frente para ele, que estende os braços e segura as minhas mãos, cobrindo-as com as suas e acariciando-as com os polegares.

— Me desculpe — digo —, nunca foi minha intenção... — Não concluo a frase. Não sei mesmo o que ia dizer: desculpe por tê-lo iludido? Desculpe por nossa vida ter se colocado em seu caminho?

— Você não me deve desculpas. — Ele se inclina para a frente, a testa encostada na minha.

Fecho os olhos, sentindo sua força, seu calor. Ele enxuga uma lágrima em meu rosto quando me aprumo.

— Você vai contar a eles? — pergunta ele.

Há muitos anos, quando Pauline e eu éramos íntimas, ela havia me dito que você não conhece o amor de verdade até ter filhos. Na ocasião, eu estava grávida de Flynn. Mas eu amo Dev, eu havia observado. Ela se serviu uma taça de vinho e balançou a cabeça. Não é a mesma coisa, tinha argumentado. "Quando você tem filhos, se, digamos, um louco com uma arma pedisse a você que escolhesse entre seu marido e seu filho, você se veria dizendo: 'Atire no meu marido', eu garanto."

Depois de ter me resignado que Dev estava morto, me lembrei dessa conversa, me lembrei de suas palavras. Eu amo meus filhos mais do que sou capaz de expressar, porém, se eu me visse diante do louco, eu não teria escolhido meus filhos a Dev. Eu teria dito "atire em mim". Eu amo Dev tanto quanto meus filhos e preciso protegê-lo tanto quanto a eles. Quero o melhor para todos eles.

Explico isso a Shane.

— Mas você não o está protegendo, você não está lhe dando o direito de escolha! Você não está dando o direito de escolha a eles. Pense só no que significaria para eles saber que não foram abandonados.

— Mas o que isso resolveria? Eles sabem que ele foi embora. Já aceitaram isso e seguiram em frente.

— Você não sabe disso. Pense no que ter a consciência de que ele perdeu a memória e não simplesmente foi embora poderia significar para eles.

— Pense no que isso significaria para ele! Você não tem ideia do quanto ele é frágil, não tem ideia do que ele passou para construir uma vida para si. Saber o que aconteceu conosco, tudo que tivemos de enfrentar sem ele, que a culpa é parcialmente dele, poderia destruí-lo. Ele não é pai, não sabe nada sobre ser pai, sobre adolescentes, sobre automutilação e problemas comportamentais.

— Então conte a eles, deixe-os decidir se querem entrar em contato com ele. Dê a eles o direito de escolha.

— Não. — Balanço a cabeça. — A curiosidade vai acabar por vencê-los. É melhor para todos se eles simplesmente o odiarem. Ele morou nas ruas, Shane. — Vejo seu rosto quando me bateu. — Um pai que não sabe que você existe é um estranho. Eles não precisam de um estranho na vida deles nesse momento. Já têm muito com que se preocupar. — Respiro fundo e digo: — Tem mais uma coisa.

E, então, conto a ele sobre a ressonância.

# 26

# Flynn

Bem, meu encontro com Kate não foi exatamente como eu planejava. Quero dizer, encontrar Kate foi perfeito. Ela é perfeita. Quando desci do trem, ela estava esperando e pude vê-la brincando com os punhos do cardigã cor-de-rosa. Cor-de-rosa faz parecer que ela é uma daquelas garotas que jogam o cabelo o tempo todo e ficam dando risadinhas, mas Kate vestia uma jardineira jeans debaixo dele e tinha uma espécie de echarpe no cabelo. Ela parecia descolada: ela é descolada. Mas estava nervosa. Ao me aproximar dela, mantive os olhos em seu All Star vermelho. Ele estava arranhado e gasto, não como os de algumas das garotas na faculdade que, dá para ver, passam horas clareando os delas ou ainda fazendo-os parecer muito usados (embora a gente saiba que os pais ricos acabaram de comprar o vigésimo par esse mês). Os de Kate eram... bem, normais.

— Ei — eu disse para seus pés. Minha voz saiu como um guincho e eu me senti um perfeito imbecil.

Então me controlei e ergui os olhos. Ela não disse nada, só ficou olhando para mim. Lembro de ter pensado que ela ia sair correndo dali. Pigarreei.

— Eu sou o Flynn. — Seus lábios se moveram, mas não saiu nenhum som. — Você quer beber alguma coisa? — perguntei e, então, comecei a embolar um pouco as palavras, falando sobre a viagem e sobre um casal que tinha discutido durante todo o trajeto.

Ela pôs as mãos nos bolsos e sorriu para mim, o que entendi como um sinal para continuar falando. Eu sentia que ela estava me olhando enquanto caminhávamos, o que me fazia falar ainda mais rápido sobre as maiores bobagens.

Sinceramente, àquela altura eu estava surpreso que ela ainda estivesse me acompanhando. Ela tropeçou — na metade do cardápio inteiro do McDonald's, incluindo as opções festivas, que eu recitava —, então segurei seu braço sem pensar, e ela ficou vermelha feito um pimentão. Um rubor que começava no pescoço e se espalhava até as bochechas. Suas unhas se enterraram em mim — estavam pintadas de rosa-claro, eram curtas e de formato quadrado. Ela passou a língua pelos lábios e emitiu um ruído que parecia um assovio.

— O-o-o... — os olhos dela se fecharam por um momento — ... obrigada. — E, então, eu soube. Soube que ela não era essa garota loura, linda e perfeita. Nem de longe perfeita. A gagueira quase a incapacitara. Eu podia ver na maneira como ela olhava para baixo, como se estivesse esperando o chão se abrir.

— Não foi nada.

Ela sorriu para mim, me olhando de verdade. Mas eu não desviei os olhos, como normalmente faria. É como se a gagueira dela houvesse nivelado o campo. Tipo: todos nós temos cicatrizes, só que as minhas todo mundo pode ver.

Mais tarde, quando estávamos comendo (ela pediu uma coisa de peixe), eu perguntei a ela por que ia perder um Big Mac. A essa altura sua gagueira já havia abrandado. Parecia que, quanto mais ela se acostumava comigo, menos acontecia, mas, quando ela fez o pedido, aconteceu de novo e vi a mulher atrás do balcão se contorcer e trocar olhares com a garota trabalhando ao lado. Assim que pegamos a comida e nos sentamos a uma mesa, comparando o recheio de nossos hambúrgueres, olhei à volta por um momento e foi aí que o vi. A princípio, eu não tive muita certeza, nem sei por que notei um cara mais velho consultando um mapa. Mas era ele. Minha expressão deve ter revelado alguma coisa porque Kate parou de comer e me perguntou qual era o problema.

— Pegue a sua comida — respondi, e pegamos nossas coisas. Ela ainda estava bebendo o milk-shake quando fomos para a rua. Kate sabe tudo sobre meu pai. Mas não contei a ela sobre Rose nem nada e, bem, em relação à mamãe, ela viu a coisa de perto. Foi uma das primeiras conversas de verdade que tivemos no Messenger. O pai dela é um derrotado também.

— O-o-o que foi?

Eu corria os olhos pelas ruas como um louco.

— Flynn? Qual o problema?

— Acho que ou estou ficando maluco ou acho que acabei de ver meu pai.

Os olhos dela se arregalaram.

— O que faz você pensar que era ele?

Por que pensei que era ele?

— É difícil explicar, alguma coisa na maneira como ele inclinou a cabeça enquanto olhava o mapa e, eu não sei, ele só me pareceu muito... familiar.

As ruas estavam movimentadas, mas pude vê-lo quando dobramos uma esquina. Pegando a mão dela, saí puxando-a, com seu milk-shake, pela rua. Nós o perdemos por um momento e desaceleramos o passo, parando por fim. Eu não tinha me dado conta — de verdade — que estava segurando a mão dela. Ainda estava esquadrinhando as ruas, meu olho bom indo de um lugar ao outro, tentando vislumbrá-lo.

— Ele se foi. — A decepção em minha voz deve tê-la impressionado porque imediatamente ela levou minha mão até seus lábios. Estava usando brilho labial e pude sentir a pequena marca pegajosa que seu beijo deixou em meu dedo quando nos voltamos e começamos a caminhar na direção contrária. Uns dez minutos devem ter se passado até eu avistá-lo novamente e, sem pensar, gritei:

— Pai!

Não sei bem o que eu estava esperando. Que ele se virasse e acenasse; que pedisse desculpas por estar atrasado? Percebi que ele estava de fone de ouvido, então não teria mesmo ouvido.

— O que você vai dizer? Se nós o alcançarmos? — perguntou Kate enquanto eu apertava ainda mais sua mão.

Diminuí o passo, pois agora tinha uma visão clara dele, que não estava andando assim tão rápido.

— Você o quer de volta? Em sua vida depois de ter simplesmente ido embora? — Meu coração batia muito forte e eu podia ouvir a preocupação na voz dela. — Flynn, anda só um pouco mais devagar. Você disse que o odiava, que, se ele não tivesse ido embora, as c-c-c-c-coisas seriam diferentes.

Cerrei o maxilar e assenti.

— Você o quer de volta? Sua mãe quer?

Meus pensamentos estavam embaralhados. Vê-lo depois de todo esse tempo — depois de todo o tempo que passamos tentando encontrá-lo — estava acabando com qualquer racionalidade da minha parte. E, então, pensei em Rose — como ela reagiria se soubesse que ele estava tão perto assim de nós e não tinha se dado sequer ao trabalho de entrar em contato, e mamãe... merda, dá para imaginar a playlist?

— Vamos só ver o que ele está aprontando e, então, eu decido o que fazer.

Continuamos a segui-lo de uma certa distância até ele entrar na biblioteca.

— Então... e agora?

— Vamos entrar, acho.

— E se ele vir você? Uma coisa é segui-lo na rua, mas lá dentro?

Ela estava certa, eu sabia que estava, mas eu precisava saber o que ele queria ali. Eu não conseguia parar de conjecturar se ele morava ali, a apenas meia hora de trem de nossa casa.

— Eu entro — disse ela. — Você fica aqui fora e eu vejo o que ele está fazendo. Vai ser divertido, eu vou ser como... — ela puxou a franja comprida sobre um dos olhos, me fazendo rir de sua imitação de mim — ... alguém disfarçado. — Ela piscou, e era como se eu a conhecesse havia anos. — Vou mandar mensagens para atualizar você.

Ela me dirigiu aquele sorriso novamente, aquele que faz aparecer a covinha em uma das bochechas, e sem pensar demais nem perder a coragem, fui dar um beijo no rosto dela, só que ela virou a cabeça e nossos lábios se encontraram.

— Deixa comigo — sussurrou ela e, então, virou-se para entrar no edifício.

Parecia que eu estava sentado naquele banco havia horas. As mensagens de texto continuavam a chegar. Aquilo era surreal. Ela mandava mensagens engraçadas como "ele está coçando o nariz", "ele se sentou", "ele se antou", cada uma delas interrompida por suas selfies superexagerando o biquinho que as garotas fazem nas fotos de perfil. Era estranho pensar que ele estava lá dentro. Meu pai. Meu pai de verdade. "Ele está saindo", a bolha azul na tela do meu telefone me disse. Eu me levantei e me virei um pouco, de modo a poder vê-lo ao sair, mas mantive a cabeça baixa para que ele não me visse. Kate saiu em seguida, no momento em que ele colocava os headphones e passava por mim. Ele estava a cerca de meio metro de mim. Eu poderia ter falado com ele, tocado nele, mas me mantive rígido.

— Ele estava olhando na seção de história local, aqui. — Ela me passou um pedaço de papel amassado e tive a sensação de levar um soco no estômago. Era a letra dele, a mesma letra que eu vira em bilhetes de post-it pela casa toda.

Ele havia feito uma lista de escolas. Escolas em Telford. Ele está procurando a gente, Rose e eu. Mas por quê? Por que agora, e por que ele simplesmente não vai lá em casa? Está no mesmo lugar onde sempre esteve. Ele não quer ver mamãe. Que tipo de covarde se aproxima furtivamente dos filhos em vez de enfrentar a mulher? A mulher que ele deixou sem nenhuma explicação, levando-a a procurar por ele na certeza de que estava morto. Nós não queremos isso. Não precisamos disso em nossa vida.

Acabamos por segui-lo até ele entrar em um hotel. Mais uma vez Kate entra atrás dele e fica ouvindo de uma certa distância.

— Quarto 27A — anunciou ela com um sorriso ao sair, a mão nos quadris. Então olhou o relógio em seu pulso. — Tenho que ir, Flynn. Mamãe vai ficar estressada se eu voltar muito tarde.

— Certo, quer dizer, claro. — A sensação desagradável no fundo do estômago era nova para mim. Eu não queria que ela fosse. — Só vou deixar um bilhete para ele, dizendo que dê o fora daqui e fique longe.

Ela tornou a olhar o relógio.

— Vou te ajudar, e depois é melhor eu ir embora. Vou ficar muito encrencada se não pegar o próximo trem, e, então, só Deus sabe quando vou poder ver você de novo.

Sorri com essas palavras. Ela queria me ver... de novo. Peguei meu bloco de desenho e escrevi um bilhete.

Enquanto escrevia, via o sangue no chão outra vez. Entramos no hotel, deixamos o bilhete e então corremos, de mãos dadas, para a estação de trem

# 27

# Melody

— Jo? — Deixando as chaves no aparador do hall, enrolo as mangas e sigo para a cozinha, ignorando a vaga dor de cabeça que paira sobre meu olho direito.

— Desço em um minuto! — Sorrindo diante da organização de seu armário de limpeza e estoque de vários produtos, pego os sacos de lixo (tamanhos variados de acordo com cada cesto, extraespessos e aromatizados) e inicio minha jornada pela casa, esvaziando-os à medida que sigo: até o lixo dela é organizado. Seguindo o rastro de seu perfume, encontro Jo no escritório no andar de cima, cercada por uma papelada.

— Ah, oi! Desculpe, me distraí. — Ela se levanta e me dá um rápido abraço. — Você está bem? Como estão as coisas?

— Ah, ok, obrigada. Como está sua mãe?

— Ah, muito melhor. Vai sair do hospital amanhã.

— Vou continuar meu trabalho. Você parece ocupada — digo enquanto gesticulo, apontando as várias pilhas de papel.

— São coisas da minha mãe e do meu pai. Sinceramente, tentei deixar tudo pronto para quando mamãe chegasse em casa, mas a ideia deles de organização é chegar ao restaurante de peixe e batata frita antes que a multidão da noite de sexta chegue.

Esvazio os cestos de lixo e tiro o pó de tudo rapidamente antes de sentir a necessidade de me sentar. Um pouco trêmula, me sirvo um copo de água e tomo alguns goles hesitantes, torcendo para não pôr tudo para fora imediatamente. Olhando o relógio, fico desapontada que apenas meia hora tenha se passado desde que cheguei e eu já me sinta pronta para um cochilo. Não posso guardar isso comigo por muito mais tempo. Em breve vou ter que contar a eles, mas a cada dia encontro um motivo para adiar: Rose tem um teste de ciências de manhã ou Flynn tem um encontro com Kate e eu não quero estragar seu bom humor. Nossa vida retornou a uma rotina tranquila, silenciosa e mundana: uma manhã coberta de neve na qual tudo parece calmo. Imóvel. Protegido. Seguro, antes de você tentar ligar o carro para ir ao trabalho, ou ir buscar as há muito esquecidas botas e sacos de areia com sal, guardados nas profundezas da garagem. A pureza daquela paisagem logo se transforma em lama e gelo traiçoeiro.

— Meu Deus, você parece horrível! Está se sentindo bem? — Eu não havia percebido sua chegada à cozinha.

— Estou bem, é só uma gripezinha.

— Não deveria ter vindo, Mel, se está se sentindo mal. Olha, a faxineira volta das férias na próxima semana.

— Estou bem, de verdade — tento tranquilizá-la.

— Bem, se você insiste em ficar, pode se sentar e me ajudar com essa correspondência.

Grata, sigo suas ordens enquanto ela vai de aparelho em aparelho preparando uma xícara de chá de hortelã para mim. Jo tagarela quando começa a abrir a correspondência, me passando os papéis para picar ou colocar em pastas plásticas aqueles que ela vai arquivar depois. Ela fala do vilarejo onde os pais moram e fico agradecida pelo fluxo de conversa que mantém minha mente no aqui e agora e não no futuro com suas promessas de arame farpado.

— Merda. Esqueci deles.

— O que foi?

Ela segura na mão erguida ingressos enquanto seus ombros se curvam.

— Eu tinha comprado um passeio em um balão para mamãe e papai. Merda, é depois de amanhã. Tarde demais para pedir reembolso, e não existe a menor chance de a saúde de mamãe permitir isso.

— Ah, que pena. Quem sabe eles não podem ir no próximo ano, quando a saúde dela estiver melhor?

— Talvez. Tome, são seus. — Ela os empurra sobre a mesa.

— O quê? Não seja boba! — Eu dou uma risada.

— Eles vão para o lixo, se você não quiser. E, antes que você ofereça, não quero nada por eles. Olhe, é para três pessoas. Era um passeio de um dia para nós três. Leve as crianças. Elas vão adorar.

Um sorriso começa a repuxar meus lábios.

— Sério? Ah, meu Deus! Sério? — torno a perguntar.

Uma animação de manhã de Natal está tomando conta de mim. Mais um dia e eu vou contar para eles. Ah, mas que dia incrível esse pode ser.

Estou acordada desde as quatro, me sentindo energizada com a apreensão e o entusiasmo que o dia vai proporcionar. Eu já vomitei minha primeira xícara de café, mas a segunda parece que ficou. Escovo os dentes e termino de arrumar o piquenique que poderemos comer assim que estivermos em segurança, de volta a terra firme. Há uma densa camada de névoa lá fora, mas a previsão do tempo diz que vai mudar, e com sorte teremos céu claro.

O quarto escuro dele cheira a meias e desodorante, e quase tropeço em um prato perdido, com restos de torrada, quando ando até a massa sob o edredom.

— Flynn. — Eu o sacudo pelo ombro, sua boca escancarada e os cabelos em pé se projetando em vários ângulos. — Flynn? Acorde.

Ele contorce o rosto e o esconde com o braço.

— Mmnnnughhh.

— Bom dia, flor do dia... Tenho uma surpresa.

— Gnnkkkmm.

A porta do quarto de Rose range. A luz pálida da manhã, insinuando-se no quarto por uma fresta entre as cortinas, pinta a parede com um tom suave e morno de cinza. Passo por cima de uma trilha de esmaltes, pranchas de cabelo e mudas de roupas descartadas, até alcançá-la: enroscada em uma bola, o sono pesado estampado no rosto pacífico.

— Rose... — Aliso seu cabelo para trás, tirando-o do rosto, e sorrio vendo o quanto ela é perfeita. — Querida, acorde.

— Mmnnughh.

— Hora de levantar. Tenho uma surpresa.

— Gnnkkmm.

— Vista alguma coisa prática. Vamos dar um passeio.

— Que tipo de passeio? — é sua resposta abafada.

— Um divertido. Use uma blusa mais fresca e um casaco.

Estou mexendo na cozinha quando descem, parecendo igualmente mal-humorados e confusos. Rose está usando um casaco verde-escuro de capuz sobre jeans skinny, e Flynn, um casaco de capuz azul-marinho sobre uma camisa xadrez verde e preta, cuja parte de baixo aparece sobre o jeans preto. Bato palmas uma vez.

— Perfeitos. Seus telefones estão carregados? Vão precisar das câmeras.

Flynn abre lentamente um sorriso para Rose e ela ergue uma sobrancelha.

— Aonde vamos às seis e meia da manhã? — pergunta ela, uma ponta de ansiedade mordendo a suavidade de sua voz.

— Espere e veja. — Ouvimos uma buzina lá fora. Jo havia arranjado para que eu passasse a roupa de uma de suas vizinhas cujo marido é taxista, então estou sendo paga com uma carona até o local do passeio, que fica a apenas vinte minutos de casa.

Ao longo da jornada, observo meus filhos tentando esconder as emoções com seus fones de ouvido e atualizações de status no Facebook, entre sussurros e palpites silenciosos. Seus rostos mudam e os fones de ouvido são arrancados quando percebem para onde estamos indo, ao ouvir o tique-taque da seta no momento em que saímos para uma estrada de terra que nos leva ao local de decolagem. A névoa ainda cobre o campo, que é cercado por uma floresta pequena, mas densa.

— Não. É. Possível! — exclama Flynn, o rosto incrédulo, mas ao mesmo tempo cauteloso. — Viemos aqui para, hã, olhar?

— Mãe? — pergunta Rose e noto que ela está agarrando o bolso do jeans de Flynn.

— Sim, viemos aqui para observar... do ar.

E, nesse momento, enquanto vejo o medo e as preocupações da vida adolescente sumirem do rosto dos dois e uma alegria pura e inocente se transformar em risos e gritos de entusiasmo, sei que fiz a coisa certa ao esperar, porque hoje é dia de voar, de nos elevar acima do mundo e dos problemas e deixar tudo o mais para trás.

Perguntam se queremos observar o balão sendo inflado e, então, somos conduzidos ao espaço onde a cesta está deitada de lado, o tecido de náilon vazando dela em um amplo e ondulante lago vermelho. Rose enfia a mão na dobra do meu braço e segura com força enquanto assistimos aos imensos ventiladores que começam a zumbir, com o barulho de uma dúzia de secadores de cabelo, soprando o ar para dentro do balão. Ficamos hipnotizados quando o tecido ganha vida como um dragão adormecido, alongando-se e bocejando: a cauda e as asas sendo puxadas pelos três homens que se movimentam em torno dele — domando-o — até que ele tenha firmeza suficiente para ficar em pé e exibir toda a sua magnificência. Em um estado de semivigília, o dragão começa a rugir: cuspindo fogo pela boca enquanto os homens seguram suas rédeas, mantendo-o sob controle. Lentamente ele se ergue, grunhidos furiosos ainda escapando de sua boca até que admite a derrota e se levanta preguiçosamente, arrastando a cesta como um grilhão.

Flynn nos manda ficar ao seu lado e encarar seu celular para uma selfie de bochechas vermelhas e cabelos açoitados pelo vento, antes de sermos levados e apresentados ao nosso piloto, Timothy. Ele nos mostra como subir na cesta colocando os pés nos apoios apropriados e discorre sobre algumas dicas simples de segurança: não segure galhos ou folhas ao passar por eles; não jogue nada para fora do balão em movimento e nunca tente desembarcar enquanto estiver no ar. Acima de nós, o céu de retalhos está despertando e, quando finalmente subimos na cesta, o sol já arqueou. O barulho e o calor do queimador são mais intensos do que eu esperava; mal consigo ouvir o que Flynn está dizendo, mas é algo como "sensacional". Rose está calada, mas seu sorriso e os olhos iridescentes falam por todos nós.

Fomos informados de que seguiríamos para o oeste e, quando começamos a subir, sei que esse é um dos momentos mais inesquecíveis da minha vida. Aos poucos, começamos a nos afastar do chão, os escassos espectadores e outros passageiros dos voos matinais acenando para nós à medida que as chamas vão nos lançando cada vez mais alto. O balão roça as copas da floresta verde-escura, as folhas acariciando a lateral da cesta enquanto os pássaros, nos ninhos, prosseguem com seu coro. Posso sentir o cheiro de terra do solo abaixo e o gás vindo de cima; tudo parece mais brilhante, mais claro, como se eu tivesse estado semiadormecida a maior parte da vida e só agora pudesse ver as cores reais, mais vivas, e os cheiros do nosso mundo incrível. É a sensação mais estranha. Eu esperava uma brisa forte, mas, à medida que viajamos com o vento, tudo está imóvel: magnificamente imóvel. É só quando o queimador para e somos atingidos por um silêncio absoluto que percebo que estou cantando.

— Sério, mãe? Westlife?

Eu devia estar cantando havia algum tempo porque eu já estava na segunda estrofe — cantando sobre o rosto dos meus filhos e os olhos do meu amante. Flynn e Rose encontram-se ao meu lado (Timothy está atrás de nós, fingindo não notar minha cantoria ou apenas garantindo a experiência mais privada que lhe era possível), e todos nós seguramos a borda da cesta. Eu continuo cantando sobre voar sem asas, enquanto flutuamos sobre os campos de Shropshire, subindo ainda mais sobre uma estrada de mão dupla, mas a ansiedade se insinua no rosto de Rose enquanto finalizo meu tributo a Ronan Keating e os garotos.

— Você está bem? — Pego a mão dela, seus dedos agarrando a cesta, as articulações brancas.

— É muito alto...

— Mãe, é tão estranho — tagarela Flynn, alheio. — Eu posso ouvir aquelas pessoas falando.

Rose e eu voltamos a cabeça na direção de um grupo de fazendeiros sentados na traseira de um trator parado que parece estar a quilômetros abaixo de nós, cercados pelo amarelo vibrante da colza. A cor sumiu do rosto de Rose e posso ver que ela está começando a entrar em pânico.

— Cante.

— O quê? — pergunta ela, confusa.

— Cante. Vai ajudar, eu garanto.

Olho para baixo e vejo o rio Severn fazendo voltas e curvas, ladeado por campos verdes de grama orvalhada e milho dourado. Árvores antigas montam guarda nas linhas militantes. Flynn observa Rose por um minuto e então (em uma voz lírica, dramática, acompanhada por gestos das mãos) começa a cantar "You Raise Me Up". Rose desata a rir e se junta a ele. Eu, dessa vez, sou a espectadora, observando o elo entre meus filhos brilhar ao sol do começo da manhã, que cintila no rosto deles, dando à pele um tom amarelado de manteiga e enchendo-lhes os olhos de otimismo. Um sorriso se abre em meu rosto enquanto eles cantam sobre subir montanhas e atravessar oceanos tempestuosos: os gestos grandiosos se tornam cada vez mais teatrais à medida que alcançam as últimas notas, dizendo um ao outro que se tornarão mais do que podem ser... e eu sei. Sei que eles vão sobreviver a isso. Enquanto observo a sombra do nosso balão inclinar-se sobre o campo de milho, experimento uma sensação de alívio por saber que eles sobreviverão à notícia que logo os lançará em queda livre, tendo apenas um ao outro para aparar a queda.

Deslizamos pelo ar por uns quarenta minutos, observando as cores do horizonte se curvando com as linhas de irrigação dos campos. Podemos ver o mundo em ação, as vidas agitadas passando abaixo de nós enquanto viajamos nesta bolha de silêncio, de quietude — de paz.

Quando começamos a descer, o mesmo acontece com a ansiedade de Rose, mas dessa vez ela parece tê-la sob controle e eu a vejo respirando fundo, murmurando algo para si mesma. Ela está usando as técnicas de atenção plena que temos praticado e, à medida que nos aproximamos do local de aterrissagem — um trecho irregular de terra para cultivo adjacente à estrada principal —, posso ouvi-la sussurrando:

— Posso sentir a aspereza da cesta, posso sentir a força da minha família, posso ouvir os carros nas estradas...

A cesta se inclina apenas ligeiramente, posto que os ventos são muito suaves, mas ainda assim nos seguramos com força quando ela toca o solo com um solavanco e, gradualmente, para. Creio que eu deveria estar olhando a vista fora da cesta, mas tudo que conseguia ver era o rosto deles, a apreensão de Rose dando lugar à calma e o olhar de assombro de Flynn diante das maravilhas que a vida podia guardar para ele.

Ainda tremendo ligeiramente por causa da adrenalina que se mantém viva e percorre meu corpo, somos levados de volta ao local de decolagem e a uma pequena área de piquenique com bancos de madeira espalhados ao lado de toalhas de xadrez vermelho, mantidas no lugar com pratos de bolos e doces para o café da manhã, frutas maduras e taças de coquetel de champanhe e suco de laranja. Falando um por cima do outro, nos sentamos. Nossa mesa do café da manhã está rodeada pelo campo inglês, enquanto mais três balões, um multicolorido, um azul profundo e o outro vermelho como o nosso flutuam em vários estágios de sua hora de esplendor. Eu pego uma tortinha de nozes e damasco, ao passo que Flynn e Rose, previsivelmente, pegam qualquer coisa que contenha chocolate, ambos ainda falando, admirados, que podiam ouvir coisas ditas à distância, embora estivéssemos muito alto. Isso nos leva a uma conversa sobre o Super-Homem e em seguida à discussão familiar, que travamos desde que Rose tinha 7 anos, e Flynn, 10: qual super-herói é o melhor. A condensação escorre pelo lado da taça de vidro quando eu a pego e a levo aos lábios. O peso suave da taça brilha em minha mão à medida que lentamente a inclino em direção aos lábios. Olho para cima e observo os outros balões se afastando no céu enquanto as doces bolhas fervilham em minha língua e a acidez da laranja alcança a parte posterior da minha garganta. Segurando a taça diante de mim, observo as bolhinhas subirem até o topo. Meu coração bate em um ritmo constante: tum, tum. Outro conjunto de bolhas flutua e fervilha até a borda da taça: tum, tum. *Pop*. Fito, hipnotizada, as bolhinhas que continuam a subir, sua vida curta e dourada resumindo-se a uma luta do fundo da taça até o topo, enquanto sobem — em sua minúscula glória — antes de se libertarem e se acomodarem no topo do líquido âmbar: tum, tum. *Pop*. Um momento perfeito em que elas podem se elevar das profundezas e saborear a liberdade, saborear um momento de calma após o esforço da curta jornada: tum, tum, antes de *pop*. E se vão para sempre.

— Mãe?!

— Coloque-a na posição de recuperação.

— Mãe?

— Afaste-se, por favor.

— Sra. King?

— Qual é o primeiro nome dela?

— Melody.

— Melody? Você está me ouvindo, Melody? Vou só virá-la um pouquinho de lado.

— Alguém pode chamar uma ambulância?

— Não — eu arquejo.

O cheiro de grama úmida e fumaça de cigarro me faz vomitar enquanto me livro do casaco com cheiro de nicotina que colocaram em cima de mim. Estou de quatro, minha boca se enchendo com a bile doce antes que o gosto acre e cáustico do vômito exploda ali. Estendo minha mão para que interrompam o bem-intencionado afago nas minhas costas, enquanto o som que produzo ao vomitar quebra a doçura do cenário. Minhas mãos afundam na grama molhada de orvalho, as unhas se sujando de terra.

Pego o lenço de papel que me oferecem e limpo a boca, sentando-me e oferecendo à pequena multidão um sorriso de desculpas. Flynn e Rose estão de pé um pouco afastados, o braço dele envolvendo protetoramente os ombros frágeis da irmã. Meus olhos encontram os dele e lhe dirijo um olhar que pretende dizer que eles estão fazendo uma tempestade em um copo de água, mas a expressão dele é indecifrável. Não consigo ler seu rosto, que está imóvel e cético. Ele desvia o olhar e sussurra algo no ouvido dela. Rose enfia a mão no bolso e pega o telefone enquanto eu me dobro novamente, expulsando do meu corpo o que me resta de dignidade.

Levo algum tempo para convencer o socorrista local de que não preciso de uma ambulância. Coquetel de champanhe e excitação demais com o estômago vazio, asseguro a ele. Não, não, de verdade, estou bem. Meu Deus, a vista não é espetacular?, me entusiasmo. Nós realmente temos que vir aqui mais vezes; para ver os balões. É mesmo? Pássaros raros, você diz? Parece perfeito. Se você pudesse só fazer o favor de me dar um copo de água, eu ficaria bem. Eu ouço essas coisas, falo essas palavras, mas não estou aqui. Sou uma anfitriã. Uma guardiã. Forçada a cuidar, nutrir, proteger. Meus pensamentos são lentos e densos, minha cabeça parece cheia de melado. Fazendo força para me concentrar, olho para onde Flynn e Rose estão. Com a mão, Rose protege os olhos contra o sol enquanto olha para a estrada de terra. Flynn está encostado no tronco de uma árvore me observando. Tento capturar seu olhar, mas ele está concentrado, mordendo a pele do dedo. Quero me levantar, ir até ele, mas minhas pernas estão tremendo sob o tecido da calça e receio cambalear se insistir. Rose começa a acenar para um carro que se aproxima pelo caminho acidentado e percebo, com o coração apertado, que não era um táxi que eles haviam chamado, e sim Shane.

Ele salta do carro, empurra os óculos de sol para o alto da cabeça e acena uma única vez. Está usando uma calça cargo bege e um suéter de tricô branco, de gola alta. É muito mais elegante do que seus trajes de hábito e eu me pergunto aonde ele estava indo. A um encontro, talvez? Com tristeza, admito que, na verdade, sei muito pouco sobre ele, enquanto Shane sabe quase tudo sobre a minha vida... e, pensando bem, sobre a dos meus filhos também. Um campo nos separa, mas posso ver a preocupação estampada em seu rosto, na ruga entre seus olhos e a raiva que fervilha logo abaixo da superfície.

No dia que contei a ele sobre Tom, Shane deixara bem claro que sua opinião era a de que eu devia contar a Rose e a Flynn sobre ele. "Que direito você tem de manter o pai afastado deles?", ele havia me perguntado. Minhas palavras, minhas explicações não tinham conseguido convencê-lo do meu modo de pensar. Ele não sabia da luta que Tom enfrentara para se encontrar, para sentir que tinha um lugar neste mundo, e não compreendia a traição que deve ter sentido quando decidi ir embora naquele dia, sem uma explicação, sem uma razão. Shane ficou ainda mais frustrado com minha decisão quando contei a ele sobre a ressonância, e ergueu os braços, incrédulo, quando eu disse a ele que não precisava de ajuda, que podia lidar com isso sozinha. Ele afirmou que eu estava contando demais com meus filhos. "Eles são apenas crianças, Melody", falou, pegando minha mão e me implorando.

★ ★ ★

Aqui nesse campo, porém, quando vejo Flynn afastando-se da árvore e indo até Shane, sei que eles têm de ser mais do que "apenas crianças". Eles me dão as costas e Rose fica ligeiramente para trás, deixando que Flynn assuma o controle da conversa.

Momentos depois, enfiando as mãos nos bolsos, ela caminha em minha direção, a cabeça baixa, o rabo de cavalo ruivo balançando.

— Não fique zangada — diz ela.

— Eu não estou zangada. — Bato no espaço ao meu lado para que ela se sente. — Mas vocês não precisavam ter ligado para ele. Sinceramente — seguro sua mão fria —, estou bem. De verdade. — Ela me olha através dos cílios cobertos de rímel, uma camada de escuridão apagando sua preciosa luz natural.

— Não, mãe. Você não está. — Ela deita a cabeça no meu ombro e ficamos ali sentadas, com a conversa animada e os cheiros de gás e grama à nossa volta, nenhuma de nós querendo dar o próximo passo na direção do desfecho da conversa. Mantendo os olhos baixos, espero até um par de botas Doc Martens marrons aparecer.

— Então.

— Então — respondo a ele, erguendo os olhos para me deparar, desafiadora, com sua testa franzida que clamava "eu te disse".

— Como está se sentindo?

— Estou bem agora, obrigada. Foi agitação demais. Estou me sentindo muito melhor... você já viu um balão de ar quente ser inflado? Tem um prestes a subir ali...

— Tem certeza de que não quer ir para casa descansar? — Ele se abaixa diante de mim e sinto o cheiro de seu xampu, o cabelo dele ainda úmido.

— Ainda não... — Eu o encaro direto nos olhos. — Está um dia tão bonito e, olhe, tem toda essa comida aqui. Quando é que eu... nós... vamos ter a oportunidade de ver isso de novo?

Ele infla as bochechas e solta o ar, balançando a cabeça antes de sorrir.

— Ok, mas o último croissant é meu.

★ ★ ★

As noites estão chegando mais cedo, eu percebo quando voltamos para casa. Acionando os interruptores à medida que passo, não posso deixar de me divertir com a brincadeira entre os três. A conversa voltou ao debate dos super-heróis e Shane está defendendo o Capitão América.

— Sem essa! Ele nem é um super-herói de verdade.

— Ok, então o que é que define um super-herói? — Rose, sempre a racional.

— Você está teorizando demais, Rose.

Flynn abre o zíper do casaco e o joga no espaldar de uma das cadeiras da cozinha.

— Não estou, não. Vamos lá, me deem, digamos, três características que definam um super-herói.

— Eles precisam ser alienígenas.

— Não, você não pode estar falando sério! — zomba Shane ao jogar as chaves sobre a bancada da cozinha.

— Ele só está dizendo isso porque acha que o Super-Homem bate todo mundo.

— E o Homem Aranha? Ele definitivamente é um super-herói e não é alienígena.

— Que tal terem de conquistar os poderes por acidente? — acrescento enquanto pego as xícaras no armário, colocando saquinhos de chá dentro delas.

— Boa, mãe! Isso tira o Capitão Insignificante da disputa. — Flynn ri.

Meus olhos estão secos e doloridos. Meu reflexo convexo na chaleira de aço inoxidável confirma minha suspeita de que minha aparência está tão ruim quanto o que sinto. Me distanciando da conversa, procuro na gaveta de bugigangas algum analgésico. Sei que não deveria tomar nada mais forte do que paracetamol, mas quase me vergo de alívio quando encontro a codeína. Eu engulo o comprimido com um gole da garrafa semicheia de limonada que pego na geladeira, a temperatura fria descendo pela garganta e alcançando meu peito. Peço licença e vou ao andar de cima, onde entro no banheiro, fecho a porta e me recosto nela. Cerrando os olhos, deixo as lágrimas correrem livremente. O som de risadas enche os ladrilhos frios de calor, e eu sorrio através da visão lacrimosa. Felicidade e medo inclinam a balança interna, me tirando o equilíbrio. Sei que chegou. Sei que agora é a hora de contar a eles: esse era o "mais um dia" e, quando desço a persiana ao fim do dia, admito que meu tempo acabou.

Esperar. Esperar é um verbo. Uma palavra de ação. Estou esperando, nós estamos esperando, nós esperamos. Espero até o fim do filme; as cortinas são abertas e as borras frias no fundo das xícaras de chá e biscoitos quebrados se espalham pela sala. Um bocejo, um alongamento. Como se começa uma conversa dessas?

— Bem... — começo ao desligar a TV, e então me sento de pernas cruzadas no chão da sala. Rose e Flynn continuam em seus respectivos lugares no sofá, inclinando-se em direções opostas, cotovelos no braço do sofá, cabeça aninhada na palma das mãos. — Sobre hoje. — Eles se remexem, aprumando-se enquanto esperam, em expectativa, que eu fale.

— Não vai ser nenhuma surpresa quando eu disser a vocês que não venho me sentindo normal ultimamente, que venho me sentindo indisposta...

Os olhos de ambos gravitam em direção ao outro e, em seguida, retornam a mim. As palavras que preciso dizer estão alojadas em minha garganta, farpadas e arenosas.

— Eu... eu estou, bem, o negócio é que eu...

— O que é, mãe? — pergunta Rose.

— Eu, bem... Eu tenho câncer.

28

# Melody

O câncer pode assumir várias formas, assim como o signo com o qual ele compartilha o nome. Câncer é um signo da água, e a água pode gotejar da torneira: uma chateação que tem solução — mão firme, uma torção — e o problema está resolvido. A água é calma; está em paz com sua pele lisa de espelho. No entanto, um nódulo — uma massa — mergulha nela, ondulando-a: pequenos círculos que crescem e crescem, expandindo-se, incessantes, intermináveis, crescendo em força, consumindo energia até finalmente despencar sobre você, destruindo tudo no caminho.

Dizem que as pessoas nascidas sob o signo de câncer são muito caseiras, agressivamente maternais; elas têm prazer em proteger seu lar. Mas, para isso, podem ser manipuladoras, vingativas e, assim como o caranguejo — cujo nome deriva do latim *cancer* —, rápidas em se recolher em suas conchas duras... escondendo-se.

É isso que meu tumor vem fazendo.

Escondendo-se.

O dia em que Flynn teve seu primeiro encontro com Kate, eu tinha ido ver o resultado dos meus exames. Foi a mais estranha das sensações me sentar ali no consultório da médica. O olhar sentimental e constrangido quando ela se sentou, cercada de fotos dos filhos e do marido. A porta estava coberta com trabalhos de arte pintados a guache, com os dedos. A porta, que deixou entrar uma mulher sem câncer e expulsou uma com ele para o mundo: um mundo diferente do que havia antes daquela consulta de vinte minutos. Enquanto ela me explicava, não pude deixar de olhar para o quadro que retratava um pôr de sol na praia, em sua parede. Eu podia quase sentir o cheiro do churrasco no começo da noite, as toalhas cheias de areia, molhadas e cansadas, enroladas em nós: ombros queimados de sol, pés cheios de areia, enquanto as gaivotas gritavam lá no alto, as ondas batendo, tingidas de vermelho-sangue. Uma cena tranquila, mas eu não podia deixar de me perguntar... quantas outras mulheres haviam recordado tempos mais felizes, sentadas ali, olhando aquele céu tomado pelo fogo, que ia baixando para as ondas, extinguindo sua glória?

Eu não chorei. Assenti, ouvindo com atenção enquanto ela tentava explicar e justificar como isso tinha passado despercebido em tantos exames. Como ele esclarece que o que havia muito fora diagnosticado como um problema mental tinha, na verdade, mais a ver com a massa no meu cérebro. Eu ouvia enquanto ela me dizia que as descobertas eram surpreendentes, e como eles conseguiam ver elementos da síndrome de Tourette que — se comprovados — poderiam modificar o curso das pesquisas sobre a síndrome. A batida na cabeça, o acidente, nada mais era que um caso severo de concussão. Ela falou sobre a tomografia: os tecidos que podiam ver, a massa. Falou sobre uma biópsia; sobre ser realista e me preparar para o pior. Mas tudo que eu conseguia ouvir era a palavra que começa com C.

Quando fechei a porta ao sair do consultório, com folhetos na mão, meus sentidos se aguçaram. É estranho ser informado de que você provavelmente vai morrer. É claro que todos sabemos que isso vai acontecer um dia. Aquele medo que nos sobrevém quando somos criança e, de repente, nos conscientizamos de que mamãe ou papai talvez não voltem. Aquele medo angustiante quando você, ainda pequeno, olha para sua mãe no supermercado e descobre que aquela pessoa parada ao seu lado não é sua mãe, mas uma estranha. O súbito medo de que é possível ser deixado sozinho. Sim, a morte sempre foi inevitável, mas saber que ela virá logo é algo completamente diferente. O painel da porta de bronze que leva à sala de espera de repente parece iridescente. As luzes cintilam, um pouco mais brilhantes. Você nota o amor nos olhos de uma mãe cansada enquanto ela repreende a filhinha por se deitar no chão sujo. Ignora que a pequena parece desgrenhada; em vez disso, percebe o ar travesso, a vivacidade borbulhando por trás dos olhos azul-claros. Lá fora, o mundo de repente parece em alta definição. O canto dos pássaros é mais melódico, suas notas se elevando e pairando acima das árvores, que assentem e se balançam, complementando umas às outras, o acessório perfeito para um traje antigo. Meus passos estão mais conscientes, a suave sensação da meia-calça de náilon preto escorregando dentro das botas de cano longo. O cheiro do meu perfume, mais floral do que eu notara antes. A maneira como meus olhos piscam: minúsculos filmes em *stop motion* que acontecem todos os dias e, no entanto, nem percebemos — as maravilhas do corpo humano. Um ônibus passa por mim: rostos apagados, entediados, olhando pelas janelas se tornam rostos que planejam uma surpresa de aniversário, que recordam como fizeram amor com um novo amante, que decidem o que vão fazer para o jantar — uma refeição que vai agradar a família inteira. Tudo é mais precioso; tudo é mais sagrado.

As crianças estão mais retraídas. É o que eu esperava. Tenho que observar cada movimento de Rose; verificar as mãos de Flynn, em busca de sinais de luta. Ficamos acordados aquela noite enquanto eu respondia às perguntas deles e tentava explicar o que a médica me dissera. A vida continua, à semelhança de antes. O primeiro estágio da minha estrada para a recuperação é a cirurgia. Cirurgia no cérebro. Não posso dizer isso sem rir, de tão sério que soa. Tão ridículo. As coisas podem mudar depois disso. Eu desligo a TV no café da manhã quando Flynn desce a escada.

— Vou largar a universidade — diz ele, como se estivesse perguntando o que temos para o café da manhã.

— Não. Não vai, não. — Eu me levanto e beijo sua cabeça. Essa é uma conversa que já tivemos várias vezes, e é por isso que Shane continua insistindo que eu entre em contato com Tom. Dá para imaginar como seria essa conversa? Oi, sou eu. Melody, isso mesmo, aquela que você pensou que se chamava Melissa... Bem, o negócio é que, na verdade, somos casados, arrã, sim, temos dois filhos, um dos quais ficou cego em um acidente de carro quando você estava dirigindo... sim, esse mesmo, o garoto com quem você tem pesadelos. Ah, e fique de olho em sua filha, Rose. Ela pode começar a se cortar a qualquer momento... ah... por falar nisso, já mencionei que tenho um tipo muito grave de câncer? Sim, um tumor no cérebro. Vou fazer uma cirurgia em breve, então, você se importa de cuidar da casa enquanto eu estiver no hospital? Sabe, botar a roupa na máquina, passar o aspirador de pó? Seria ótimo. — Flynn, já falamos sobre isso. Vamos esperar para ver o que acontece quando o tratamento começar.

— Você dormiu?

— Sim — minto.

— Mentirosa. — Ele me dirige um olhar triste.

— Como está Kate? — Desviar a conversa para Kate é a arma mais poderosa em meu arsenal. — Chá?

— Sim, por favor. Ela está bem, obrigado.

O relacionamento de Flynn tomou um rumo mais sério na última semana, quando ele perguntou se ela podia vir aqui em casa.

— ... e dormir — dissera ele, me olhando nos olhos ao perguntar, deixando claro o que queria dizer. Eu havia me preocupado com a minha decisão. Seria a decisão certa? Uma daquelas decisões que poderia deixar outros pais revoltados? Eu deveria ter insistido que ela dormisse na sala? Não. Confio nele e, convenhamos, se eles vão fazer alguma coisa, pelo menos que seja na segurança da nossa casa.

— Apenas se certifique — eu acrescentara — de que ela peça a permissão aos pais primeiro.

Ela havia gaguejado durante uma pizza que comemos todos juntos em casa, enrubescendo a cada pergunta que eu fazia. No entanto, no minuto em que Flynn falava com ela, mesmo que fosse uma pergunta simples, como se ela queria mais Coca, ela respondia tranquilamente. Quando os observo juntos, fica claro que o que eles têm é algo especial e raro. Está nas pequenas coisas, nos olhares de relance, no roçar de um braço, o esguicho de maionese na pizza porque ele sabe que ela gosta, cada detalhezinho contribuindo para a força de seu relacionamento. Quando você segura nos braços seu menininho, o macacãozinho azul-bebê envolvendo a pele delicada e enrugadinha, você não pensa em como será ver o homem que ele vai se tornar... Num minuto ele está escalando o sofá, no outro está

275

desenhando invenções em seu caderno. Então, antes que você se dê conta, ele está procurando creme de barbear.

Como marinheiras de primeira viagem nessa história de ter uma namorada dormindo em casa, acho que Rose e eu nos saímos bastante bem. Ficamos no andar de baixo até tarde assistindo à comédia romântica mais recente, mantivemos o volume da TV bem alto e nos esforçamos ao máximo para não olhar para o teto toda vez que ouvíamos um rangido. Naturalmente, foi um pouco menos confortável no café da manhã, no dia seguinte, quando comecei a cantar "Like a Virgin" da Madonna.

— Vou dormir na casa dela essa noite. Tudo bem?

— Ah. Hã, ok.

— Os pais dela estão viajando, então...

— Eles sabem que você vai dormir lá?

— Sim, eles são bem tranquilos com isso. O quarto dela fica nos fundos da garagem, com um banheiro no andar de baixo, então não vamos ficar muito mesmo na parte principal da casa.

— Tudo bem para eles que você, bem, durma no quarto da filha deles?

— Acho que sim.

— Ah. Bom. Mas comporte-se e seja educado... e tome cuidado.

— O que você quer dizer com isso, mãe? Que eu limpe os pés antes de entrar na casa? — Ele ri.

— Você sabe exatamente o que quero dizer.

— Muito obrigado — diz ele, rindo.

Droga. Estou cantando "Teenage Dirtbag", do Wheatus.

— Ela não gosta de rock, mãe.

É nesse momento que Rose aparece na cozinha, de short e colete de Super-Homem e com um cardigã azul comprido e velho pendurado nela, o cabelo preso em um coque bagunçado. Ela olha para mim e depois para Flynn, dá de ombros e se junta a mim, cantando sobre o que ela poderia estar perdendo enquanto se inclinam, de costas um para o outro, guitarras invisíveis nas mãos, implorando ao outro para ouvir Iron Maiden.

— Ooooooh, yeah-errrrrrr...

Continuamos a cantar sobre ingressos para um concerto, reiterando que ela não sabe o que está perdendo...

Finalizamos com um ataque de riso.

Enfio a cabeça pela porta do quarto de Rose e a observo sentada na cama desfeita enquanto desliza o dedo pela tela do telefone, as sobrancelhas franzidas, concentrada. Lá está a inevitável pilha de roupas no chão, o suave zumbido de suas pranchas de cabelo. Ela não notou minha presença e aproveito a oportunidade para observá-la. As mangas estão enroladas, o que por si só é um imenso progresso. Ela bufa, olhando para a tela, e sorri — as covinhas surgindo em suas bochechas. Olhando para o relógio, percebo que preciso me apressar; tenho uma consulta com o cirurgião esta manhã. Meu coração aperta, mas eu me permito mais alguns minutos, desfrutando desses momentos, momentos preciosos que normalmente seriam maculados com um gemido provocado pela toalha úmida no chão, pela necessidade de se apressar para não se atrasar para a escola enquanto eu descia a escada correndo, irritada comigo mesma por esquecer que nesse dia tem educação física.

— Rose? Hora de ir. O táxi vai deixar você no caminho para o hospital.

Ela faz que sim com a cabeça e seu rosto volta a ficar sério. E eu queria tê-la deixado sorrindo com qualquer que fosse o vídeo que estava vendo no telefone.

— Sra. King? — Uma funcionária corpulenta, de cabelos roxos com permanente, chama meu nome e eu sigo seu traseiro gingando pelo corredor do hospital. Sou levada para um quarto e um sorriso de dentes falsos me manda esperar.

Eu me sento e olho para a cama com as cortinas puxadas caprichosamente para o lado. Um jovem de 20 e poucos anos entra puxando uma maca, então eu sou pesada, minha pressão sanguínea é medida e eles colhem alguns tubos do meu sangue. Então me deixam sem nada mais que um pequeno chumaço de algodão colado na parte superior do braço e uma sensação de pavor. Por fim, sou conduzida a outro quarto, onde fico à espera do neurocirurgião, o Dr. Rudd.

— Desculpe por fazê-la esperar. — Um homem de voz suave, de 30 e poucos anos, entra no consultório comendo um pacote de tortillas chips sabor queijo nacho. Ele amassa o pacote, transformando-o em uma bola e o atira no cesto de lixo... e erra. Isso não me enche de confiança. Ele segue até a pequena pia e lava as mãos antes de sentar-se atrás da mesa. — Sra. King? Devo dizer que nos deixou a todos empolgados. — Ele sorri para mim por cima dos óculos de aro fino de metal. Fabuloso. Um neurocirurgião que precisa de óculos. Ergo minhas sobrancelhas para ele, que se cala.

— Receio que eu não possa dizer que esteja particularmente empolgada por ter câncer. — Sei que estou sendo rude, mas esse é um daqueles dias em que parece que não consigo evitar.

— Claro. Sim, bem, vamos examinar suas anotações desde o começo? Então a senhora sofreu um acidente em janeiro de 2013?

— Arrã.

— E a partir daí foi descoberto, através de uma tomografia computadorizada, que havia um abscesso cerebral o qual tratamos por via intravenosa aqui por três dias, e isso pareceu resolver o problema...

— O abscesso cerebral, sim, mas não a cantoria.

— Não, não, de fato... e parece que então seguimos o caminho de que se tratava de um problema psicológico e não neurológico. Depois disso, vejo que você teve alguns encaminhamentos e que frequentou muitas sessões com o Dr. Ashley?

— Sim, embora já faça algum tempo que não vou.

— Por que parou?

— Porque não estava ajudando. O problema parece ser desencadeado por estresse e, portanto, venho tentando várias formas de lidar com a ansiedade. E as que funcionaram foram as coisas que pensei sozinha.

— Entendo. Também vejo que a senhora não compareceu a três marcações de ressonância magnética e, portanto, foi encaminhada de volta ao clínico geral.

— Meu filho estava passando por uma fase muito difícil na escola e eu estava indo às sessões de terapia, o que parecia estar ajudando na ocasião, e já tinham me dito que o problema não era com o meu cérebro, portanto, não, eu não fui. — Mordo a parte interna do polegar, como uma aluna malcomportada.

— Muito bem. Certo. Vamos falar sobre o que descobrimos desde que a senhora foi internada no hospital em agosto. — Ele fica em silêncio, folheando as anotações dentro de uma grande pasta marrom, antes de clicar duas vezes o mouse e fitar a tela do computador. — A senhora foi internada sob custódia policial. Pode me falar sobre as circunstâncias desse episódio?

— Minha filha fora encontrada se automutilando quando estava de férias e, como o senhor pode compreender, eu me vi em um estado de grande ansiedade. Quando cheguei ao hospital, estava com muita dificuldade em conter... meu problema, e acabei cantando "Help", dos Beatles. Infelizmente, isso progrediu para músicas mais agressivas. No fim, estava gritando com a polícia e tive de ser contida.

— Então as músicas combinam com seu estado de espírito?

— Sim. Na maior parte do tempo combinam, sim.

— Interessante. Como se sente quando canta?

— Eufórica.

Ele assente.

— Quando estava fazendo a ressonância magnética, a senhora cantou até se acalmar. O exame mostra que a senhora tinha um excesso de dopamina naquele momento.

Olho para ele sem entender.

— Dopamina é o hormônio da felicidade, o que explicaria por que se sente eufórica quando canta.

— Ah. Certo. E isso tem a ver com o tumor?

— Achamos que sim. Vamos descobrir mais após a cirurgia. A parte empolgante, do nosso ponto de vista, é que seus sintomas mostram uma semelhança notável com a síndrome de Tourette, que normalmente se manifesta na infância ou adolescência. Nunca recebemos um caso que tenha se desenvolvido mais tarde, e certamente não um causado por tumor. As altas taxas de dopamina foram conectadas a ele, mas seus gânglios da base...

— Meus o quê?

— Desculpe. Estou me precipitando.

— O senhor poderia, hã... estou bastante preocupada com o câncer. O senhor poderia...

— Claro, claro. Peço desculpas. Como a senhora sabe pelo exame que fez, os tecidos que estão visíveis mostraram que há uma chance muito alta de que seu tumor seja cancerígeno.

— Desculpe, mas me afirmaram que é câncer. O senhor está dizendo que pode não ser?

— Sra. King, acho que é importante não alimentar falsas esperanças. As imagens estão muito claras. Uma biópsia vai nos dar uma resposta definitiva e absoluta, mas, pelo que vimos, temos quase certeza. O que precisamos agora é descobrir de que tipo e se podemos removê-lo.

— Sim, foi o que me disseram. E que ele se encontra em um ponto difícil de se remover.

— Vamos dar um passo de cada vez. O primeiro é descobrir que tipo de tumor é. Então poderemos decidir a partir daí.

— Ok.

— Assim, o que vai acontecer na quinta-feira é...

— Posso só perguntar... como é que o tumor passou despercebido quando fiz a tomografia? É que meus filhos estão com dificuldade para entender isso. Eles têm tantas perguntas...

— Achamos que é possível que o abscesso cerebral fosse um tumor pequeno, o que, infelizmente, em uma tomografia pode quase imitar um abscesso cerebral. Teria sido mais fácil identificar em uma ressonância magnética.

— À qual eu faltei.

Dentro de mim, posso sentir a mola enrolando, tensionando cada vez mais. Um alarido de notas vibra, assim parece, entrando por uma orelha e saindo pela outra.

— Ok, então. Quinta-feira? — Tento recorrer à técnica da atenção plena. Mas estar consciente de me encontrar nesse consultório, de que estou sentada diante de um neurocirurgião e falando sobre meu tumor cerebral, não está ajudando.

— Trata-se de um procedimento bastante simples.

Eu me levanto e encaro o médico, dando de ombros no melhor estilo "não estou nem aí". O Dr. Rudd inclina a cabeça e estreita os olhos, concentrando-se, enquanto eu começo a apontar cabeça, ombros, joelhos e pés — sem falar dos olhos, orelhas, boca e também o nariz. Executo a versão completa, emitindo leves sons de "hummmm" quando passo a saltar partes do corpo em sucessão até que acabo pondo as mãos na cabeça, ombros, nos joelhos e nos pés, joelhos e pés, em silêncio até voltar ao refrão. Mas tenho que dar ao Dr. Rudd o devido crédito: ele não demonstrou nenhuma reação até eu me sentar de novo.

— Sob anestesia — continua ele, como se eu não tivesse ficado me curvando, tocando os dedos dos pés por vários minutos —, vou abrir um buraco bem pequeno em seu crânio para poder tirar um pedaço do tumor com uma agulha muito, muito fina e, com ele — o Dr. Rudd junta os dedos e se recosta na cadeira —, a partir dos resultados, vamos poder ver onde estamos e como proceder.

— Vou precisar dormir no hospital?

— Sim. Poderíamos fazer o procedimento e liberá-la em algumas horas, mas, dados seus outros sintomas, sugiro que a senhora passe uma noite internada.

— Ah. Ok.

— Fica bom assim?

— Deve ficar, sim. Vou ter que pedir à minha mãe que venha de Gales e fique uns dias...

— Melody — ele se inclina para a frente —, a luta contra um câncer implica um longo caminho para a recuperação e, no caso de um tumor cerebral, as complicações podem ser imensas. Você vai precisar de apoio em casa.

Empurro as conversas que tive com Shane para o fundo da mente e dirijo-lhe um firme aceno de cabeça.

Despejando a espuma de banho na água que escorria da torneira, vejo a onda de bolhas cobrir a superfície da água e, então, tento ligar para minha mãe pela terceira vez desde que entrei em casa. Ainda sem resposta, limpo a maquiagem com um chumaço de algodão e me dispo. Quando afundo na água morna, o telefone toca e eu limpo a espuma das mãos e deslizo o dedo pela tela. Ela parece sem fôlego, o que não é nenhuma surpresa. Mamãe nunca para.

— Me desculpe por ter demorado, velha tola que sou. Quebrei o tornozelo. — Meu coração se aperta e afundo ainda mais na água. — Como você está, querida? Como foi a consulta com o especialista?

— Tudo bem... mas vou precisar dormir uma noite no hospital. Você acha que pode vir?

— Ah, Melody, você sabe que eu iria em um piscar de olhos, mas não posso dirigir com esse tornozelo imobilizado. E para que eu serviria? Certamente eles vão ficar bem sozinhos. Flynn tem 17 anos, e Rose é uma garota sensata. — Reviro os olhos e resisto ao impulso de dizer "era". — Flynn vai cuidar dela. E você mesma disse o quanto ela está melhor agora...

— Sim, sim... tenho certeza de que vão ficar bem. — Lágrimas de frustração enchem meus olhos. — Bem, tenho que ir, mãe, alguém está chamando na porta. — Desligamos, e solto um grito de doer a garganta ao jogar o telefone do outro lado do banheiro, ouvindo-o se espatifar com um ruído metálico contra os azulejos brancos. Submerjo e bloqueio tudo, exceto o líquido que enche meus ouvidos.

# 29

# Flynn

Era estranho ouvir mamãe discutindo com Shane. Quase como eu imaginava que acontecia nas casas normais. Sabe, o tipo de coisa por que os casais normais brigam. Tipo, sei lá, não colocar a louça na máquina ou... cara, sobre o que casais normais brigam? Filhos? Dinheiro? Seja como for, fiz o que imagino que a maioria de nós faria. Comecei a escutar. Levei algum tempo para entender sobre o que estavam falando e então captei a essência. Mamãe esteve com ele. Eu entendo por que ela fez isso. Assim, quando você procurou alguém por anos e pensou que a pessoa estivesse morta, ao descobrir que não está, é claro que você vai procurá-la. Mas não entendo por que ela não contou pra gente. Isso explica muita coisa. Tipo: por que ele estava tentando nos encontrar. Eu me sinto um pouco mal por causa do bilhete que deixei para ele. Me sentei no último degrau da escada, tentando entender a conversa e o que significava. Mamãe ficou repetindo que não podia fazer isso com ele, contar sobre nós, e eu tive vontade de dizer obrigado, mãe, mas então ela ficou muito zangada com Shane e disse que ele não entendia. Que papai ou Tom, o que for, não conseguiria lidar... que ele não sabia nada sobre nós. Então acho que isso significa que tem alguma coisa errada com a memória do cara. Rá, e meu professor de inglês que disse que eu não era nada bom com inferências.

Mamãe disse que o amava demais para contar a ele. Isso foi muito estranho de ouvir. Quando ela começou a chorar, bati a porta da frente com força, como se só tivesse chegado em casa naquele momento e subi para o meu quarto.

Pesquisei tumores cerebrais no Google. Claro que sim. Filhos da puta abomináveis, não são? Eu e Rose temos que tomar a frente, acho. Mamãe vai precisar que cuidem dela. Não dá para contar com a vovó. Quero dizer, tudo bem quando estamos com ela, mas ela não vai querer ficar vindo aqui. Ela tem todos esses grupos que frequenta, tipo a junta paroquial e outras merdas assim. Ela tem a vida dela. Sempre foi um pouco assim. É como se mamãe fosse uma velha amiga de quem ela gosta muito, mas é como quando estávamos no hospital da última vez. Ela meio que se coloca no centro de tudo, tipo: o que seus amigos vão pensar se souberem que a neta dela se cortava e ainda por cima no trailer da outra amiga. E você precisava ver a cara dela quando contaram que mamãe tinha sido presa. Assim, que merda, a primeira coisa que ela perguntou foi se estava no noticiário, e não "Minha filha está bem?".

Eu sei o que tenho que fazer, quer seja justo com ele ou não. Não dou a mínima, para ser sincero. Mamãe sobreviveu sozinha por muito tempo e, se ele a ama, ou pelo menos se importa com ela, o que estou supondo que seja o caso, então ela precisa dele.

Não fiquei nem um pouco surpreso quando mamãe me disse que a vovó não poderia vir. Ela vai para o hospital na quinta-feira, o que é uma droga porque é dia de desenvolvimento profissional dos professores na escola, tanto para mim como para Rose, e podíamos simplesmente ficar em casa. Mas mamãe perguntou à ex do Shane se podemos ficar lá, à noite também, o que é estranho. Quer dizer, nós nem a conhecemos. Mamãe deve estar desesperada. Shane não pode ficar com a gente — algo a ver com isso não ser profissional porque ele ainda trabalha comigo e coisas assim, então é isso. Tenho que encontrar Tom barra pai. Posso não conhecer o cara, mas mamãe conhece, e, nesse momento, ela precisa de todo o apoio que puder ter. Quem sabe? Ele pode até fazê-la feliz, pode até acabar sendo o homem que estamos procurando. Segundo sua página no Facebook, ele mora na Cornualha e está trabalhando na próxima exposição, então acho que esse é o melhor palpite de onde encontrá-lo. O problema é deixar Rose. Kate diz que eu deveria contar a ela, mas sei lá... E se ele for um cara desprezível e falar para a gente se ferrar? Como se as coisas não estivessem ruins o bastante com a mamãe e o grande "C".

Então, Kate ficou muito brava quando eu disse que não ia contar a Rose. Mas, na verdade, foi bem fofo. Eu nunca a tinha visto furiosa antes. Apareceram duas manchas cor-de-rosa nas bochechas dela... Bem, ela acha que, se fosse Rose, se sentiria ainda pior depois ao saber que nem mamãe nem eu confiamos nela o suficiente para contar a verdade... Eu não teria pensado nisso, na verdade, mas ela está certa. Acho que ela teria se sentido ainda mais isolada se eu não falasse. Então falei. Primeiro contei que ouvi mamãe, e depois contei que o vi. Ela ficou muito irritada por eu não ter dito nada antes, me chamou de um "babaca completo" e então chorou um pouco. Mas depois ela começou a me fazer uma pergunta atrás da outra, tipo: ele se parece com a gente? O que ele estava vestindo e essas coisas. E você não quer saber do que ela me chamou quando contei sobre o bilhete que deixei pra ele. Rose não falou comigo por alguns dias por causa disso. Deus tenha piedade do homem que ficar com a minha irmã — ela pode fazer do mau humor um esporte olímpico. De qualquer forma, ela meio que parou de me dar um gelo agora que eu disse que vou procurar por ele.

Dizer tchau pra mamãe hoje de manhã não foi um dos meus momentos favoritos. Pude sentir que ela estava tremendo quando a abracei, com seus pedidos de sempre: "Não xinguem" e "Sejam educados". Rose se comportou melhor do que eu esperava, mas acho que é porque ela sabe que temos um plano para ajeitar as coisas. É disso que ela precisa. Ter o controle sobre alguma coisa. As coisas ficaram feias para ela quando deixou de ter... quando não tinha mais a procura pelo papai para se concentrar.

Cara, esta casa parece um museu. Mamãe está sempre falando dela e coisa e tal, sobre como é bonita e como ela gostaria de ter uma casa assim um dia, mas eu acho, sei lá, morta. Não tem personalidade, não há nenhum estrago nas portas, onde alguém surtou e acertou um bom chute, nenhum arranhão no papel de parede porque uma criança tentou andar de skate dentro de casa por causa da chuva, e o lugar inteiro fede a odorizador de ambiente daqueles que a gente põe na tomada ou àqueles palitinhos. Joanna é legal, eu acho. Ela parece um pouco nervosa, mas nos deixou à vontade. Ela nos deixou pedir o que queríamos da pizzaria no almoço, o que foi legal porque nós nunca pedimos os acompanhamentos ou sobremesas. Além disso, ela tem todos os canais de filmes. Vou fingir uma dor de cabeça e ir para a cama (os quartos têm seus próprios banheiros!). Rose vai me dar cobertura (ela vai fazer alguns comentários sobre a necessidade de garotos adolescentes se esgueirarem para o quarto de vez em quando... espero que isso a mantenha longe do quarto e que a faça desistir de ir ver se estou bem), e então vou dar o fora. Cento e cinquenta libras por uma passagem. Porra. Espero que o idiota valha a pena.

Então... eis o que aconteceu. Kate estava me esperando quando cheguei à estação. Senti um imenso nó na garganta quando a vi. Nós não tínhamos planejado ir juntos, eu ia sozinho. Ela me deu aquele sorriso em que me olha por trás dos cílios. A sensação que tenho é de que alguém está apertando meu estômago. Eu sei que parece piegas, mas ela é tão linda... Não consigo acreditar que posso beijá-la, muito menos outras coisas.

— Ei — consegui guinchar.

— Ei. — Ela levou a mão ao bolso e me mostrou a passagem. Assenti e retribuí o sorriso, não confiando em minha voz. O nó na garganta estava ainda maior e eu tive medo de que ela percebesse que eu estava quase prestes a chorar.

— Como você...? — consegui perguntar numa voz estranha e aguda. Ela deu de ombros.

— Economias.

— Mas...

— Eu não q-q-q-quero que v-v-v-v-você vá sozinho. Ele pode ser um...

— Idiota?

— Assassino.

O trem chegou e ela se abaixou para pegar a mochila. Parecia pronta para escalar uma montanha de tão cheia que a mochila estava.

— Esteja preparado. — Ela riu da minha expressão confusa.

Encontramos uma mesa vazia no trem, nos sentamos um ao lado do outro. Deixei que Kate ficasse com o assento da janela e então ela começou a revirar a mochila, tirando pacotes tamanho família de salgadinhos de milho e M&Ms de amendoim. Peguei uma garrafa de Coca de um litro na minha mochila. Trocamos sorrisos e então ela afundou no assento e nos apoiamos um no outro, cabeça descansando com cabeça. Na verdade, eu não sabia o que íamos fazer quando desembarcássemos lá. Eu tinha esperanças de que a galeria ainda estivesse aberta — o último trem devia chegar lá às dez e havia uma exposição privada de um pintor local até as onze. A viagem era longa e, a certa altura, devo ter adormecido, porque a próxima coisa de que lembro é de Kate chamando meu nome, me sacudindo para que eu acordasse.

— Flynn?

Minha boca estava seca, e o lado do meu rosto, quente e comichando.

— Estamos quase chegando.

Me sentei ereto e tomei um gole da Coca já sem gás. Estava escuro lá fora e nosso reflexo nos olhava das janelas espelhadas. Meu telefone estava quase sem bateria, então enviei uma mensagem rápida para Rose, avisando que estávamos quase chegando e, em seguida, conectei o aparelho ao meu carregador portátil. Por fim, nossa estação foi anunciada e nós descemos. A brisa do mar nos golpeou quando saltamos do trem. Kate estava com o sistema de navegação do telefone ligado e seguimos as indicações pelas tranquilas ruas à beira-mar. Ela segurava minha mão com força e, pela primeira vez em toda minha vida, eu tinha alguém que confiava em mim. Por dentro, eu me sentia enjoado. E se a galeria estivesse fechada? Eu não havia me preocupado muito com isso, pois seria apenas eu. Eu ia simplesmente dormir em um ponto de ônibus ou algo assim. Mas agora que tinha sua mão tão pequena na minha, estava começando a entrar em pânico. O mar arrebentava na praia e tínhamos de lutar contra o vento. Continuamos a avançar passo a passo, e ela não disse nada, mesmo provavelmente estando com medo. Dobramos outra esquina e então vimos as luzes acesas, nos dois andares.

— D-d-d-d-deve ser l-l-l-lá.

Ela apertou minha mão e começamos a correr em direção ao edifício no momento em que as luzes do andar superior se apagavam. Bati com força na porta. A placa dizia que estava fechado, mas devia haver alguém lá porque ainda havia algumas luzes acesas. Esmurrei a porta novamente até que a sombra de uma mulher se aproximou.

— Estamos fechados! — gritou ela através da porta. Não a culpo por não abrir. Eu estava com o capuz do casaco cobrindo a cabeça e todo vestido de preto.

— Por favor, se a senhora pudesse nos dar um minuto do seu tempo... — Tentei adotar o tom de Rose quando ela faz as coisas do seu jeito, como quando falou com a policial daquela vez.

— Voltem amanhã — respondeu ela com cautela por trás da porta.

— Por favor, preciso encontrar uma pessoa, um amigo da família... O nome dele é Tom Simmonds.

— O que você quer com Tom? — Ela se aproximou da porta.

— Eu sou... — Ela abriu a porta, olhou o meu rosto e sua expressão mudou de curiosidade, acho, para... sei lá... horror? A reação dela me desestabilizou. Já faz algum tempo desde a última vez que alguém me olhou abertamente como se eu fosse uma aberração. — Sou o filho dele.

— É melhor vocês entrarem. — Ela abriu a porta e ficamos ali parados, desconfortáveis. Mas não pude deixar de olhar os trabalhos expostos por toda parte. Soltei a mão de Kate e dei um passo na direção de uma foto de uma de suas esculturas. Era uma árvore. O carvalho do acidente. Parecia que a foto tinha sido tirada ali, na galeria. Estreitando os olhos para examiná-la, senti arrepios subindo pelos meus braços. Havia uma rosa... ele devia lembrar da gente, então.

— O nome é *Estabilidade* — explicou a mulher.

— É a árvore do acidente — virei a cabeça na direção de Kate — e olha... tem uma rosa.

— Uma rosa?

Eu me voltei para a mulher. Ela é atraente para uma mulher mais velha. Tem cabelos louros cacheados e cheios, que parecem pesar uma tonelada.

— O nome da minha irmã é Rose.

— Meu Deus. — Ela segura a frente do cabelo e suspira. — É melhor vocês me seguirem.

Ela nos leva para o andar de cima e serve em uma taça uma boa quantidade de vinho tinto de uma garrafa já aberta que foi deixada na mesa.

— Sirvam-se. — Ela gesticula na direção da garrafa e os restos de um bufê. Balanço a cabeça e espero até ela engolir o vinho. — Sentem-se. — Ela aponta duas cadeiras de aspecto artístico. Para ser sincero, eu não tinha certeza se não eram peças da exposição, mas nos sentamos nelas, embora fossem frias, duras e cheias de arestas.

— Tom não sabe quem vocês são. — Ela tornou a encher a taça. — Ele não lembra nada de sua vida até onze anos atrás. Ele vivia como sem-teto, sem dinheiro nenhum, completamente destruído quando o encontrei.

— Mas...

Ela ergueu a mão para me interromper.

— Ele tem... sonhos. Ele sonha com um garoto que não tem a metade do rosto... Imagino que seja você. — Ela inclinou a taça na minha direção.

— Eu, eu acho que sim. Não sei. Você é, assim, a namorada dele?

Ela então deu uma gargalhada profunda e sonora.

— Não, não. Eu sou Georgie. Trabalhamos juntos. Sou artista.

— Ah, certo. Legal. Eu sou Flynn e essa é a minha Kate.

— Sua Kate? Que fofo.

Eu estava enrubescendo. Podia sentir o calor em meu rosto.

— Como vocês dois chegaram aqui? Já está bem tarde.

— De trem... Você pode nos levar até ele? Desculpa, não tenho intenção de ser rude, nem nada, mas preciso falar com ele sobre a minha mãe.

— Mãe? Melissa?

— Não.

— Ah.

— O nome dela é Melody.

— Melody? Que engraçado... quer dizer, não engraçado ha-ha, mas... deixa pra lá. Olha, já está bem tarde e ele mora, bem, é bem difícil chegar lá no escuro. Onde vocês estão hospedados?

— N-n-n-nós temos um saco de dorm...

— Nós íamos apenas... — Eu desvio o olhar.

— Ah, merda. Alguém sabe que vocês estão aqui?

— Não exatamente.

— O que isso quer dizer? Não exatamente?

— Rose sabe.

— E sua mãe?

— Ela, bem, esse é o motivo por que preciso falar com ele. Tom. Meu pai, o que for.

— Certo. Bem, não posso deixar vocês dois dormirem na rua, não é? Vocês podem dormir na minha casa essa noite.

— Vamos ficar bem, só precis...

— Flynn?

Aceno com a cabeça.

— Me faça um favor. Estou exausta, meus pés doem e preciso de um banho. Tom é um amigo muito, muito especial, e nossa amizade já é antiga. Mas se eu deixar o filho dele, mesmo que ele não saiba que tem um filho, na rua... ele me daria um chute capaz de me fazer parar na China. Portanto, deixe de besteiras e vamos embora.

Kate estava tentando esconder o sorriso.

— Ok, fique calma. — Sorri para ela.

— Meu Deus, você é igualzinho a ele.

Ela balançou a cabeça, esvaziou a taça e foi desligando os interruptores de luz até a saída.

# 30

# Rose

— Onde ele está? — Jo acendeu a luz do quarto e eu cobri os olhos com o braço. Foi assim que meu dia começou.

— Quem?

— Nada de joguinhos comigo. Posso não ser sua mãe, mas sou responsável por vocês dois até amanhã. Você sabe onde ele está? — Ela estava postada ali, de jeans skinny de grife, blusa branca de mangas compridas por baixo do colete azul-marinho. Já passava da meia-noite e ela parecia saída de um catálogo da Marks & Spencer. A única coisa que faltava era um par de óculos escuros imensos empoleirados no rabo de cavalo que balançava, sedoso. Dei de ombros. — Ele foi só na casa da namorada? — Eu fiz que sim. — Ok, então eu vou mandar uma mensagem pelo Facebook para os pais dela, só para ter certeza, e...

Droga de Facebook. Devia ser muito mais fácil se safar dessas situações quando não existia internet.

— Está bem, está bem... ele não está lá.

— Onde ele está, então?

Eu me sentei na cama e mordi o canto da unha.

— Não posso contar pra você.

— Não, Rose, isso não é verdade. Você pode me contar, mas está escolhendo não me contar.

Desviei os olhos e os fixei nas cortinas, estampadas com pássaros em pleno voo, aquela coisa chique e cara disfarçada de pobrinha e não simplesmente pobrinha como era a nossa casa.

— Está bem. Vou ligar pro Shane.

Ela deixou o quarto bufando, seu perfume a seguindo como uma capa num filme da Disney. Fui para o banheiro e fiquei ali um tempo sentada. É em momentos assim que eu mais sinto falta. Teria sido tão fácil sentir o alívio, o controle do corte. Balancei a cabeça e comecei o processo da atenção plena. Funciona. É difícil de fazer, mas até Joanna irromper quarto adentro outra vez, eu já estava calma e com tudo sob controle.

— Por acaso ele foi atrás do seu pai?

Prendi o cabelo atrás da orelha e puxei as mangas do pijama para baixo. Ela tentou não fixar os olhos nos meus braços, mas deu para sentir que olhava, verificava. Então fingiu espirrar para poder ir ao banheiro da suíte pegar um lenço de papel — a desculpa foi tão esfarrapada, tão artificial que comecei a rir. Ela voltou para o quarto com uma expressão muito puta da vida no rosto.

— Olhe aqui, Rose. Eu não sei como fui cair nessa sua vida, só sei que caí. Então, se você não ficar de sacanagem com a minha cara, eu não fico com a sua. Fechado?

Fiquei um pouco chocada com o modo como ela falou comigo, mas assenti rapidamente com a cabeça.

— Ótimo. Erga as suas mangas.

— O quê? Não!

— Se você estiver correndo qualquer nível de perigo, eu preciso chamar uma ambulância. Não quero ferrar com a minha carreira porque não tomei conta de você direito, ok?

— Está bem. — Enrolei as mangas até os cotovelos e ergui as sobrancelhas para ela. — Feliz?

— Até em cima, ou você pode vestir um dos meus coletes, se preferir. — Ela ergueu as sobrancelhas em resposta para mim.

— Caramba. Satisfeita? — perguntei enquanto virava os braços de um lado para o outro.

— Ótimo. Agora — ela se sentou na beirada da cama —, me conte onde ele está antes que eu ligue pra polícia.

Revirei os olhos e deixei escapar um suspiro.

— Cornualha.

— Como ele foi parar na porra da Cornualha?

— De trem.

— Mas isso deve ter custado a ele...

— Ele usou o dinheiro que ganhou de aniversário.

O rosto dela se suavizou um pouco, então.

— Certo, pegue as suas coisas e vamos lá.

— Como assim?

— Para a Cornualha. Presumo que você saiba para onde ele foi, não?

— Mais ou menos, mas...

— Vamos logo, mexa-se. — Ela se levantou, olhou ao redor e segurou o queixo na mão com uma expressão preocupada no rosto. — Você precisa de... sabe... de lanchinhos e de coisas assim? E de paradas para ir ao banheiro?

Apertei os lábios com força para não cair na gargalhada. Ela pareceu perdida por um instante; a fachada de mulher de negócios durona tinha caído.

— Tenho certeza de que consigo sobreviver por algumas horas.

Ela sorriu, então, quase como se estivesse ansiosa por dirigir durante várias horas, no meio da noite, com uma adolescente mal-humorada que ela mal conhecia.

A primeira hora foi um pouco estranha. Ela ficou me fazendo perguntas bobas sobre a escola, falando sobre a escolinha minúscula onde estudou no País de Gales e contando que nunca tinha as coisas que todas as outras crianças tinham. Disse que se lembrava de um dia em que colocara papelão dentro dos sapatos porque eles estavam furados e chovia. Depois disso, comecei a relaxar. Nós paramos para abastecer e ela me deixou comprar o que eu quisesse na loja e, no fim das contas, descobrimos que a gente tinha um gosto muito parecido. Ela não foi tão rígida quanto achei que seria em relação a não sujar o carro. Em determinado momento, deixei cair metade de um pacote de bacon defumado no chão e ela simplesmente dispensou meu pedido de desculpas com um gesto de mão e disse que já estava mesmo para mandar lavar o carro. A gente começou a conversar sobre roupas e coisas assim, e acabou falando da festa de casamento dela e da tia velhinha que não tomou o remédio para poder beber na recepção e acabou jogando confeitos de amêndoas em todo mundo. Contei a ela que mamãe canta dormindo e, então, não sei por que, talvez porque ela estivesse dirigindo e não estivesse de frente para mim, ou talvez porque não estivesse, sei lá, me forçando a responder perguntas, só sei que comecei a falar sobre coisas das quais não costumo falar. Contei a ela como foi quando descobrimos que papai estava, assim, vivendo uma vida diferente e que ele tinha abandonado a gente. Ela me falou de como tinha desejado filhos, mas que não pôde tê-los. Sobre como tinha sido horrível a cada vez que ela olhara para um teste de gravidez negativo. Foi como se a gente estivesse numa pequena bolha de, sei lá, confiança? Cinco horas num carro é muito tempo para ficar com alguém. Ela me contou como Shane tentara fingir que não tinha importância quando ela sabia que tinha, sim, e que ela ficava tão brava com ele por tentar ser alegre o tempo todo quando os dois sabiam que não estavam; sobre como ela detestava que ele falasse com ela sobre as crianças com quem trabalhava, que ficava com a impressão de que ele a estava castigando por ela não conseguir engravidar. Ela disse que é claro que aquilo não era verdade, mas que era a sensação que tinha na época.

Então ela me falou do trabalho e como é estar no comando, ser responsável pelo próprio sustento e como é incrível poder entrar numa loja e ter dinheiro para comprar uma coisa especial e se dar conta de que era graças ao próprio esforço. Seu e de mais ninguém.

— Estou um pouco desapontada com você, Rose — disse ela quando paramos em um estacionamento desnivelado e cheio de buracos.

— Hein?

— Ora, você ainda não perguntou "a gente já está chegando?" nem uma vez.

Eu saltei do carro e me alonguei. O sol apenas começava a nascer e dava para ouvir o grito das gaivotas acima do som das ondas quebrando. Eram só seis e meia, mas podíamos sentir o cheiro de pão fresco assando.

Do outro lado da rua, uma pequena padaria parecia ter um café anexo. Atravessamos a rua vazia e paramos diante dela e, é claro, a placa dizia "fechado". Ela bateu à porta.

— O que você está fazendo? — perguntei, constrangida. — Está fechada.

— Regra número um. Questione tudo.

Uma mulher de aparência cansada puxou a placa para trás e abriu a porta.

— Sim?

— Oi, sinto muito incomodar e sei o quanto a senhora deve estar ocupada, mas a gente está viajando há horas e...

— Só abrimos às oito.

— Claro, claro, é que a minha filha tem diabetes e a glicose dela está um pouco baixa... deixa pra lá, acho que vi uma máquina de vendas automáticas mais adiante... ah, mas eu estou sem trocados! Me desculpe, será que a senhora pode trocar cinquenta? Aí a gente pode seguir caminho. — De repente, o rosto da mulher mostrou-se um pouco mais alerta. — Me desculpe, a senhora deve estar muito ocupada. — Jo fez cara de "precisamos ter coragem" ao mesmo tempo que se mostrava solidária.

— Bem, eu já ia mesmo ligar a cafeteira, então acho que posso abrir uma exceção.

— Ah, não, não, tudo bem, se vocês só abrem às oito, a gente não quer incomodar...

— Não, está tudo bem. Sério. Eu posso fazer um chocolate quente. Isso ajudaria com o diabetes? Quem sabe um croissant? Posso adiantar uma fornada.

— Isso seria... — uma pausa dramática para recuperar o fôlego —, simplesmente perfeito. Muito obrigada, a senhora é realmente muito gentil — acrescentou ela, enquanto entrávamos para o calor do café. — Aposto que esse é um desses lugares famosos por um pãozinho especial ou um doce, Rose...

— Ah, somos, sim. Somos muito conhecidos pelo nosso pãozinho de pecã.

— Deve ser incrível!

— Ah, é sim. Se não se importarem de esperar meia hora, posso preparar um rapidinho para vocês experimentarem.

— Ah, não, não era minha intenção que a senhora...

— Não é nenhum incômodo, sério. Tenho que preparar alguns de qualquer forma.

— A senhora é realmente muito gentil. Entendo o que dizem sobre esse lugar, as pessoas são maravilhosas — acrescentou Jo, enquanto pousava a mão suavemente no braço da mulher. Quando a mulher nos deu as costas, Jo piscou para mim. — Viu só? Questione tudo.

Já terminando o restinho do meu chocolate quente, notei um jornal local preso no quadro de cortiça. Havia anúncios de diversos estabelecimentos locais, mas algo chamou minha atenção. Eu me levantei e o tirei do quadro. Era o logotipo da galeria. Sentando-me outra vez, coloquei o jornalzinho em cima da mesa, entre nós duas. Meu pai sorria para mim.

— Olhe — empurrei o jornal em direção a Jo —, é ele.

— Aah, ele é bonitão.

— Ei.

— Desculpe. — Ela limpou as migalhas do jeans enquanto corria os olhos pelo jornal. — Diz aqui que ele foi convidado para fazer uma exposição numa galeria de Londres. Uau. Parece que ele está indo bem.

— E...?

— Nada, eu só acho que... Olhe, se fosse eu e eu estivesse começando a fazer sucesso, bem... — Ela tomou um gole de café. — Vai ser muita coisa para ele administrar, só isso.

— Mas você não preferiria saber? — Ela deu de ombros. — De qualquer maneira, agora a escolha já não é dele. Mamãe precisa dele. Ele é nosso pai. Ele precisa saber.

— Mas ela não queria que ele soubesse.

— Você acha que a gente está fazendo a coisa errada? Contando a ele?

— Eu não sei.

Meu telefone tocou.

— Até que enfim! — Mandei uma mensagem para Flynn perguntando por que o telefone dele não estava ligado. Então disse que a gente estava ali, que não tive escolha senão contar a Joanna.

**Merda** foi a resposta dele.

Eles estavam em pé diante da galeria quando chegamos. Flynn pediu desculpas a Jo assim que a viu, e isso me deixou feliz. Ela o chamou de idiotinha mentiroso de merda, mas depois sorriu e disse que eram águas passadas, ou coisa assim. A amiga, companheira, ou sei lá o quê, do papai é muito bonita. Igual àquele anúncio de perfume todo dourado... algo tipo "adore"? Bem, ela se parece um pouco com aquela mulher. Isso me deixou um tanto preocupada, sabe, pela mamãe. Quer dizer, mamãe é bonita e tudo o mais, mas não tem, assim, essa beleza de modelo. Mamãe está mais para o tipo fofa, acho.

— Então, como é que a gente vai fazer isso? — perguntou Georgie.

— Acho que seria melhor eu ir falar com ele primeiro. Ele não lida muito bem com surpresas e essa é das grandes. É capaz de ele precisar de alguns minutos para se ajustar.

Flynn franziu a testa e olhou para mim. Eu olhei para Jo, que concordou com a cabeça.

— É, acho que seria melhor. — Eu me aprumei.

Flynn não estava com a melhor das caras. É em situações como essa que ele perde a cabeça. Olhei para ele com firmeza. Um olhar que eu esperava que dissesse: "esfria a droga da cabeça". Kate passou o braço pelo dele e o encarou.

— Sei que você quer voltar logo para casa, mas vocês precisam fazer isso da forma certa. — Ela sorriu para ele.

— Caramba, vão para um hotel — resmunguei enquanto seguíamos todos para o que supus fosse o carro de Georgie.

Joanna digitava uma mensagem de texto enquanto caminhava.

— Sua mãe já deixou o centro cirúrgico. Correu tudo bem e ela está dormindo.

— Shane sabe onde a gente está? — perguntou Flynn.

Jo fez que sim.

— Ele pediu para dizer a vocês... — Ela sorriu para a tela. — Shane nunca conseguiu mentir para mim sem que eu soubesse, então... — Ela mostrou a Flynn a tela, onde havia um emoji fazendo um *high-five*.

Flynn riu.

Paramos no acostamento de uma estrada atrás de um velho chalé, que ficava bem alto numa colina. O jardim dos fundos descia, afastando-se da casa. Havia uma construção antiga no jardim, com um desses telhados ondulados de zinco. Georgie entrou no prédio e pediu que a gente esperasse onde estava. Depois que ela entrou, nós todos saltamos do carro e fomos até a extremidade do morro, onde ficamos olhando lá para baixo, para o mar. Era bonito, até mesmo com as nuvens cinzentas. Eu me virei e olhei para a casa. Parecia o tipo de construção que a gente veria num programa americano, uma dessas com uma velha rede de madeira balançando do lado de fora na varanda, só que essa era revestida com um negócio com cara de gesso, igual à cobertura de um bolo de Natal. Esfregando os braços, fiquei parada ao lado de Flynn e descansei a cabeça em seu ombro.

— Dá para acreditar que ele está lá dentro? — perguntei a ele.

— É, ele está lá dentro, e a mamãe está no hospital.

— Eu sei, mas, se o que a Georgie diz for verdade, ele não a abandonou, não é? E é um pouco culpa sua ele não a ter encontrado.

— Valeu por isso.

— Ué, é verdade. Só não entra lá dando uma de babaca.

— Não vou fazer isso. É só que... — ele olhou para o telefone — ... já são quase oito horas e a mamãe vai ter alta hoje à tarde. A gente não pode não estar lá quando ela voltar para casa. — Ele olhou por cima do ombro em direção ao galpão. — Quanto tempo leva isso? — perguntou ele, o que restava de sua paciência alfinetando as palavras. Ele se abaixou, pegou uma pedra e a atirou da beira do penhasco. Todos nos inclinamos para a frente para vê-la mergulhar, mas a perdemos de vista antes de ela cair no mar.

— Será que ela vai estar com um pedaço da cabeça raspado? — perguntei para ninguém em especial.

Kate pegou outra pedra e a entregou a ele, e foi assim que a gente passou o tempo até Flynn se cansar de esperar.

— Já chega dessa merda. — Ele atirou uma última pedra da beira do precipício. — A gente não pode se dar ao luxo de perder mais tempo. — Ele se virou na direção da casa, e eu me virei para ir atrás dele.

# 31

# Tom

Quero que você saiba que mesmo então, eu não tinha desistido de você. Quero que você saiba que nunca parei de pensar em você e que nunca acordei de manhã sem sentir sua falta — do calor da sua pele, da curva das suas costas junto ao meu corpo. As coisas não tinham mudado para mim desde a última vez que a vi. Quando terminei as peças inspiradas em você, me inscrevi num concurso... Não ganhei, mas recebi uma ligação do dono de uma das maiores galerias de Londres e eles tinham concordado em expor o meu trabalho. Eu já havia vendido a *Estabilidade* por um valor considerável e sabia que, se vendesse mais umas outras peças, bem, isso tornaria as coisas mais fáceis. Financeiramente. E isso significava que eu poderia mostrar a você a pessoa na qual eu tinha me transformado. Um sucesso. Não um fracassado sem passado e sem futuro. Eu poderia mostrar a você que era capaz de nos sustentar e que, quem quer que fosse aquela pessoa de quem você teve de fugir, ela já não existia.

Naquele dia, eu estava de pé desde as cinco da manhã; eu havia começado a correr de manhã. Aliás, voltei a fazer isso; é uma das coisas que o médico recomendou para ajudar com a insônia. Vinha funcionando — quase sempre —, e eu tinha feito algumas mudanças na alimentação, me certificando de que não estava subsistindo unicamente de cafeína e comida de micro-ondas. Aquela manhã foi a primeira vez que precisei acender a lâmpada fluorescente do galpão, um sinal certeiro de que o inverno vinha se aproximando. Seu zumbido logo foi abafado pelo barulho e pelas fagulhas do amolador enquanto eu afiava as ferramentas, me preparando para um dia inteiro de trabalho. Enquanto ia virando o metal, as fagulhas caíam sobre as pontas dos meus dedos e mais uma lembrança fugaz me ocorreu, a de uma fogueira: luvas vermelhas segurando uma vela-faísca e o cheiro de cachorro-quente. Tenho certeza de que é uma recordação da infância. Tentei capturá-la, examiná-la em busca de pistas, mas a única coisa que consegui enxergar foram as fagulhas e a luva, nada mais. Os músculos do meu pescoço estavam doendo de novo, mas cada vez que eu pensava em descansar um pouco, pensava ainda mais em você. A cada peça que eu esculpia, a cada calo em minha mão, eu sabia que estava um passo mais perto de me tornar o homem que você merecia. A roda perdeu a velocidade e eu coloquei o cinzel de lado, o cheiro de cachorro-quente substituído pelo odor metálico de aço.

— Tom? — Georgie fechou a porta do galpão ao entrar, enquanto eu limpava as mãos no jeans velho de guerra.

— Está um pouco cedo para você, não? — Liguei a chaleira elétrica, equilibrada sobre uma tábua que se fazia passar por bancada nos fundos do galpão. Examinei uma das canecas. Meus dedos sujos carimbaram suas impressões digitais na alça e, por dentro, havia uma mancha marrom em formato de anel, deixada pelo chá a mais ou menos um centímetro do fundo. Dei de ombros e joguei um pouco de café solúvel descafeinado ali dentro. — Café? — ofereci.

— Sim. Quero dizer, não... eu, Tom... — Ela estava em pé ao lado da porta, imóvel, contorcendo as mãos. Dava a impressão de que ainda não tinha decidido se ia ou não ia ficar. O vapor escapuliu de dentro da chaleira, formando plumas, e eu me distraí despejando água na caneca.

— Merda, não sei por onde começar...

— Pelo começo? — Eu me encostei na bancada. Ela andou de um lado para o outro por um tempo, ainda contorcendo as mãos.

— Dois adolescentes apareceram na galeria ontem à noite.

Eu imediatamente senti um frio na barriga. Se tínhamos sido roubados, eu ia ter de repensar meus planos. O dinheiro teria de ser investido na galeria, é claro.

— O garoto — ela me olhou por um instante —, o garoto tem uma cicatriz que desce por um dos lados do rosto, e é cego... de um dos olhos. Tom, ele adquiriu essa cicatriz num acidente de carro. Um carro que bateu num carvalho.

O galpão se inclinou como o horizonte dentro de um navio passando por uma onda raivosa.

Ela puxou a cadeira para perto de mim, tomou a caneca das minhas mãos e mandou que eu me sentasse. Segurando minha mão na sua, ela começou a falar.

— Fui... fui eu que fiz isso? — O cheiro do café barato e da poeira de aço arranhou o fundo da minha garganta.

— Foi, Tom, você estava dirigindo o carro em que ele estava.

— Eu estava dirigindo...

— Tom — ela abriu a palma da minha mão e a pousou sobre a sua, desenhando pequenos círculos com o polegar por cima dos vincos na minha, onde o pó se acumulava —, Tom, você estava dirigindo porque é o pai dele.

— Sou o que dele?

— Você é pai, Tom.

As partículas que irritavam meus olhos se misturaram à lembrança: o quarto com o qual eu tinha sonhado, o quarto onde você estava, só que dessa vez eu podia ver um bebê. Um bebê ensanguentado e piscando os olhos, enrolado numa toalha branca e sendo entregue a mim... *"Você é pai."* Tudo dentro daquele galpão parou. Eu conseguia ouvir a nossa respiração, as gaivotas lá fora dando voltas à beira-mar; o sussurro das ondas lá embaixo.

As palavras de Georgie foram simples. *Você é o pai dele.* Como podem cinco palavras afetar alguém tão completamente? Foi como se um gigantesco buraco tivesse sido rasgado dentro de mim e a única maneira de enchê-lo, agora, era descobrindo tudo a respeito dessa criança. Meu filho. Não sou mais só eu. Li em algum lugar que a população do mundo aumenta a um ritmo de quatro nascimentos por segundo. Pense nisso. "Você é pai" — quatro vezes por segundo. No mundo todo: um pai na Itália corre para o hospital onde a mulher dele se encontra, os longos cabelos escuros presos numa trança que ele a observara fazer naquela mesma manhã, emplastrados no rosto sorridente e suado. A pele dele está suja de óleo quando dizem as palavras: *"Sei un padre"* e a trouxinha minúscula é passada para os seus braços abertos. Uma mulher francesa está agachada, passando um bebê de aparência assustada, embrulhado num cardigã vermelho para um jovem casal muito abalado, cujos planos para o nascimento do filho não saíram conforme o esperado, a criança fazendo sua chegada precoce no estacionamento de um bar, e não no hospital: *"Vous êtes un père."* A cansada viúva de um soldado inglês olha para a lápide enquanto a dor dilacera seu corpo: *"You're a father."* Essas palavras vão sendo murmuradas em todo o mundo em seis mil línguas diferentes: "Você é pai", começando uma "ola" mexicana que se quebra sobre vidas, propagando ondas de euforia e de medo. Essas palavras estão sendo ditas sobre minúsculos bebês no mundo todo, mas a sensação é diferente para mim: o meu bebê é crescido.

— Eu tenho um filho? — perguntei.

— Dois, na verdade. — Havia lágrimas nos olhos dela enquanto ela vasculhava meu rosto. — Você tem uma filha, também... Rose.

— Rose. E o garoto?

— Flynn. E ele é igualzinho a você quando sorri.

— Hã. Flynn e Rose. — Cocei a parte de trás da cabeça. — A mãe deles... — Eu tinha medo de perguntar, ao mesmo tempo que estava desesperado por isso. Eu torcia, com cada centímetro do meu ser, que fosse você. Tinha de ser você. — É... é ela?

Georgie deu uma pequena fungada e começou a assentir com a cabeça.

— Sim, é ela. Melody.

Melody. O som do seu nome foi ecoando pelo galpão, levando luz aos cantos escuros. Eu tenho uma família. Nós temos uma família. Eu não estou só.


— Mel... — e então comecei a rir. Georgie pareceu confusa por um momento e em seguida me acompanhou, mas eu logo parei porque, passando pela porta, estava o rosto que havia anos vinha me assombrando: menos assustador, menos ameaçador e muito parecido comigo.

Meus pés caminharam até ele sem o meu comando. Ele deu um passo para atrás, mas então pareceu se forçar a não recuar. Estendi a mão e ele a aceitou. O buraco que havia dentro de mim foi se enchendo enquanto eu sentia o calor da palma da mão dele, a sensação de sua pele, ainda macia e intacta, a não ser pelo calo no indicador direito. Com uma sede insaciável, o buraco sorveu o cheiro dele, ligeiramente almiscarado e intenso, enquanto eu notava a cor de seus olhos, a textura de seus cabelos, a largura de seus ombros. Foi um cumprimento formal, mas foi também muito mais do que isso. Ele, então, pareceu quase perder o equilíbrio ao inclinar o corpo para a frente; era um estranho para mim e, no entanto, nunca me fora tão natural abraçar outro ser humano, ter seu corpo desengonçado nos meus braços enquanto a palavra "pai" ficava presa em sua garganta. Por cima de seu ombro, vi uma menina entrar. Era frágil, pálida, com cabelos ruivos que cobriam seus ombros como um manto, e eu soube num instante que era minha filha — outra parte de mim que eu não sabia ter perdido. Estava escrito em seus olhos de pálpebras pesadas, nas maçãs do rosto salientes e nos lábios cheios que, com frequência, sorriam para mim do espelho do meu banheiro. Os olhos dela se encheram de lágrimas, e ela olhou para o chão, para onde a ponta de seus tênis de beisebol chutavam o chão. Flynn deu um passo atrás, seus olhos incapazes de encarar os meus.

— Essa é Rose... — A voz dele era mais grave do que eu tinha imaginado, mais de homem do que de menino.

Quando o irmão disse seu nome, algo nela mudou. Suas costas se empertigaram e uma fagulha se acendeu em seus olhos. Ela caminhou até onde eu estava com passos decididos e estendeu a mão para mim. Fui surpreendido pela formalidade de seus modos.

— É um prazer conhecer você, Tom — disse ela, sem o menor tremor na voz. — Nós viemos pedir a sua ajuda.

— Rose... — Flynn se virou para ela.

— Creio que você conheceu nossa mãe... Melody...

— Rose! — repreendeu-a Flynn.

Ela olhou para ele de cara feia e percebi pelo sobe e desce de sua respiração que não estava tão calma quanto queria aparentar. Observei discretamente a maneira que um olhou para o outro, a postura deles, a maneira como conversavam secretamente — meus olhos indo de um para o outro.

— Vamos... hã... tem algum lugar onde a gente possa... conversar? — me perguntou Flynn.

— Sim, vamos... para a casa. Vou fazer um chá. — Enfiei as mãos nos bolsos e conduzi o grupo. — Vocês gostam de chá? — perguntei enquanto caminhávamos para a casa, o vento quase engolindo as minhas palavras.

Meu filho vinha logo atrás de mim. Meu filho. Isso devia ter soado estranho aos meus ouvidos, mas em vez disso tive a sensação de que, por toda a minha vida, eu vinha dizendo a palavra sem pronunciá-la corretamente, como se viesse engolindo as letras até agora. Filho. Sorrio.

Estava começando a chuviscar — pequenas gotas caíam sobre os carros estacionados no caminho. Notei outra adolescente e uma mulher elegante encostadas num Audi.

— Sim, eu gosto de chá — respondeu ele, erguendo a voz acima do barulho do mar e do vento enquanto seguia meu olhar na direção do carro. — Aquela é a minha namorada.

— Um pouco velha para você, não?

— Aquela não... Ah! — Quando ele viu a expressão no meu rosto, percebeu que eu estava brincando. — Aquela é a chefe da mamãe, ou algo assim.

— Ela está aqui? Sua mãe?

— Não — respondeu Rose atrás de nós.

Olhei para ela por cima do ombro, e ela me encarou com uma ferocidade que me fez desviar o olhar. Como terá sido para eles não saberem onde estive esse tempo todo? A maneira que Flynn me abraçara havia respondido a todas as minhas perguntas sobre o tipo de homem que eu devia ter sido antes. A forma que ele se agarrara a mim era sinal do seu alívio. Mas a expressão no rosto de Rose contava uma história completamente diferente.

— Você quer que as suas amigas entrem? — perguntei a Flynn. — O vento pode ficar muito forte aqui fora. — Ele assentiu e fiz sinal para que elas se aproximassem. Minhas mãos tremiam ligeiramente, notei, ao abrir a porta. Dando um passo para atrás para que eles pudessem passar, observei como se movimentavam: meus filhos. Flynn caminhava mais relaxado — até hoje —, enquanto Rose andava com passos largos e decididos, embora ainda mantivesse a cabeça e os olhos baixos. Eu a observei enquanto ela estendia a mão para tocar as flores que eu havia colocado no parapeito da janela. Seu rosto se suavizou quando ela tocou as pétalas vermelhas das rosas no vaso. Mas, ao erguer os olhos e encontrar os meus, sua expressão se endureceu.

— Vou preparar alguma coisa pra gente beber... — gaguejei, mas Georgie pousou a mão em meu braço.

— Deixe que eu preparo. Provavelmente é melhor que você... — Ela indicou com a cabeça o sofá onde Flynn se atirara. Notei que as mãos dele estavam presas entre as da namorada. Rose sentou-se no braço do sofá, ao lado do irmão. Jo foi para a cozinha com Georgie e eu me ocupei em atirar outra tora no fogo, escutando Flynn censurando num sussurro a irmã, perguntando o que havia de errado com ela. Esfregando as mãos uma na outra, eu me empoleirei na poltrona diante deles. Por um momento, ficamos em silêncio.

— Querem que eu comece? — perguntei, minha voz soando mais controlada do que eu me sentia de fato. Flynn fez que sim, e Rose deu de ombros. — Bem... meu nome é Tom Simmonds, mas vocês já sabem disso e eu... é... eu perdi minha memória há onze anos. Não sei meu nome verdadeiro, não lembro dos meus pais nem da minha infância. Hã, sou um artista, um escultor, e essa é a minha casa: a única casa de que me lembro. — Rose olhou para Flynn ao ouvir essas palavras. — Georgie me encontrou morando na rua e me deu um lugar para ficar, me deu um emprego e isso, bem isso é mais ou menos tudo... Até uns meses atrás quando conheci a mulher mais incrível do mundo, que carregava com ela a foto de um garoto com quem eu vinha sonhando, e então ela me deixou sem dizer seu nome de verdade ou onde morava...

— Então você lembra do Flynn? — indagou Rose.

— Não exatamente. Sonhei muitas vezes com um garoto cujo rosto tinha um dos lados destruído, e sonhava também com uma árvore em cujo interior crescia uma rosa. Então parece que, de certa forma, eu também me lembrava de você.

— Você não se lembra da mamãe de jeito nenhum?

— Não... mas tive algumas... bem, eu acho que são recordações da sua mãe... Ela sabe? Que vocês estão aqui? — Eles se entreolharam: uma conversa de olhos arregalados e sobrancelhas erguidas. Rose balançou a cabeça para mim. — Ela contou a vocês sobre os dias que passou aqui? — perguntei e, mais uma vez, Rose balançou a cabeça ligeiramente. Meus ombros se curvaram e eu me recostei na poltrona. — Vocês querem me contar o lado de vocês do que aconteceu? — É uma coisa impressionante de se observar: dois irmãos, de aparência tão diferente, se comunicando sem palavras e se apoiando um no outro tão abertamente. Flynn foi o primeiro a falar.

— Ok, Tom. Eis o que a gente sabe...

Flynn e Rose me contaram tudo: sobre o acidente, sobre o meu desaparecimento e sobre como você me procurou... até o dia que desistiu e aceitou que eu estava morto. Rose me falou da sua viagem para Taunton e de tudo que você descobriu a meu respeito, tudo o que pressupôs a meu respeito depois disso. E Flynn contou que você não queria que eu soubesse sobre eles — disse que você achava que isso não seria justo comigo.

— Por que ela haveria de não querer que eu soubesse?

Flynn se mostrou desconfortável, mas depois suspirou.

— Ela disse que te amava demais para contar.

— Bem, agora eu sei.

— Agora você sabe — confirmou ele.

— Mas tem uma coisa que vocês ainda não me contaram... qual é o meu nome?

Nesse momento Rose sorriu, um sorriso de verdade que fez covinhas surgirem em suas bochechas. Até aquele momento, Rose permanecera sisuda e não havia me olhado nos olhos. Enquanto eu falava, contando a eles a história da minha vida depois da perda de memória, eu tivera a sensação de que havia um rádio tocando ao fundo. Um rádio que não estava sintonizado corretamente. Mas, naquele momento, quando ela sorriu para mim, tive a sensação de que o dial havia sido girado e que as palavras finalmente haviam ficado claras e sólidas.

— Devon, Dev como apelido. O seu nome é Devon King. — Ela me dirigiu um sorriso resplandecente, como o sol surgindo entre as nuvens.

— E... vocês também são Kings? — Mordi o lábio inferior enquanto os dois faziam que sim.

— Então nós éramos casados? Melody e eu? — Mais uma vez eles fizeram que sim e começaram a rir. — Isso é que se chama repetir a história.

Eles ficaram confusos até Georgie explicar:

— Ele a pediu em casamento. Quando ela esteve aqui.

Rose e Flynn se entreolharam, perplexos.

— Mas ela não ficou aqui só uma semana...? — questionou Rose.

— Você nunca ouviu falar em amor à primeira vista? — Eu podia sentir as lágrimas encherem meus olhos. Flynn coçou a nuca ao mesmo tempo que balançava a cabeça. — Vamos, então. — Juntei as mãos com um estalo sonoro. Eu tinha tudo que havia desejado por tanto tempo. Eu sabia quem era, tinha uma família, sentia que fazia parte de alguma coisa e tinha você. Você me amava.

— Ela também me ama, não é? — Os dois assentiram com a cabeça do mesmíssimo jeito, e eu ri enquanto me punha de pé. — Ela me ama e agora eu sei quem sou e, meu Deus, é essa a sensação, é? De se ser... normal? — Rose e Flynn trocaram um olhar de preocupação.

— Nossa família é tudo, menos normal... — murmurou Flynn, mas mesmo assim uma alegria intensa foi penetrando meu corpo, me enchendo de uma euforia que eu não conseguia conter. Eu precisava ir até você. Desconsiderei o comentário dele com um movimento do braço.

— Vou só pegar umas coisas e então... Meu Deus, mal posso esperar para ver sua mãe. Vocês não sabem o que é amar alguém tanto e ela simplesmente ir embora. É...

— Insuportável — Flynn e eu dissemos ao mesmo tempo. Eu queria ter escolhido as palavras com mais sensatez... É claro que eles entendiam. Olhei para o sofrimento que se escondia por trás dos olhos dele e me dei conta de que o que eu tinha passado era apenas uma gota no oceano se comparado ao que ele tinha enfrentado.

— Tom, tem outra coisa, outra coisa que você precisa saber. — O tom usado por ele foi incisivo, como o atrito de uma bala ao ser enfiada no tambor de uma arma. — Olhe, sente aí um instante, e depois a gente pode ir, está bem?

Olhei para a porta. Eu sabia que estava sendo irracional, sabia que estava agindo como um tolo, mas a única coisa na qual eu conseguia pensar era na necessidade de chegar até você.

— Você pode me contar no caminho — eu disse, ligeiramente ofegante. — Se a gente sair agora...

— Pai! — Rose se levantou, a palavra soando tão estranha para ela quanto para mim. Ela passou a língua pelos lábios, como se sentisse seu gosto pela primeira vez. Então se corrigiu, corando de vergonha. — Tom... por favor, sente-se. Foi por isso que nós viemos.

Georgie surgiu ao meu lado, colocando a mão em meu ombro. Com um mínimo de pressão para eu me sentar, desabei. Observei o polegar de Kate acariciar o de Flynn e o jeito que o joelho dele subia e descia. Rose respirou fundo, olhou para Flynn e começou:

— Se a mamãe passou uma semana aqui, tenho certeza de que você percebeu a...

— Cantoria dela? Sim, ela cantou "Nothing Compares 2 U". — Sorri diante da lembrança do seu vestido vermelho, das borboletas verdes e do sabor do seu beijo.

— Isso. O problema de saúde dela. Ela disse a você o que causou?

— Disse. O escorregão no gelo, mas...

— Bem, isso mudou. Nós descobrimos que a batida na cabeça foi só uma concussão.

— Ah. Então...

Ela engoliu em seco e observei suas unhas se enterrarem na palma das mãos. Flynn soltou a mão da de Kate e a colocou sobre a de Rose. Ela ergueu os olhos para ele e foi relaxando os dedos lentamente. Ele arqueou as sobrancelhas, como se lhe perguntasse se ela estava bem, e então olhou para mim.

— Não existe maneira fácil de contar isso a você... A mamãe tem um tumor no cérebro e está no hospital nesse instante, se recuperando, porque tiveram que enfiar uma agulha no cérebro dela para tirar um pedaço do tumor.

Fechei os olhos por um instante enquanto deixava as palavras dela atropelarem meus pensamentos. Lembrei da sensação do seu cabelo nas minhas mãos enquanto eu o amarrava com o pedaço de renda, de como cheirava a maçã e de como você suspirou de felicidade quando eu os lavei no banho. Mas, enquanto eu pensava em você, minha mente substituiu a lembrança pela imagem de um bisturi, seus cabelos emplastrados de sangue, seu suspiro um grito. A pergunta que eu precisava fazer inchou na minha garganta enquanto eu tentava formar as palavras.

— É câncer?

— É... ela vai precisar de muito tratamento e...

Imaginei o seu cabelo caindo no chão aos chumaços enquanto eu passava as mãos por ele. Vi você deitada numa cama de hospital, estendendo o braço para mim.

— Ela não vai conseguir fazer isso sem ajuda — acrescentou Rose. — Não vai conseguir sem você... Nós não vamos conseguir passar por isso sem você.

Não houve nenhuma hesitação na minha resposta. Eu sabia o que precisava fazer.

— Então, o que estamos esperando?

De pé na porta do meu quarto encontrava-se Georgie. Ela alisava os cabelos e me observava enquanto eu atirava objetos na bolsa.

— Você sabe que eu preciso ir — eu disse a ela, sem olhá-la nos olhos, pegando um par de meias já usadas do chão.

— Eu sei.

— Mas...? — Apressado, abri uma gaveta e tirei de dentro uma pilha de camisetas que coloquei sobre a cama. Olhei para a bolsa, então procurei debaixo da cama a mala que estava ali desde que vim morar aqui.

— Mala? — Ela ergueu as sobrancelhas para mim. — Você vai ficar quanto tempo?

— Não sei. — A imagem de você sobre uma mesa de operação quase me tirou o fôlego.

— Mas e a sua exposição? Pelo amor de Deus, você não pode simplesmente ir embora! Você mal conhece essas pessoas!

— Elas são a minha família. — Eu me virei para ela. — O que você quer que eu faça? Que diga: foi um prazer conhecer vocês, sinto muito que a mãe de vocês tenha câncer, mas eu tenho o meu trabalho?

— Bem, mais ou menos isso, sim. Você não é esse tal "Devon", você é Tom. O seu lugar é aqui.

Pensei em todas as coisas que ela havia feito por mim e no quanto a minha vida havia sido feliz por causa dela. Passei o braço carinhosamente pelos seus ombros, e ela se apoiou em mim enquanto eu dizia que precisava ir. Mesmo que eu não tivesse descoberto sobre as crianças, ainda assim teria ido atrás de você.

— Adolescentes costumam ser um pesadelo, e Jo diz que esses dois podem ser bem difíceis. — Ela fungou e eu me dei conta de que estava chorando.

— São meus filhos, Georgie. E até parece que estou deixando o país... Eu volto. É possível que ela dê uma olhada para mim e me expulse de lá.

— Pffft. Até parece — disse ela, fungando.

— Ligo para você hoje à noite, ok?

— Só... lembre-se de quem você é. Não deixe que eles transformem você em outra pessoa, porque Tom Simmonds é o melhor que existe. — Ela secou o rosto com as costas da mão, borrando o rímel, e então beijou meu rosto.

Quando todos se enfiavam no carro, eu me virei para olhar o chalé — a minha casa — com Georgie, de braços cruzados, em pé no vão da porta, os cabelos voando ao redor do seu rosto, soprados pelo vento, e ergui a mão para dar adeus antes de acomodar o corpo no banco dianteiro do Audi.

# 32

# Melody

Estou segura. Me sinto protegida, trancada dentro do meu mundo. Caminho num campo de margaridas que batem nas minhas panturrilhas; é verão. O cheiro de grama cortada e o zum-zum distante de abelhas me enchem de otimismo, como no primeiro dia de verão, quando a gente abre as janelas e desfruta da sensação de alívio por ele finalmente ter chegado. Ouço um zumbido: um zumbido de fazer vibrar os dentes. Olho em direção ao céu e protejo os olhos do sol reluzente. Minha pele tem um cheiro morno de limão, meus pés estão descalços e eu sinto a grama fazer cócegas entre os dedos. Vasculhando o céu, tento encontrar a origem do zumbido. À distância posso ver uma máquina, parece uma colheitadeira, as lâminas girando, o sol refletindo em suas afiadas bordas circulares. Ela vem se deslocando em minha direção. Olho para baixo e vejo as flores se inclinando para longe do barulho. O zumbido fica mais alto, mas acima dele ouço gritos. São as flores, milhares delas gritando de dor, todas ao mesmo tempo, todas estridentes. Começo a correr em direção à colheitadeira para dizer a ele que pare; para dizer que as margaridas estão vivas. Cubro os ouvidos com urgência para protegê-los dos guinchos enquanto corro. Minha voz está presa na garganta; tento fazê-la sair, mas cada vez que ela começa a se formar, explode e volta a se retrair como uma bola de chiclete. O toque da grama nos meus pés se transformou em lama e, quando olho para baixo, percebo que o lodo é vermelho. As flores estão sangrando, mas a máquina continua se aproximando. Estou atolada, meus pés presos na lama-sangue, e os gritos vão ficando cada vez mais altos e o zumbido vibra pelo meu corpo. No horizonte eu vejo a carnificina, o céu antes nítido escurecendo; pétalas — arrancadas dos caules — flutuam: as que têm sorte de escapar. O sol se reflete nelas à medida que vão se transformando de pétalas em notas musicais douradas que enchem o céu, voando cada vez mais alto, brilhando cada vez mais até eu ter de fechar meus olhos.

— Melody? Melody? Você está no hospital. Respire fundo, agora, a sua cirurgia correu bem...

O céu racha e a luz hostil do hospital me puxa de volta.

A enfermeira me transporta para uma enfermaria e, enquanto vou alternando entre o sono e a vigília, ouço a agitação nos cuidados com os doentes: as vozes assertivas das enfermeiras com os pacientes mais obstinados; o tom mais gentil e suave com os mais vulneráveis. Minha cabeça está dolorida e eu adormeço outra vez com a rodada seguinte de analgésicos.

Quando acordo, Shane está sentado ao lado da cama.

— Espero que não se importe de eu estar aqui... Os meninos...

— Pedi a eles que não viessem. É bom você estar aqui. — Minha voz parece um coaxado. Eu me arrasto cama acima enquanto ele me passa um copo plástico azul com água. — Eu não quis que eles ficassem no hospital, comigo, outra vez. Podia deixar Rose triste, podia fazer com que ela se lembrasse da última vez.

— Você está parecendo a figurante em um filme sobre a Guerra Civil dos Estados Unidos. — Ele me dirige um sorriso torto. Com todo cuidado, ergo a mão e sinto as ataduras enroladas em minha cabeça.

Uma mulher deslumbrante com um sotaque jamaicano aveludado surge ao lado dele. Sua pele escura parece quase luminescente: a imagem da saúde.

— Melody... É bom ver você outra vez. Sou a Dra. Malone, eu assisti o Sr. Rudd. Houve um pequeno inchaço, então nós aumentamos a sua cortisona um pouco, mas, a não ser isso, correu tudo bem. — Ela sorri: seus dentes são perfeitamente retos, e os lábios, cheios. — Conseguimos tirar você da UTI e trazer para a Enfermaria Dezoito poucas horas depois da cirurgia, o que sempre é um bom sinal. Vamos ver como você reage durante a noite. Deve poder ir para casa amanhã. O pedaço do tumor foi enviado para o laboratório, aqui no hospital. Os patologistas vão dar uma olhada mais cuidadosa com o microscópio, então nós saberemos de que tipo se trata.

— Quanto tempo até eu saber? — Minha pergunta vaga não precisa de esclarecimento. A Pergunta: A Pergunta que me deixa sem fôlego de tanto pavor e A Pergunta que me dá esperança. Uma vez respondida, essa esperança desaparecerá. Mesmo assim, não posso deixar de ansiar por ela.

— Não muito tempo. Um dia, mais ou menos.

Ela rabisca alguma coisa no prontuário, me dirige um sorriso de modelo de passarela e me manda descansar. Shane senta-se ao meu lado enquanto continuo alternando entre o sono e a vigília: ele me dá pistas para as palavras cruzadas; conta fofocas das revistas. Quando desperto outra vez, ele não está mais lá e a iluminação da enfermaria foi reduzida. Minha mente vagueia até aquela semana com Tom. Fecho os olhos e tento sentir o sol no rosto, a mão dele — áspera e calejada — na palma da minha, a sensação de seu ombro embaixo da minha têmpora enquanto a gente olhava as ondas se aproximarem, mais e mais perto de nós. Penso em Rose e em Flynn, deitados lado a lado no sofá, se acotovelando, rindo do mesmo jeito, inclinando a cabeça de maneira idêntica. Então deslizo de volta a um sono sedado.

Na manhã seguinte, me sinto alerta e impaciente para voltar para casa. O barulho do hospital penetra em cada parte de mim e eu anseio por silêncio. Silêncio absoluto. Isso me assusta. É uma coisa na qual eu não havia pensado seriamente. A ideia de um câncer assusta a gente de tantas maneiras; você pensa na perda dos cabelos, na dor, na fragilidade, mas não para e pensa na irritação que causa uma enfermaria de hospital. Quando eu estava no trabalho de parto de Rose, fiquei numa enfermaria, ladeada por duas outras mulheres. Uma delas falava tão alto que acabei sabendo de cada aflição de sua gravidez. Seus pés inchados, os enjoos matinais, toda a saga. Enquanto eu controlava a respiração durante as contrações iniciais, que vinham se tornando cada vez mais agressivas, o blá-blá-blá dela prosseguiu. Do meu outro lado, uma mulher que estava no meio da gravidez e que ainda vomitava. Quando melhorava, se enchia de comida de novo. Eu podia ouvir o barulho dos sacos de batata frita, as exclamações de felicidade quando o carrinho de comida chegava, depois, inevitavelmente, o cheiro e os sons de quando ela botava tudo para fora outra vez. Eu tinha me esquecido dessa parte da história, recordando apenas a dor que veio mais tarde, a alegria quando Rose nasceu. De alguma maneira, essa parte havia se perdido no cenário, mas agora eu lembrava. Lembrava que lidar com o incômodo dos barulhos da vida alheia se intrometendo na minha concentração, no meu método de enfrentar aquilo, foi quase tão ruim quanto o parto em si.

Shane chega meio desgrenhado, e eu me pergunto que adolescente problemático ele está ajudando neste semestre. Ele parece distraído e inquieto, como se quisesse estar em outro lugar.

— Você não precisava vir, Shane. Estou tendo alta...

— De volta para a sociedade civilizada? — Ele sorri.

— Ha, ha... Eu poderia pegar um táxi. Minhas pernas estão funcionando bem. — Eu mexo os dedos dos pés para demonstrar o que quero dizer.

— Não seja boba. Eu estava mesmo a caminho de casa. Como está se sentindo?

— Bem. Um pouco grogue por causa dos remédios, mas ok... Mal posso esperar para tomar um banho.

— Ansiosa por um pouquinho de "Agadoo", é?

Mostro a língua para ele, que ri, um riso que não chega até seus olhos. Mais uma vez me preocupo com o que ele está enfrentando no trabalho.

— Você se importa se eu for pegar um café rápido? Tive um dia louco. — Ele fica passando o celular de uma das mãos para a outra, como se precisasse olhar alguma mensagem urgente, mas não quisesse fazer isso na minha frente.

— Claro. Será que pode me trazer um, também, por favor, se não se importa?

— Com leite?

— Por favor. — Ele passa o telefone de uma das mãos para a outra mais algumas vezes e então sai. O cheiro dele paira no ar por um instante, pesado e masculino, até que o cheiro de gel desinfetante para as mãos recém-esguichado o extingue.

★ ★ ★

Paramos diante da minha casa. Shane passou a maior parte do trajeto em silêncio, batucando no volante, ansioso, e bufando baixinho diante das menores infrações de trânsito. Ficamos sentados um instante, enquanto uma garoa fina aterrissa no para-brisa; os estalos do motor enquanto esfria preenchem o silêncio desconfortável. O carro de Jo está na pista de acesso, que há mais de ano se encontra vazia.

— Há algo de errado? — pergunto.

Ele tira as mãos do volante e deixa escapar um suspiro. Ansioso, olha para a casa e outra vez para mim.

— O que é? — pergunto. — Os meninos estão bem?

— Os meninos estão ótimos, é que... vamos entrar logo.

O falatório que vem de trás da porta chega até mim como se envolto em plástico bolha; ele protege meus passos e minha apreensão e, então, estoura quando fecho a porta às minhas costas. Flynn surge da sala, olha brevemente para minha cabeça e, com dois passos largos, me engole num abraço. Sinto sua clavícula de encontro à minha testa, os músculos do topo de seus braços da maneira que eu costumava sentir os furinhos em seus joelhos, o cheiro de xampu de bebê há muito desaparecido e o cheiro de masculinidade prendendo a minha atenção tempo o bastante para eu assentir, registrando o reconhecimento. Ele beija o topo da minha cabeça e então me afasta, ainda segurando meus braços.

— Não surta, está bem, mas você tem visita. — Eu ergo a vista rapidamente e vejo Shane desviar o olhar sem conseguir me olhar nos olhos enquanto vai ao encontro de Jo, que, da cozinha, me dirige um sorriso tímido. — Você escovou os dentes, não escovou? — me pergunta Flynn com um sorriso.

— Como assim? — Ao entrar na sala, me pergunto, fugazmente, se a visita é o meu dentista.

Sua presença enche a sala. Cada parte dela. Aquele móvel que faltava e do qual você sempre precisou, que sempre faltou no cômodo: o espelho emoldurado que você pendura acima da lareira; o conjunto de mesinhas no canto da sala; a manta jogada no encosto do sofá ou o tapete felpudo colocado no meio do aposento. A sala estava ótima antes, mas aquele último toque a deixa com a sensação de... um lar.

Ele está sentado no sofá. Rose se encontra ao lado dele e, por um momento, eu fico completamente boquiaberta. Eles são tão parecidos. Como nunca notei isso antes? Olho para as mãos dele; seu dedo anular está engessado.

— Você machucou o dedo. — Minha voz sai firme. Lentamente, meus olhos encontram os dele quando ele se levanta e caminha em minha direção.

— Você machucou a cabeça. — Ele estende a mão e toca a atadura. Enquanto estendo a minha para entrelaçar meus dedos nos dele, me pergunto como consegui permanecer viva esse tempo todo sem ele. Das pontas dos dedos dos pés, minúsculas vibrações vão tomando conta de mim. O compasso lento e a nota sintetizada vibram pelo meu corpo.

— Fique — eu digo, e começo a cantar "Stay", das Shakespear's Sister... o que terá acontecido com elas? Canto segurando as mãos dele diante de nós. Toco seu rosto dizendo que iria para toda parte com ele. Enquanto canto, aviso que ele não deve me deixar sozinha, porque eu não compreenderia; quero que ele fique. Seguro esta nota, depois a repito. Sei o que esta cena deve estar parecendo. Cafona, na melhor das hipóteses, mas minha voz em falsete implora a ele que fique. Repetidamente. Ele afasta uma mecha de cabelo solta do meu rosto. Meus pensamentos lutam uns contra os outros. Preciso dele desesperadamente, eu o quero desesperadamente, mas aí penso no mundo que ele tem e do qual eu o estou arrancando. Imagens de Flynn brigando passam num lampejo diante de mim, Rose coberta de sangue. E depois ainda tem eu. Com essa coisa doentia dentro de mim. Contorço o rosto numa careta um pouco mais sinistra e começo a dizer que é bom que ele continue a rezar para poder voltar para sua vida antiga. Empurro suas mãos, afastando-as, a voz agora amarga. Penso nele se revirando na cama enquanto dorme; penso em como grita quando ninguém está por perto para escutá-lo. Talvez isso fosse melhor. Que ele estivesse sozinho. Será que posso trazer isso para a vida dos meus filhos? Será que quero que eles ouçam os gritos dele no meio da noite? Começo a balançar o corpo no ritmo da música dentro de mim, o trecho instrumental que só eu consigo ouvir, e entro em pânico porque sei que, a qualquer momento, eu vou tentar alcançar uma nota aguda, capaz de estilhaçar uma vidraça, que certamente não faz parte da minha extensão vocal. Enfio os dedos nos ouvidos e tento dirigir a todos um olhar de desculpas enquanto mando ver:

— Iiiiiiigghhhhhhhhhhhhhhhh!

Felizmente, nenhuma janela se estilhaça, só olhos se fechando e ouvidos sendo cobertos. Por sorte, o resto da música é basicamente eu me rastejando, repetidamente. Deixo escapar um suspiro de exasperação e dou de ombros como quem diz: esta sou eu. Você tem certeza?

— Ok — ele diz —, só me avise da próxima vez que tiver de alcançar essa nota outra vez.

Encosto a cabeça no peito dele e ele me abraça no momento em que ouço a porta da frente se fechar suavemente. Quando viro a cabeça, percebo que Shane e Jo se foram e que estou apenas com minha família. Completa.

— Tom? Você usa açúcar? — pergunta Rose, hesitante, por trás da porta.

— É... não, estou tentando diminuir, obrigado — responde ele.

Estamos sentados no sofá e eu sorrio ao ouvir as vibrações da voz dele através de seu peito, repercutindo em meu malar. Flynn entra cambaleando com os braços cheios de biscoitos e os dentes prendendo um pacote de tortillas. Ele atira tudo em cima da mesa sem a menor cerimônia e Rose vem logo atrás carregando canecas de chá.

— É melhor a gente ter provisões. Imagino que essa conversa vá demorar um pouco. — Flynn sorve seu chá ruidosamente, se joga no pequeno sofá, então abre um pacote de biscoitos de chocolate e mergulha um no chá.

— Porco. — Rose, em pé ao seu lado, franze o nariz em sinal de repulsa e mordisca delicadamente a lateral de seu biscoito.

— Você reconhece alguma coisa, Tom? — pergunta Flynn, para em seguida exclamar, quando a ponta do biscoito despenca dentro do chá:
— Merda!

— Não diga merda — resmungo.

— Eu queria dizer que sim, mas não, sinto muito.

— Que estranho. — Rose empurra Flynn para o lado com o quadril e senta-se aos seus pés.

— Você podia me contar um pouco do que lembra de antes do acidente, Flynn? Se não for... você sabe... se você preferir não...

— Não, tudo bem. Você era... bem, você era divertido... era brabo com Lego.

— Brabo?

— Bom, traduzindo do "adolescentês" — explico embaixo do braço dele.

— Você dançava. — Rose sorri para mim. — Você e a mamãe dançavam um bocado.

— Hã... tipo dança de salão? — Flynn quase engasga com o chá e Rose cai na gargalhada.

— De jeito nenhum. Vocês só... Já sei! Que tal eu colocar o DVD? Sinto meu corpo ficar tenso.

— Não sei se isso não é um pouco demais logo de cara, Rose.

— Existe um DVD? — Ele inclina a cabeça para baixo e eu ergo os olhos para ele.

— Existe, mas... já sei. Que tal eu pegar umas fotos? Sabe, para você ir se acostumando devagarzinho?

Mordo a parte interna da bochecha enquanto o olho absorver cada fotografia, cada cena de um mundo diferente do que ele conhece. Nós concordamos em fazer essa viagem ao passado em ordem cronológica; neste instante, estamos no começo da nossa vida juntos. Ele ergue uma das fotos, em que nós dois seguramos uma garrafa de cerveja do lado de fora de uma pequena boate, e balança a cabeça, olhando para mim.

— O que foi? — pergunto, tentando esconder o sorriso diante da expressão desconfortável no rosto dele.

— O que eu tinha na cabeça? Que cabelo!

— Eu adorava o seu cabelo! Nós estávamos prestes a ver o show de uma banda de rock nessa noite...

— Mas é tão... armado! Como era a banda?

— Era péssima. — Balanço a cabeça diante da lembrança.

— O cabelo nem é o pior — Rose se inclina para ele. — Olhem só essas costeletas.

— Hummm, é mesmo, você tem razão. Eu não era muito fã delas. — Rio.

O rosto dele se ilumina quando se depara com a foto seguinte. Nela apareço com o corpo projetado para fora da janela do nosso primeiro apartamento, com um gato chinês da sorte dourado acenando do restaurante chinês embaixo.

— A gente morava aqui? — pergunta ele, animado. — Pintamos a sala de amarelo?

— Pintamos, você se lembra?

— Tive um flash. Não é uma recordação inteira, é uma coisa meio parecida com uma foto, só que acompanhada de um cheiro.

— Como assim? Tipo aqueles cartões que a gente arranha e cheira? — pergunta Flynn.

Tom solta uma risada lenta e preguiçosa.

— É, suponho que sim. Vi você em pé numa escada com tinta amarela no cabelo e senti cheiro de comida chinesa.

— Então está aí dentro em algum lugar. — Bato na cabeça dele suavemente com o punho fechado, bocejando.

— Que tal pararmos por aqui por essa noite? Você precisa descansar — sugere ele, a preocupação fazendo-o fechar a cara.

— Não, está tudo bem, a gente pode...

Ele encosta a mão na minha bochecha.

— Você precisa descansar. — Flynn e Rose trocam olhares de orgulho. Olhares que dizem: nós fizemos o que era certo. Flynn alonga o corpo com exagero e Rose se levanta, agarrando o último biscoito de chocolate antes que a mão de Flynn o alcance.

— Ha, lenta demais, otária. — E o rouba da mão dela.

— Ei! Mãe, ele acaba de...

— Flynn, devolva o biscoito da sua irmã.

— Mas...

— Agora — acrescento enquanto me levanto.

— Está bem. — Ele começa a estender a mão para ela, mas de repente enfia o biscoito inteiro na boca e sai correndo.

— Ele é tão...

— Rose... — aviso.

— Está bem. — Ela atira as mãos para cima. — Deixa para lá. Boa noite.

— Boa noite — Tom e eu respondemos.

Eu me viro para ele com uma expressão de quem diz "crianças são crianças" e o encaro. Seus olhos, que não refletem o humor que há nos meus, são olhos que parecem pertencer a alguém que olha para um precipício antes de pular.

— Você está bem? — pergunto, enquanto ele começa a reunir a louça e faz que sim, sem olhar para mim. — Tom — pouso a mão em seu braço —, você está bem?

Ele se levanta, segurando as canecas e olhando para elas como se não conseguisse se lembrar de como tinham ido parar ali.

— É só que... — ele vai lavando o chá frio do fundo da caneca com movimentos lentos e circulares — ... não faço a menor ideia de como ser pai.

— Foi exatamente o que você disse na noite que a gente voltou da maternidade com Flynn.

Ele me olha por trás dos cílios.

— E o que foi que você falou?

Beijando a ponta de seu nariz, respondo:

— Vai fazer.

# 33

# Melody

Estamos de mãos dadas na entrada do meu quarto. Do nosso quarto.

— Será que eu devo entrar com você no colo? — Ele está nervoso. Tom é rápido em fazer piada para diminuir a tensão. Dev faria uma pausa e pensaria com cuidado e então, talvez, fizesse uma piada. Quase sempre, porém, ele saberia como resolver o problema: livrar-se da tensão, como quem corta um fio esticado demais. Enlaço os dedos nos dele e abro a porta. Minha cama me olha de cara feia. Quem é o intruso?, ela pergunta. Por um instante, ele puxa a minha mão. — Será que devo dormir lá embaixo? Eu não gostaria de aborrecer os meninos.

Rio ao ouvir isso.

— Você vai descobrir que meus filhos — eu me corrijo — que nossos filhos são muito mais... não quero dizer maduros, mas é isso mesmo, maduros. — Acendo o abajur. — Eu os vejo com outros garotos da idade deles e percebo que são diferentes; vejo como se sentem muito mais confortáveis na própria pele. É bom, eu acho, que pelo menos alguma coisa de positiva tenha saído das dificuldades que enfrentaram.

Cansada, eu me sento na cama e dou um tapinha no espaço ao meu lado. Observá-lo olhar o quarto à sua volta me enche de tantas emoções que me sinto paralisada. Ele está tentando não demonstrar o desespero que sente por informações e respostas. Seus olhos — azuis hoje — param de correr de um lado para o outro por um instante e ele parece se aquietar. Os músculos de seu rosto relaxam, as rugas ao redor dos olhos se voltam para cima quando ele avista uma de suas primeiras esculturas. É a pomba que ele fez naquela primeiríssima aula, quando eu havia assistido —

hipnotizada — às mãos dele torcerem e retorcerem criando algo lindo do nada. Hesitante, ele se levanta da cama e caminha até o canto do quarto.

— Você nunca esqueceu essa parte de você. Se tivesse esquecido, eu nunca o teria encontrado.

Ele empurra a asa com cuidado.

— Está feliz de ter me encontrado? — pergunta ele, olhando-me me aproximar e capturando a luz.

— Sim e não — respondo, com sinceridade.

— Não? — Ele inclina a cabeça.

— Sendo egoísta, sim, fico feliz de ter encontrado você. Nunca mais me senti... inteira desde que você foi embora. O mundo nunca mais teve o mesmo brilho. É um pouco como assistir a um filme num videocassete e não em alta definição, acho... Isso faz sentido? Mas aí olho para você... olho para você e sei o quanto vai ter que mudar para fazer parte dessa família, parte dessa vida, e acho que talvez fosse melhor para você se eu não o tivesse encontrado.

Soltando a pomba, ele se aproxima e se ajoelha aos meus pés.

— Se você não tivesse me encontrado... eu nunca teria enxergado em alta definição.

— Tom, tem tanta coisa que preciso explicar, os meninos têm algumas questões, problemas...

— Melody? — Ele faz uma pausa. — Vamos deixar isso para amanhã... essa noite, vamos ser só nós.

Faço que sim, não confiando em mim o suficiente para falar. Então me lembro.

— Tenho uma coisa para você — digo, me esticando até a gaveta da mesa de cabeceira, os dedos se fechando em torno do latão frio do sino.

Ele inclina a cabeça e observa quando abro a palma da mão, as sobrancelhas se arqueando em sinal de choque. Ele me olha, o lábio tremendo, enquanto tenta manter as emoções sob controle. Tom estende o braço e eu ponho a pulseira delicadamente em seu pulso, prendendo o fecho, o sino tocando sua melodia ao ser devolvido ao seu lugar de direito. Lentamente, ele se levanta, me puxa para que eu fique de pé e desfaz o curativo na minha cabeça com todo o cuidado. Cada pedacinho de mim está em alerta: ao sussurro da atadura, aos pelos que se arrepiam nos meus antebraços e à estática dos meus cabelos enquanto ele os alisa. Eu me apoio nele, que passa os braços à minha volta e, por uma fração de segundo, eu me sinto segura. Todos os problemas à minha volta são mantidos à distância pelo corpo dele: uma barreira que afasta tudo de ruim. Uma fração de segundo de ingenuidade antes de eu lembrar que a maior ameaça está dentro dos braços dele, dentro de mim, dentro da minha cabeça.

Acordo e encontro a cama vazia. O relógio tiquetaqueia passando das oito quando estico o braço e descubro que o outro lado da cama está frio. Lá embaixo, ouço vozes. Parece estranho ouvir um dueto de tons graves tão cedo assim pela manhã. O sol se infiltra entre as cortinas, pelo ponto onde um dos ganchos da cortina soltou-se da vara, e uma poça de luz pousa na palma da minha mão. Fecho os dedos em torno dela, mas é claro que não consigo contê-la; em vez disso, a luz flui por cima dos nós dos meus dedos, por cima do local ligeiramente afundado na pele onde ficava minha aliança de casamento. Às vezes, em dias como hoje, eu costumava pensar no que as famílias normais estariam fazendo. Nos últimos dois anos, evitei essa coisa toda do "passeio em família", com medo de insultar algum desconhecido com uma música ofensiva ou envergonhar as crianças desnecessariamente, mas hoje, com minha família lá embaixo, sinto uma atração quase confusa em direção à normalidade, em direção a um passeio em família. Fico imóvel por um instante enquanto a risada de Rose vem dançando escada acima e engulo uma onda de náusea. Até que hoje não está tão ruim. Na maior parte dos dias, já aliviou um pouco lá pelas onze. Tentando não me movimentar de forma muito brusca, eu baixo as pernas pela lateral da cama, flexiono os dedos dos pés, então procuro minhas roupas, sorrindo quando um breve lampejo da noite anterior surge na minha mente.

O cheiro de café me dá ânsias de vômito quando desço as escadas, pé ante pé.

— Ela é a sua primeira namorada, então? — pergunta Tom.

— Dãh — diz Rose —, como se ele fosse atrair muita coisa com uma cara dessas!

Eu me encolho quando ela diz isso. Sei que está brincando, mas temo que ela talvez soe cruel para Tom.

— Ah, fica quieta, ruiva — é a resposta de Flynn.

Os meninos estão sentados à mesa do café da manhã: Flynn mordendo uma grossa fatia de pão torrado e Rose mordiscando uma maçã. Tom ainda veste o jeans e a camiseta cinza de ontem, amassada por ter ficado jogada no chão do quarto. Ele está de costas para mim enquanto fica alguns instantes tentando descobrir como acender o fogão. Com um clique e um silvo, a chama azul lambe a parte debaixo da frigideira. Eu paro e o observo girar o óleo na frigideira e, em seguida, quebrar um ovo nela. Ovos, outra vez. Sentindo que está sendo observado, ele olha para mim por cima do ombro e sorri. Em seguida, volta a atenção para a frigideira, joga um pouco de óleo por cima da gema e então transfere o ovo para cima da fatia de pão que o aguarda, e que ele corta em dois triângulos. Caminhando em minha direção, ele estende o prato com orgulho, oferecendo-o a mim, e pergunta se quero uma xícara de chá. Infelizmente a resposta vem na forma de vômito que cobre os seus pés.

Involuntariamente, ele dá um passo atrás quando vomito outra vez.

— Você poderia simplesmente ter dito não. — Ele balança a cabeça e limpa o canto da minha boca com o polegar. — Rose, você se importa de subir e preparar um banho para a sua mãe enquanto limpo isso aqui? — Ele remexe o bolso detrás e me passa um chiclete. — Quer um copo de água? — Eu faço que sim, sem palavras diante da facilidade com que ele está lidando com a situação. Ele me leva até a cadeira enquanto Flynn desliza um copo de água sobre a mesa em minha direção como se estivéssemos num filme de faroeste.

— Obrigada. Eu já vou ficar bem, não está tão ruim hoje. — Ele morde o sanduíche, mastiga, pensativo, então olha para os sapatos.

— Imagino que você não calce quarenta, Flynn...

— Calço, sim. Vou pegar um par de tênis velhos para você. — O rosto de Tom se abre num enorme sorriso e me dou conta de que ele está feliz...

apesar de estar em pé, comendo um sanduíche frio de ovo e com os sapatos cobertos de vômito.

Solto uma risadinha quando Tom grita do pé da escada:

— Mel, onde fica o esfregão?

— No armário, debaixo da escada! — grito em resposta. Isso é tão esquisito.

Volto a abrir a torneira quente com o pé, então lavo os cabelos. Decidimos levar os meninos para fazer um piquenique no parque e depois ver um filme no novo cinema ao ar livre, o que é bem menos assustador para mim porque posso me afastar um pouco se começar a cantar. As Coisas que precisam ser discutidas são colocadas em banho-maria. Amanhã vai ser o dia em que vamos enfrentar As Coisas que descobriremos no hospital e As Coisas que vamos ter que aprender um sobre o outro. As Coisas, nós decidimos, podem esperar mais um dia. Saio do banho, enrolo a toalha no corpo e vasculho o guarda-roupa. Enquanto visto jeans e uma blusa de gola alta preta, ignoro a dor de cabeça que vai se arrastando lentamente pelo meu couro cabeludo e, em vez disso, curto os sons e aromas de uma casa cheia de vida. O tum-tum-tum da música de Flynn, as declarações e risadinhas da conversa de Rose com Lisa ao telefone, e Tom cantarolando ao meu lado enquanto pendura suas roupas no guarda-roupa antes vazio. Eu borrifo uma marca de perfume que não ousava tirar da caixa fazia muitos anos. Foi o último presente que ele comprou para mim, a mesma marca que eu sempre havia usado e a mesma marca cujo cheiro não consigo sentir sem achar que meu coração está sendo arrancado do peito. Hoje, no entanto, é diferente, e, enquanto o borrifo, sinto mil lembranças espiralando à minha volta: a caixa que ele tentou embrulhar para presente com tanto cuidado, embora o resultado tenha ficado parecendo o trabalho de uma criança pequena; a compra das nossas primeiras cortinas, sem que nenhum dos dois soubesse que tínhamos de medir metade da janela ou ela inteira; uma briga na qual atirei um sanduíche de geleia nele, mas errei e o pão foi bater na janela da cozinha, e o olhar perplexo dele enquanto o olhávamos ir escorregando lentamente janela abaixo.

— Você tinha uma saia quadriculada de preto e vermelho com um botão faltando. — Eu me viro e dou com ele com a cabeça inclinada em minha direção, o corpo ligeiramente para a frente, como se tivesse perdido o equilíbrio.

— Tinha, sim. — Meus olhos se enchem de lágrimas. — Na verdade, foi você que a destruiu.

— Como? — Ele inclina a cabeça daquele jeito que o faz parecer estar pensando na fórmula de uma complexa equação.

— No calor da paixão. — Eu ofego, sedutoramente, então rio de suas sobrancelhas erguidas. — Você a jogou na máquina de lavar junto com meu cardigã fofinho e ele ficou preso... Acho que você pensou que era melhor estragar a saia do que meu casaco velhinho.

— Por que você usava um casaco velhinho?

— Era o que eu sempre usava quando não estava me sentindo bem, sei que era bobo...

— Verde! Verde-escuro e fofinho?

— Você se lembra do meu cardigã, mas não se lembra dos seus filhos? Que tipo de esquisitão doente da cabeça você é, hein? — Ele me agarra pela cintura e me arrasta para a cama chutando, me contorcendo e gargalhando.

— Mãe? Posso pegar a sua chapinha emprestada? — Rose entra no quarto, o rosto inevitavelmente fixo na tela do telefone. Ela ergue os olhos e o rosto se contorce de nojo.

— Ai, eca. Pelo menos fechem a porta. — Ela balança a cabeça, pega a prancha alisadora e sai do quarto fechando a porta com um sorriso oculto no rosto.

Hoje é um dia bom. O sol está brilhando e faz um calor atípico; ao nos aproximarmos do parque local, há um sentimento de liberdade entre os pais sentados nos bancos batendo papo, tendo nas mãos copos de café para a viagem. Longas filas serpenteiam a partir da barraca de sorvete, as crianças curtindo os últimos fiapos de um verão que já deveria ter terminado há muito. A quadra de basquete acolhe os adolescentes atléticos, com seus tênis vistosos e suas roupas de marca, e os skatistas giram nas rampas enquanto grupos de garotas adolescentes observam de pé nas laterais, fazendo um esforço enorme para se mostrarem interessadas ou para parecerem indiferentes. Os meninos caminham à nossa frente — o rabo de cavalo de Rose balançando e o indefectível movimento de cabeça de Flynn para posicionar os cabelos de maneira a encobrir o lado esquerdo do rosto —, conduzindo o percurso até o lago. A mão de Tom segura a minha e seu polegar sobe e desce pelo meu indicador. Minha mente vagueia para onde não devia, perguntando-se se essa é a última vez que vou caminhar por esse parque sob o sol. Minha cabeça está latejando outra vez e tento ignorar as vozinhas lá dentro que me dizem que é melhor eu nem me dar ao trabalho de torcer para os resultados mostrarem algo de inesperado, que o que vou receber é um indulto dos obstáculos constantes que vivo lutando para saltar. Minha visão oscila e eu me seguro a Tom com um pouco mais de força, me agarrando ao aqui e agora. Estamos num trecho de grama ao lado do lago; um grupo de mulheres de corpos perfeitos, esculpidos por aulas de Pilates, se alonga ao lado de uma árvore, à direita, e um caminho sinuoso que leva ao shopping center conduz casais carregando sacolas de compras balançantes e crianças irritadas para longe de nós. Estremeço ligeiramente enquanto as notas de "Feeling Good" escorrem sobre a minha pele, as versões de Michael Bublé e de Nina Simone batalhando com a do Muse. Meus sentidos entram em alerta enquanto observo os pássaros voarem lá no alto e começo a cantar, minha voz indo do grave às oitavas quando pergunto a eles se entendem como estou me sentindo. Pergunto ao sol, também, assim como ao vento que passa soprando por mim. Ergo o queixo e fixo os olhos no céu, reconhecendo que é o início de um dia original, de uma vida original, então o título da canção explode da minha boca porque, de fato, neste instante, eu me sinto bem.

Fico imóvel e sorrio para Tom e para as crianças que se viraram e começaram a desenrolar a manta que trouxemos. Dando de ombros, Flynn se joga sobre ela com Rose ao seu lado e eles começam a estalar os dedos, com Flynn acrescentando "duuuumm... dum-duuuumm... dum-duuuuns". Tom está de frente para mim, segurando minhas mãos nas suas enquanto começo a balançar o corpo ao ritmo dos dedos estalados, falando de peixes e de rios, de flores nas árvores e, mais uma vez, eu realmente me sinto bem. Ele sorri e começa a mexer os ombros para trás e para a frente comigo enquanto Flynn se põe a imitar o som de um saxofone ao fundo. Balança a cabeça diante do ridículo da situação. A expressão no rosto de Rose é parte vergonha, parte orgulho, e ela continua a estalar os dedos e a bater o pé e, até eu chegar à última declaração de como me sinto bem, eles todos se juntaram a mim, cantando. Estamos todos rindo quando Tom e eu finalmente nos sentamos e minha dor de cabeça é momentaneamente entorpecida, à medida que as endorfinas percorrem meu corpo, empurrando a ansiedade para segundo plano.

Quando começamos a abrir embalagens de enroladinhos de salsicha e batatas fritas, Rose vasculha a mochila e saca mais um álbum de fotografias.

— A era dos bebês — anuncia ela, cruzando as pernas e prendendo uma mecha de cabelo solta atrás da orelha. Eu me aninho entre as pernas de Tom e me encosto nele enquanto ele segura o álbum à nossa frente.

— Caramba, nós não esperamos muito tempo, hein? Qual a sua idade? — Ele se refere a uma foto minha aos sete meses da gravidez de Flynn, em pé numa ponte de Shrewsbury tomando sorvete. Estou usando leggings e uma blusa de brim azul ondulando sobre a minha barriga. — Quantos anos você tinha aqui?

— Vinte e um.

Ele traceja a foto com o dedo.

— Nós já estávamos casados? — Seu polegar passa por cima da minha mão segurando o sorvete, minha aliança de casamento claramente visível.

— Sim. Nessa época já estávamos casados havia um ano. Essa foto foi tirada na semana antes de nos mudarmos para a casa.

— Onde você mora agora?

— Arrã.

Flynn limpa os farelos de massa dos jeans, inclina-se e passa a página.

— Olhem só para o bebê mais feio que a humanidade já viu — anuncia Rose, enquanto eu abro um sorriso cansado para a câmera. Um Flynn muito enrugadinho, com rosto cor-de-rosa e a cabeça muito careca, desponta sob uma manta azul-bebê.

— Sonhei com isso, sobre o parto de Flynn.

— Sério? — pergunta Flynn, uma expressão discretamente satisfeita no rosto.

— Pelo menos, acho que sim. Só não sei se foi uma recordação ou só um sonho.

— O que você se lembra do sonho? — pergunto.

— Não muito, você estava usando uma blusa vermelha?

— Estava. Tinha uns terriers escoceses...

— No bolso — ele completa minha frase.

— Tinha, mesmo... Então você lembra.

— Parece que sim.

Tagarelamos até o fim do álbum: as fotos de um Flynn gorducho sentando-se pela primeira vez, Dev caminhando na praia com ele nos ombros enquanto eu, pesada com a gravidez de Rose, sorrio para eles.

— E por falar em bebês feios, olhem só para isso! Credo, como você era horrorosa.

Rose faz cara feia para Flynn, mas logo abre um sorriso.

— Vou tomar isso como elogio, irmão querido, pois isso significa que você não me acha mais horrorosa. — Vencido pela irmã, Flynn se limita a revirar os olhos.

— Ela era uma trouxinha de fúria... cabelos vermelhos e um rosto vermelho e zangado a maior parte do tempo.

Tom ri da foto seguinte: eu tentando desesperadamente alimentá-la com o que parecem ser ervilhas radioativas. A cabeça dela está começando a se virar para longe de mim com uma expressão de pura ira.

Rose faz cara de nojo.

— O que você está tentando me dar para comer?

— Abacate, acho — respondo.

Nuvens cinzentas e fragmentadas cortam o sol constante enquanto outubro nos cutuca, para nos lembrar que ele continua aqui. Flynn verifica o telefone para ver a hora e decidimos juntar as coisas e seguir para o cinema ao ar livre, um estacionamento, na verdade, a não ser por um pequeno trecho de grama na frente, para dias como hoje, quando a proteção de um carro não é necessária. Engulo mais dois comprimidos, então nós caminhamos — essa minha família. Que aparência teremos para quem olha de fora? A de uma família feliz, com todos saindo juntos depois de uma longa semana de trabalho? Será que parecemos nunca ter sido separados? Será que as pessoas nos invejam? Eu invejaria. Olhe só como Flynn e Rose caminham juntos, conversando, rindo, fazendo careta. A cumplicidade dos dois certamente é evidente para quem olha de fora, não? E o que dizer sobre mim e Tom? Um casal bonito? Será que ele parece bom demais para mim, agora que posso sentir o cansaço enrugar minha pele, se mostrar nas bolsas debaixo dos meus olhos? Será que conseguem enxergar as falhas no nosso relacionamento que estamos tentando superar ou será que enxergam apenas o amor que nos mantém juntos?

Tom vai até a cabine e paga as entradas, o orgulho transparecendo em sua voz ao pedir duas entradas para adultos e duas para crianças. As nuvens estão se aproximando, buscando umas às outras, encontrando força em seu número. Nem metade do estacionamento está ocupada: o filme recebeu críticas não muito boas; é só um filme padrão sobre um homem que acaba sendo puxado de volta no tempo, até os anos 1990, e termina — presume-se — tendo a possibilidade de mudar o próprio caminho na vida. Mas eu não ligo para o filme; o que importa é como estou me sentindo neste instante. Parte de uma família normal. Fechamos os zíperes de nossos casacos de capuz e Flynn retornou da lanchonete carregado de nachos e de pipoca. Alguns carros foram embora na metade do filme e as nuvens começaram a garoar. As cadeiras de armar são desconfortáveis e desistimos delas, atirando-nos sobre a manta que havíamos usado mais cedo. Flynn joga pipoca em mim e sorri; Tom retalia imediatamente e a pipoca quica na ponta do nariz de Flynn. Rose começa a rir nesse momento, a rir de verdade, o tipo de risada que ribomba no fundo da garganta e faz a gente bufar e lacrimejar. Mais carros vão embora e a garoa se transforma em chuva. Não demora para que as nuvens se unam em uma só e comecem a atirar gotas pesadas e gordas sobre nós. Em instantes, nossos cabelos estão encharcados e pingando de nossa cabeça. O delineador de Rose faz poças debaixo dos olhos dela, e a chuva goteja dos cílios de Flynn quando nos levantamos. Rapidamente vão se formando poças nos buracos do estacionamento, o filme está chegando ao fim e os créditos finais vão subindo ao som de "Yellow", do Coldplay. Recolhemos nossas coisas com pressa e pegamos um atalho através do estacionamento. Começamos a correr, Tom e eu, mas paramos e nos viramos em direção às risadas e aos gritinhos das crianças que estão — exatamente como faziam quando pequenos — pulando e chapinhando nas poças de água por toda parte. Uma gargalhada escapa de minha boca: a imagem dos créditos na tela rolando por trás deles; o ribombar do trovão à distância; e as risadas e os gritos dos meus adolescentes problemáticos são uma experiência tão estranha e tão familiar que fico paralisada onde estou. Tom segura minha mão, a água pingando de nossos dedos, então se vira para mim e diz (por cima das declarações de verdade de Chris Martin):

— Alta definição.

# 34

# Tom

Fé. Não sou um homem religioso, não creio que jamais tenha sido. Mesmo em meus piores momentos nas ruas, não me lembro de rezar, de pedir a ajuda Dele. Mas, nesse dia, eu precisava da tranquilidade que a fé pode trazer. Eu a desejei quando passávamos pelas portas do hospital e a desejei enquanto esperávamos, sentados, o médico. Uma vez ouvi no rádio que somente de 2 a 15 por cento da população mundial não acredita em Deus. Como pode ser? Como as pessoas podem ter uma fé tão sólida em uma coisa? Qual é seu segredo? Como deve ser incrível acreditar de verdade que existe alguém, alguma coisa lá fora que controla sua vida por você. Que maravilha ter a certeza de que Deus vai guiá-lo por toda a vida e que, mesmo quando tudo estiver indo mal, você sabe que existe uma razão para isso, só precisa encontrá-la. Encontrar a lição para que possa aprender com ela e descobrir o perdão para prosseguir tropeçando pela vida com essa fé cega no bolso. Os locutores discutiram um relatório que mostrava que 81 por cento da população vietnamita não acreditava em Deus e eu lembro de ter pensado que talvez essas pessoas tenham visto tantos horrores que a fé fora arrancada delas: roubada; escondida como os vietcongues, espreitando nas sombras. Nesse momento, ao senti-la tremendo ao meu lado, ouvia você cantarolando "Knockin'on Heaven's Door" (a versão do Guns N' Roses), desejei ter aquela fé, e a convicção de que seríamos protegidos e que haveria alguma mensagem que faria tudo parecer claro. Mas, à medida que ele pronunciava as palavras, explicava que você precisaria fazer uma cirurgia que tinha riscos de sequelas graves, possivelmente até risco de morte, eu soube que não possuía aquela fé. Não tenho fé na existência de um ser divino todo-poderoso e onisciente. O médico continuou explicando que a cirurgia para remoção do tumor era mais difícil do que haviam suspeitado inicialmente, que o local onde ele se encontrava era de difícil acesso, e que as chances de conseguirem tirar todo o tumor eram mínimas. Ele falou sobre o procedimento no qual você engoliria uma cápsula contendo um contraste fluorescente que destacaria a parte externa do tumor; que ele cortaria um pedaço do osso do seu crânio para operar o cérebro; que colocaria suportes de metal para substituir o osso e que então costuraria o couro cabeludo novamente sobre ele. Pensei em índios peles-vermelhas com seus escalpos e, por um breve momento, me perguntei se ele guarda uma coleção de troféus, escalpos que ele tinha feito. Você havia parado de cantarolar. Eu me preparara para toda uma playlist durante essa sessão, mas você parecia quase calma. Como se estivesse discutindo cortar correntes de papel, não pedaços de crânio e couro cabeludo. Você fez perguntas sobre o dreno que inseririam para extrair o fluido — para onde o fluido iria? De volta ao corpo, foi a resposta. Você lembra? O quanto estava calma? A palavra radioterapia quicou nas paredes quando você perguntou quantas vezes precisaria fazer. E depois disse que tinha sorte — sorte! — de pelo menos morar perto do hospital para as consultas semanais.

— Tom? Tom?

Você segurou minha mão, imobilizando-a. Eu não tinha percebido que estava batendo na mesa com força, como um martelo. O som do ar-condicionado zumbia nos meus ouvidos e o ruído abafado do hospital parecia de algum modo mais alto. Meu peito doía e eu tinha dificuldade para me concentrar. Eu havia experimentado esse sentimento antes, de que não podia protegê-la, aquela sensação de não ser capaz de resolver o problema. O médico estava ajoelhado na minha frente, falando baixo e devagar, me dizendo que eu estava tendo um ataque de pânico e que tentasse desacelerar a respiração, que inspirasse pelo nariz e expirasse pela boca. Fitei os seus olhos preocupados enquanto ele continuava a falar comigo, tranquilizando-me, dizendo que eu ficaria bem em alguns minutos e que apenas me concentrasse na respiração. Eu me senti um perfeito idiota. Era você quem tinha câncer, era você que poderia morrer e lá estava eu tendo de aprender a respirar.

— Estou bem — eu disse a você.

— Isso já aconteceu antes? — o médico perguntou a você.

— Sim — você respondeu. — Acontecia bastante depois do acidente... — Você desviou os olhos dos meus.

— E você consultou seu clínico geral, imagino... Sobre esses ataques de ansiedade.

— Consultei um médico, sim. Não é nada. Eu fico um pouco sem ar de vez em quando. Não é nada.

— Não é "não é nada", Tom. Isso aconteceu várias vezes antes de você ir embora... Talvez você devesse consultar seu médico antigo... Agora que está de volta, você ainda está registrado. Quero dizer, você nunca foi oficialmente declarado morto.

— Morto? — o médico quase gritou.

Você suspirou e explicou as circunstâncias resumidamente.

— Você tem amnésia? E não consultou um médico? — perguntou ele em um tom exasperado.

— Olha, eu estou bem. Estou recuperando parte da memória e...

— Posso ser sincero com vocês? — Nós dois assentimos. — Os próximos meses, talvez anos, vão ser muito difíceis tanto fisicamente para você, Melody, quanto emocionalmente para ambos. Se você quiser dar o apoio que ela precisa, primeiro você vai ter que resolver o seu problema. — Fiz que sim com a cabeça. — Logo — acrescentou ele.

Ver você contar às crianças foi algo diferente de tudo que eu já havia vivenciado. Durante todo o trajeto até em casa você ficou quieta e contida. Manteve-se controlada na maior parte do tempo, quero dizer, depois que cantou "Never Gonna Give You Up", de Rick Astley. Normalmente, os dois eram pacientes com seus rompantes musicais, mas dessa vez pude ver os músculos no maxilar de Flynn se tensionarem. Rose parecia controlada, embora cravasse as unhas nas palmas das mãos. Mas, quando Flynn agarrou o braço dela e sussurrou alguma coisa em seu ouvido, ela pareceu desmoronar. Você foi até Rose e a abraçou, e então — como se escapasse de uma jaula — irrompeu em uma versão animada de "Brightside", do The Killers. Ver você aparentemente se divertindo ao cantar sobre algo que a estava matando e assumindo o controle foi uma das manifestações mais cruéis de seu estado que acho que consigo lembrar. Flynn foi até a janela, dando as costas para vocês duas. Fiquei parado no vão da porta, me sentindo um intruso. Ele se virou e me lançou um olhar feroz, enquanto você, sem fôlego, abria a torneira e enchia um copo com água.

— Então, o que você vai fazer?

— Bem, eu, eu, nós todos vamos ter que... — Eu podia perceber que minha voz soava fraca enquanto tropeçava nas palavras.

— Se você não consegue lidar com isso, é melhor ir embora. Agora.

— Já chega, Flynn — advertiu você.

— Não, não chega. Qual o sentido de ele estar aqui se não sabe o que vai fazer? Afinal, ele não estava aqui da última vez em que as coisas ficaram difíceis. — A raiva em seus olhos era palpável e a tensão na sala era densa.

— Não sei por que fui embora antes, mas prometo a vocês que não vou deixá-los de novo. — Minha voz não falhou dessa vez. — Não é disso que sua mãe precisa agora. O que ela precisa é que todos nós encaremos a situação, um passo de cada vez. — Ele veio em minha direção e parou tão perto que pude sentir o cheiro do solvente que tinha usado para limpar seus pincéis.

— Não me diga o que a minha mãe precisa.

— Flynn — disse Rose suavemente —, por favor, não faça isso. — Ele olhou para elas e novamente para mim antes de sair de casa pisando firme, batendo a porta da frente.

Você se levantou e passou os braços pela minha cintura.

— Ele vai ficar bem. Ele só tem dificuldade em lidar com as coisas às vezes... Vamos pedir comida e ver um filme... Rose, o que você vai querer?

— Não estou com fome, mas vocês dois peçam. Vou subir. Tenho mesmo dever de casa para fazer.

— NÃO. — Eu nunca tinha ouvido você levantar a voz com ela antes e isso me surpreendeu. Uma expressão estranha surgiu no rosto dela, mágoa seguida de incredulidade.

— É sério, mãe? Você acha mesmo que vou fazer alguma coisa agora? Tem certeza que você me conhece? Meu Deus! — Ela se levantou e passou correndo por nós.

— Rose, eu...

— Tudo bem. — Ela se virou com a mão na porta. — Pelo visto você confia em Flynn saindo por aí com raiva, mas não confia em que eu vá ao meu quarto sem...

— Rose, eu não quis...

— Sim, você quis. Foi exatamente o que você quis dizer. Mas não se preocupe. Vou deixar a porta aberta. Fique à vontade para me espionar a hora que tiver vontade.

— Merda — você disse, afastando-se de mim e passando as mãos pelos cabelos, como se já estivesse esperando que fossem cair. — Sabe de uma coisa? Vamos abrir uma garrafa de vinho.

— Tem certeza de que deve?

— O que vai acontecer? Eu posso morrer? — Você deu uma risada vazia e passou por mim, indo para a cozinha.

— Não foi o que eu quis dizer. Estava pensando se não te daria dor de cabeça.

Você começou a procurar nos armários. Eu me mantive um pouco afastado, dando-lhe algum espaço.

— Eu tenho dor de cabeça o tempo todo mesmo. Tinto ou branco?

— Hã, tinto. Mel, vamos...

— Você sabe que só começou a beber vinho tinto quando eu estava grávida do Flynn? — Você tirou a rolha e colocou duas taças de vinho na bancada da cozinha. — ... e a comer queijo Stilton. De repente você decidiu gostar das duas coisas que me deixavam sempre com desejo.

O vinho gorgolejava conforme era servido nas taças e você tomou um grande gole, me observando por cima da borda da taça. Peguei a outra e a segui de volta à sala, percebendo que você olhou para o alto da escada ao passar por ela.

Afundei no sofá e você se sentou no chão, com a garrafa de vinho ao seu lado.

— Então... acho que chegou a hora de conversarmos sobre As Coisas.

— Acho que sim. O que você tem medo que Rose possa fazer?

Você tomou outro longo gole e então me contou o que aconteceu depois que me deixou na Cornualha. A prisão no hospital e as medidas que vocês tomaram juntas para ajudá-la a se manter calma. Não sei se você estava ciente de quantas vezes olhou para o segundo andar enquanto falava, como se a necessidade de ir ver se ela estava bem fosse quase desesperada. Após a segunda taça, você subiu a escada e ouvi uma conversa abafada, o rangido da cama quando você se sentou e depois o clique da porta quando a deixou no quarto. A porta se fechou atrás de você como um voto de confiança. Você parecia agitada ao voltar para a sala, tamborilando no telefone.

— Flynn não está atendendo — você explicou sem levantar os olhos.

— Ele é um adolescente. Eles não fazem isso? Sair com os amigos até anoitecer?

Você tirou os olhos do telefone e me olhou como se eu tivesse acabado de falar japonês. Rose me olha assim também agora. Vejo tanto de você nela, Mel, que dói.

— Não Flynn. Acabei de mandar uma mensagem para Kate para ver se ela sabe onde ele está.

— Por que Flynn não? — perguntei.

— Porque ele não tem amigos de verdade.

— Por quê? Ele é tão...

— Porque ele não tem paciência com bobagens e tem pavio curto, não é assim que se diz?

Dei de ombros.

— Ele se mete em brigas, Tom. Muitas vezes. É um mecanismo de defesa. Ele cresceu com os garotos zombando dele por causa do rosto e, naturalmente, nos últimos tempos, por ter uma mãe maluca.

— Ele não fez amigos na faculdade?

— Acho que ele vem se mantendo reservado. Está focado em sua arte, o que é bom, ela o mantém ocupado. Kate é a amiga dele, sua única amiga além de mim e da Rose, e não tenho muita certeza se contamos... Ah, tem

Shane, mas Shane está presente na maior parte das vezes como profissional. Vou mandar uma mensagem para ver se ele tem notícias de Flynn.

— Então, qual é o trabalho dele com Flynn?

— Ele é supervisor de apoio comportamental. No fim do último ano, Flynn não podia nem frequentar as mesmas aulas dos outros garotos. Era muita provocação para ele.

Você falou isso com naturalidade. Eu estava me esforçando para não reagir, sabendo que você precisava que eu mantivesse a calma, mas as perguntas atravessavam minha mente em disparada e eu tinha dificuldade em me concentrar. No andar de cima a porta do banheiro foi fechada. Você interrompeu a mensagem por um momento e olhou de novo para o alto.

— Sempre foi...

— Shhh — você me interrompeu e inclinou a cabeça para o lado, fechando os olhos. Então esperou pelo que pareceu uma eternidade até que, com um suspiro de alívio, ouviu a descarga da privada e os passos de Rose no patamar.

— Rose? — você gritou. — Pode ligar para o Flynn, por favor? Ele não está atendendo.

— Ok — respondeu ela, parecendo entediada.

Você tomou outro gole de vinho, dessa vez devagar, e voltou a se sentar.

— Devo ligar a TV?

Você me olhou, franzindo a testa, como se dissesse: você é mesmo tão idiota?

— Não, provavelmente é melhor se... você está com fome? Posso fazer uma omelete para nós.

— Meu Deus, não. Chega de ovos.

Seu telefone vibrou e você atendeu, falando em um tom exasperado com alguém que presumi que fosse Shane. Você saiu da cozinha, esfregando meu braço ao passar, e me deixou de pé no centro da sua sala, mas não no centro da sua vida. Sem saber o que fazer, subi a escada e fui para o seu quarto. Ele cheirava a você, não uma versão perfumada, mas algo mais primitivo. Estava no ar quando afundei na extremidade da cama, um cheiro que é difícil descrever, um pouco como roupa lavada misturada com chuva. Há estudos que mostram como as pessoas são atraídas umas pelas outras pelo cheiro. Feromônios, acho que é assim que se chamam, que de alguma forma nos atraem, para nos ajudar a encontrar parceiros geneticamente compatíveis. Será que foi por isso que eu sabia que você era a pessoa certa?

— Tom? — Ergui os olhos e vi Rose, ansiosa e pálida parada à porta. — Posso entrar?

— Claro.

Ela sentou-se ao meu lado e ficou puxando a bainha do casaco de capuz.

— Mamãe contou? Sobre mim? — Fiz que sim com a cabeça e tentei olhá-la nos olhos, mas ela baixou a cabeça. — Isso faz você ter vontade de ir embora? — Ela então me olhou, hesitante a princípio, e em seguida com um olhar quase desafiador.

— Não.

— Por quê? Por que você ia querer isso? — Ela jogou as mãos para o alto e correu os dedos pelos cabelos.

— Não tenho escolha — respondi com uma clareza que eu mesmo tinha acabado de começar a entender. — Eu a amo.

— Mas como você pode saber se não se lembra da sua vida de antes?

— Não sei. Só sei que prefiro a vida com a minha família, e tudo que vem com ela, a uma vida sem vocês todos. — Ponho a mão no meu peito enquanto tento explicar a ela. — Isso aqui estava vazio, mas, desde que vocês me encontraram, eu me sinto... inteiro. Isso faz sentido?

— Mas e se ela morrer? Você ainda vai querer a gente?

E então, antes que eu pudesse responder, você irrompeu no quarto, ligeiramente sem fôlego, os olhos fixos no rosto dela.

— Ele se envolveu numa briga.

— Que surpresa. — Rose descruzou as pernas e prendeu o cabelo em um rabo de cavalo. — Com quem?

— Não sei ainda. O Shane vai trazer ele em casa, assim que o Flynn se limpar. — Você mordeu o canto do polegar. — Parece que ele cortou o lábio do outro garoto.

— Bem, esse é o Flynn. Bate primeiro, pensa depois.

— Não é culpa dele de verdade. Ele está chateado por minha causa e...

— Por que você sempre faz isso? Por que sempre o defende? É culpa dele, sim, mãe. — Você pareceu atingida pelas palavras dela, fisicamente afastando a cabeça. — Ele escolheu bater em alguém, ele sempre escolhe fazer isso e precisa parar, porque, se alguma coisa acontecer — a voz dela ficou presa no fundo da garganta —, se alguma coisa acontecer com você, então como vai ser? Como eu vou lidar com as coisas se ele estiver na cadeia, mãe?

— Isso não vai acontecer — eu disse. Mesmo enquanto eu falava, podia sentir o quanto minhas palavras soavam estranhas para vocês duas, o quanto eu era um intruso. — Isso não vai acontecer — repeti. — Eu estarei aqui. Vou ajudar.

— Ele pode não ouvir você.

— Talvez não, mas ele também não parece estar ouvindo você. — Temi ter ido longe demais, falado demais. Até que você começou a assentir.

— Você pode estar certo, talvez ele ouça você... Ele sempre foi mais levado comigo quando era pequeno. — Você me dirigiu um sorriso triste e, então, apoiou a testa na minha enquanto passava o braço pelos ombros de Rose.

— Vamos ficar bem... — você disse baixinho, mas nem Rose nem eu replicamos, optando por acreditar, por um momento, que o que você estava dizendo era possível.

— Eu sei que estive... longe — afastei-me de vocês duas —, mas conhecia vocês, e isso devia vir muito lá do fundo. E, como você disse, vou aprender a ser pai. Como ele normalmente reage ao vir para casa depois de algo assim? Posso não saber como ser pai ainda, mas sei o que é ver as pessoas em seu pior momento. Já vi o que podem fazer quando perdem toda a lógica e o bom senso. Posso não conseguir protegê-lo, mas posso compreendê-lo.

Já era tarde quando a chave deslizou na fechadura. Você adormecera apoiada em meu peito enquanto eu assistia à TV sem som. Rose fora para cama pouco antes, beijando sua cabeça antes de ir, como se você fosse a criança e ela o adulto.

— Flynn? — você perguntou, grogue, no minuto em que a porta se fechou. Você se levantou, esfregando os olhos. Ele estava parado ao lado da porta, a mão ainda apoiada nela. Rápida e desajeitadamente, você foi até ele e tomou as mãos dele nas suas, virando-as para inspecionar o dano às articulações dos dedos. Havia sangue seco na perna do jeans e eu me perguntei se seria dele ou do outro garoto. — Ah, Flynn. O que aconteceu? O que foi que disseram a você? — Ele deu de ombros e senti uma pouco familiar onda de raiva dirigida a ele. Sua testa estava franzida e eu podia ver que você estava com dor de cabeça pela maneira como tinha os olhos ligeiramente semicerrados. Você deveria estar lá em cima, na cama, sentindo-se segura e descansada. Deveria estar se concentrando em se cuidar, e não tendo de lidar com um ataque de raiva de um já quase homem feito.

— Nada.

— Bem, devem ter dito alguma coisa. Quem foi?

— Não foi nada. Eu só... eu precisava... foi só uma discussão por causa do telefone.

— O que tem o telefone?

— Ryan disse que o app que eu estava usando para fazer download de músicas era uma merda, então...

— Você bateu nele por causa da opinião dele sobre um app? — perguntei. Podia ouvir a irritação que eu sentia arranhando minha voz.

— Ele sempre diz coisas para irritar Flynn — você interveio, rápida em defendê-lo —, mesmo antes do acidente...

Eu estava tendo dificuldade em conter todos os meus pensamentos e sentimentos. Tentando lutar contra a Coisa Certa a Fazer. Deveria agir como um pai? Agir com rigor? Ameaçar... o quê? Colocá-lo de castigo? Ou devo agir como um estranho, deixar que vocês resolvam isso entre vocês? Eles foram me procurar, percorreram toda aquela distância, para quê? Para que eu fizesse as compras e limpasse a casa?

— Já chega — falei em voz baixa, mas com firmeza. Vocês dois me olharam, confusos. — Já chega — repeti, olhando para Flynn.

Ele endireitou os ombros, o macho alfa. Então começamos a dança que há séculos vem sendo feita por lobos e gorilas, leões e tigres, pais e filhos. O espetáculo da dominação e submissão. Dei um passo na direção dele.

— Você precisa deixar a sua mãe descansar, Flynn, dar um tempo. Por que não vai para o seu quarto ouvir música, pintar ou desenhar... mas vá para o seu quarto e pense na merda que fez. Agora.

— Não me diga o que fazer.

— Não estou dizendo a você o que fazer. Estou sugerindo que deixe sua mãe descansar.

Os ombros dele curvaram-se, os olhos baixaram e, então, ele subiu a escada.

Na manhã seguinte, ele entrou na cozinha quando eu estava ao telefone com o médico.

— Sim, por favor, hoje se possível. — Ergui uma xícara para ele e liguei a chaleira quando ele fez um breve gesto afirmativo com a cabeça. Abri o armário errado, procurando o chá. Ele me passou o recipiente de cerâmica creme no qual se lia a palavra "chá". Um sorriso; um obrigado. — Meu nome é... Dev? Hã, Devon King. — Desviei os olhos de Flynn, experimentando a sensação, ao dizer aquelas palavras, que ele havia me apanhado no flagra: um impostor. — Data de nascimento? — repeti a pergunta da recepcionista. Flynn abriu uma gaveta na cozinha e me passou uma cópia dos relatórios de pessoas desaparecidas que Rose havia me mostrado no dia anterior. Corri os olhos pelas informações e li em voz alta minha data de nascimento. — Dois de março de mil novecentos e setenta e cinco — disse. Despejei a água fervente nas xícaras e marquei a consulta para aquela tarde.

— Obrigado — agradeci a Flynn enquanto desligava o telefone e servia o leite nas xícaras. — Como está a sua mão? — perguntei, sem olhar para ele, concentrando-me em mexer o chá. Atrás de mim, ele se ocupava em servir flocos de milho em uma tigela. Virei-me para passar o leite e ele o pegou de mim. Os nós dos dedos pareciam inchados e havia um leve arranhão no terceiro dedo. Ele me viu observando e desviou o rosto.

— Eu sei que não devia ter saído — disse ele em um murmúrio. — Você não vai me dizer nada que eu já não saiba.

— Ok. — Bebemos nosso chá em silêncio. — Você pode ir comigo hoje à tarde?

— Aonde? Ao médico?

— Sim. Você tem tempo livre às sextas?

— Hã, sim, mas não vai ser um pouco, você sabe, estranho? — Ele jogou o cabelo para o lado.

— Só pensei que talvez fosse bom ter você lá, sabe, para me ajudar com os detalhes que não sei. Mel está cansada, ela precisa descansar antes da cirurgia na segunda. Acho que ela vai passar o dia assistindo a filmes de garotas.

Rose entrou, prendendo o emblema no casaco da escola. Ela nos olhou e então fechou a cara para o irmão.

— Muito bonito, idiota. Aquilo ajudou mesmo ontem. — Ele mostrou o dedo médio para ela. — Isso é seu?

— Engraçadinho. — Ela foi até ele e pegou a mão dele de modo firme e, ao mesmo tempo, delicado, e a virou, exatamente como você fizera na noite anterior. — Não está tão ruim. Então não foi uma parede, certo?

Ele balançou a cabeça e pediu desculpas a Rose, que mordeu o lábio inferior e deu de ombros.

— Quem foi?

— Ryan.

— Ótimo, a irmã dele está na minha turma de francês. Vai ser uma felicidade estar com ela hoje. — Ela pegou uma banana pintalgada de marrom na fruteira e a descascou enquanto mantinha aberta a tampa da lixeira, pressionando o pedal, e depois jogou a casca ali. Então pegou a bolsa e fez uma breve pausa, meio desajeitada ao meu lado, erguendo-se na ponta dos pés e pousando um beijo rápido no meu rosto.

— Até mais tarde — gritou ela, fechando a porta ao sair.

— Tudo bem — respondeu Flynn. — Mas eu não vou te beijar. — Ele sorriu e bateu com o ombro em mim, pegando sua tigela de cereal e saindo da cozinha.

# 35

# Flynn

Foi estranho observá-lo preencher a ficha no consultório médico. Ele olhou para mim, perguntou se havia escrito o nome do meio, "Sebastian", corretamente e me pediu que confirmasse o endereço. Pequenas coisas a qual nem prestamos atenção, para ele, eram difíceis. Enquanto examinava os detalhes, o rosto dele tinha essa expressão, um pouco como a de mamãe quando lê um dos relatórios de Rose.

Então ficamos ali sentados, esperando em silêncio. Tentei dar a ele algum espaço e coloquei os fones de ouvido, torcendo para que entendesse que não precisava ficar de papo furado. Mas eu não estava com a música ligada... Foi bom que eu estivesse ouvindo, de verdade, porque, quando chamaram seu nome, ele ficou sentado lá, sem se mexer. Tirei um dos fones de ouvido e o cutuquei. Ele se sobressaltou quando viu seu nome deslizando na tela de aviso: *Devon King — Sala 2.*

Nós nos sentamos em frente ao Dr. Grey. Sabe quando um personagem de quadrinhos ou um super-herói tem um nome que combina com sua personalidade, tipo, sei lá, The Flash ou Dr. Doom? Bem, é isso: o nome combina com ele. Dr. Grey. Ele simplesmente parecia... cinza. Era pálido e — qual é mesmo aquela palavra que Rose usa para falar da sua conselheira? Insípida. Sim, é isso, como se ele estivesse precisando de uma limpeza a seco. Seu hálito fedia a café e até mesmo eu podia ver que ele precisava aparar os pelos das narinas e colocar uma camisa limpa.

— Então, Devon... o que posso fazer por você?

Olhei para Tom, erguendo as sobrancelhas, e esperei que ele tentasse explicar a merda que está acontecendo na nossa família.

— É uma história um tanto longa — começou Tom.

— O intervalo entre as consultas é de cinco minutos. Quem sabe você não pode me informar apenas os pontos principais?

Balancei a cabeça. Eu me senti mal por ele — por Tom, para quem isso era uma coisa muito importante. Ele acabou de descobrir quem ele é depois de todo esse tempo e espera-se que ele descreva apenas os "pontos principais"? Cara, os adultos podem ser bem irritantes.

— Ok, bem, tenho amnésia há onze anos e até recentemente não sabia nem o meu nome.

Grey piscou ligeiramente e pude ver que ele estava arrependido de ter dado o aviso dos cinco minutos.

— Amnésia é uma palavra muito forte para usar sem um diagnóstico. Babaca.

— Talvez... que diagnóstico o senhor daria para uma pessoa que não consegue se lembrar de nada antes dos últimos onze anos?

Boa. O Dr. Grey se recostou na cadeira e esfregou as mãos, da maneira como alguns homens fazem quando ficam sabendo o que tem para o jantar.

— Mas agora o senhor lembra?

— Não, quero dizer sim, pedacinhos, como flashbacks. Mas às vezes não sei se são lembranças ou sonhos. A minha família — ele fala esta palavra da maneira como os atores falam "Oscar" — me encontrou. Eles estão preenchendo as lacunas sobre quem eu era antes de desaparecer.

— Entendo. — O Dr. Grey inclinou-se para a frente e começou a digitar no computador. — Então esse é o seu...?

— Filho.

— O que você lembra sobre o seu pai, antes do desaparecimento? Alguma coisa que possa ter funcionado como um gatilho para que ele fugisse?

— Sofremos um acidente. — Levantei meu cabelo brevemente para mostrar a cicatriz. — Depois disso, ele nunca mais foi o mesmo.

— Que tipo de acidente?

— De carro.

— Seu pai sofreu algum trauma na cabeça?

— Não. Eu fui o único que se machucou... Não estava usando o cinto de segurança.

Ok, agora eu sei que devia ter contado a Tom um pouco mais sobre o acidente, mas, para ser franco, não gosto de falar sobre o assunto. É como se o acidente fosse a única coisa que as pessoas querem saber quando me conhecem. É a pergunta que sei que todo professor que já tive fez ao me conhecer, cada amigo de Rose... Meu Deus, está no rosto dos estranhos nas ruas: "O que aconteceu com aquele pobre garoto?" Como eu disse, não gosto de falar sobre o acidente.

— Quem estava dirigindo?

— Eu — respondeu Tom, aprumando os ombros, como se estivesse prestes a dar início a uma briga. É o primeiro de seus maneirismos que reconheço em mim.

— Você se lembra do acidente, Devon?

— Tom, meu nome é Tom. Não me lembro de ser Devon, pelo menos por enquanto, e não, não lembro do acidente, mas deve estar em algum lugar aqui... — Ele bateu a mão fechada na cabeça, como se estivesse batendo em madeira.

— Por que acha isso?

— Porque criei uma escultura que era uma árvore com uma rosa brotando dela.

— Uma rosa?

— O nome da minha irmã é Rose.

— E tenho pesadelos com a árvore em que bati.

— Hummm, você tem outros sintomas?

Tom começou a contar sobre os ataques de pânico.

— Ok. Bem, por ora vou imprimir alguns folhetos sobre como lidar com a ansiedade. Se esses episódios persistirem, o que acha de tentarmos antidepressivos? — Tom assentiu. — Mas, nesse meio-tempo, creio que preciso encaminhá-lo para um psiquiatra.

Fiz um muxoxo. Não consegui evitar. Sou o único nessa família problemática que não frequenta o psiquiatra.

— Devíamos fazer um plano coletivo — eu disse de modo quase inaudível.

— Como? — perguntou o Dr. Grey, tomando mais um gole de café.

— Nada — respondi.

Eu não estava muito bem quando voltamos para casa. Enfiei a cabeça pela porta do quarto da mamãe, de onde vinham umas declarações de amor piegas de algum filme ao qual ela estava assistindo. Ela, porém, tinha apagado. Depois de desligar a TV, fiquei ali parado por uns instantes, observando-a. Ela parecia ter encolhido. Foi somente nesse momento que a ficha caiu: minha mãe está doente. Sim, eu sei o que os médicos disseram, e sei que ela vem tendo aqueles sintomas estranhos, mas foi só então que pude ver, de verdade. A pele não estava com a cor certa. Havia nela um tom cinzento e os lábios pareciam pálidos. Eu tampouco tinha percebido que ela perdera peso, até que fui ajeitar o cobertor dela e vi que os ombros haviam saído pela gola da camisa do Tom que ela estava usando... Minha mãe. Eu me inclinei, aproximando-me dela. O ressonar havia cessado e ela agora cantava baixinho, algo sobre açúcar e mel e ser uma garota acessível? Algo nesse gênero, e sorri ao pensar que ela estava sonhando com coisas agradáveis.

Pensar na possibilidade de perder a mãe é um sentimento que toma conta da gente sorrateiramente e nos apunhala quando menos se espera. As lembranças surgem subitamente quando você está colocando o pão na torradeira ou procurando meias no cesto de roupas lavadas. Como as revistas em quadrinhos que ela sempre comprava quando eu não estava bem e o leite com melado que preparava para mim antes de dormir... Lembro de ter brigado na escola por esse motivo. Por causa da resposta que dei à professora quando ela perguntou o que nos fazia sentir segurança. Esse merdinha, não consigo lembrar o nome dele agora, me disse que eu era uma aberração e um filhinho da mamãe. Acho que os pais dele o mudaram de escola logo depois. O olho roxo dele foi um dos meus melhores. Eu tinha uns 9 anos na época. Há também as lembranças de quando eu era pequeno, o rosto sonolento dela ao lado da cama quando eu estava no hospital, o jeito que ela sempre acariciava meu cabelo, afastando-o do rosto, e beijava minha testa antes de sair. O modo como ela sorria quando eu me levantava em uma reunião na escola, cheia de orgulho de me ver falando sobre a minha pintura horrível retratando uma folha, como se eu estivesse na Galeria Tate, e não no auditório da escola.

Acariciei seus cabelos e a beijei na testa, e tive de reprimir o soluço que se alojou em minha garganta. Não suporto me sentir assim. Se as coisas vão mal na nossa família, em geral podemos dar um jeito, fazer algo para que tudo melhore, mas isso eu não posso consertar. Eu podia sentir os músculos nos meus ombros doendo com a tensão e minha barriga quente por dentro. Sei que a última coisa que alguém precisa neste momento é que eu me meta em uma briga, mas não sei mais o que fazer quando me sinto assim. Me esforcei muito para não bater a porta do meu quarto ao passar, quando tudo o que eu queria era derrubá-la. Socar a cama algumas vezes não adiantou muito para evitar que as lágrimas rolassem pelo meu rosto. Eu andava de um lado para o outro no quarto, tentando respirar em meio à raiva que sentia do mundo.

Ouvi uma batida na porta, e Tom entrou antes que eu pudesse dizer qualquer coisa. Sei a imagem que ele teve de mim naquele momento, chorando e andando de um lado para o outro. Sei que devia estar parecendo uma criança birrenta, mas ele não disse nada. Limitou-se a sentar-se na cama e tirar um pedaço de arame e um alicate da bolsa. Então começou a cortar e dobrar, enquanto eu cerrava os punhos e tornava a abrir as mãos. É algo que Shane sugeriu que eu fizesse há algum tempo, para liberar um pouco da tensão que eu estivesse sentindo. Abria e fechava, abria e fechava. Procurando na bolsa, ele tirou um bloco de desenho e um pacote de lápis usados. Entendi o que estava tentando fazer, mas não me sentia calmo o suficiente para desenhar. Abria e fechava, abria e fechava os punhos enquanto andava de um lado para o outro no quarto pequeno. Não pude deixar de observar suas mãos trabalhando. Ele estava criando o que parecia um rosto, mas achei que a testa estava muito alta. Minha respiração ainda estava acelerada e eu podia sentir minha pulsação, o sangue correndo pelo meu corpo. Por fim, a testa alongada me irritou tanto que falei.

— A testa está muito alta. — Peguei o bloco de desenho e fiz um esboço do rosto que ele estava criando, reduzindo o tamanho da testa. Tom não disse nada, afora um "hum", e então alterou as dimensões do rosto.

— Sabe, eu nunca consegui acertar as dimensões de um rosto sem ter uma fotografia ou espelho para olhar. Só as da sua mãe. — Ele sorriu, pegou suas coisas e saiu, apoiando a escultura do rosto na lâmpada de lava em formato de foguete espacial que está no meu quarto desde que eu tinha 8 anos. O quarto estava ficando escuro e, quando fui fechar a cortina, vi diante de mim meu reflexo. Fiquei olhando para ele por um tempo, o impulso de atirar algo naquela imagem me devorando. Sem pensar no que fazia, peguei o bloco e comecei a desenhar. Minhas linhas não estavam firmes, a raiva fazia com que as mãos tremessem um pouco. Arranquei a primeira página, que estava uma porcaria, e recomecei. Não percebi o tempo passar. Página após página, sombreei os meus olhos, o contorno do queixo, a borda irregular da cicatriz e a maneira como o olho sempre parece um pouco fundo. Estiquei e virei a cabeça de um lado para o outro, liberando um pouco da tensão, e continuei a me estudar de uma forma que nunca fizera antes. O reflexo da janela não era nítido o bastante, então fechei a cortina e acendi a luminária da cabeceira, pegando o espelho que uso quando preciso me barbear. Cruzei as pernas, troquei de lápis e comecei de novo, os contornos agora ficando mais nítidos. Sorri por um momento, ao lembrar de Kate beijando a covinha que aparece quando sorrio, e fiz um rápido esboço de mim mesmo. Foi estranho ficar sorrindo para mim, mas, se vou ser um artista decente, preciso ser capaz de adaptar minhas técnicas, pelo menos é o que meu professor na faculdade diz. Então me perdi no ruído do lápis raspando no papel e no batimento, agora regular, do meu coração.

A porta abriu com um rangido e lá estava mamãe segurando um prato com uma torre de sanduíches de presunto com salada, um pacote de batatas fritas sabor bacon e uma Coca. Ela colocou tudo na mesa de cabeceira e sentou-se ao meu lado, pegando um dos croquis anteriores, que então passou para mim. Meu rosto estava feio, meus lábios formavam uma linha fina. Os traços eram grossos e pesados nos pontos em que eu havia pressionado excessivamente o lápis, e minhas sobrancelhas, vincadas acima dos olhos, me deixavam carrancudo. Ela se recostou na parede e ficou olhando enquanto eu voltava para o início do bloco. Meu rosto estava contorcido pela raiva, as bochechas molhadas nos dois primeiros. Lambi o dedo e virei a página. Nesse, meu rosto havia relaxado um pouco e as linhas estavam mais precisas, e no seguinte os músculos pareciam completamente relaxados, mas a testa se franzia em concentração. Minha expressão era diferente mais uma vez, no croqui seguinte. Eu não parecia ameaçador: parecia calmo — minha cabeça inclinada para a direita, como se eu estivesse tentando me ver de um novo ângulo. Depois vieram os croquis em que eu sorria como um idiota, e podia ver que o lado do meu rosto estava bonito. Cobri o outro lado com a mão, peguei o espelho e coloquei no meio do papel, me dando um eu completo, sem o lado ruim. Mamãe estava folheando os papéis atrás de mim. Nesse momento, ela colocou a mão sobre a minha e afastou o espelho. Então pôs o primeiro croqui sobre o último.

— Não é a cicatriz que prejudica sua aparência, Flynn.

E, quando olhei novamente para o desenho, não gostei do que vi.

Bati na porta de Jo e esperei. Ela abriu a porta e tentou esconder sua surpresa.

— Oi, hã, desculpa te incomodar, mas preciso falar com Shane e ele não está respondendo às minhas mensagens. Talvez o telefone dele esteja com defeito...

— E está! É que eu, bem, lavei o jeans dele com o telefone no bolso. — Ela fez uma careta, meio se desculpando, meio como uma garota travessa. — Na verdade, ele está lá em cima. Entre... — Ela abriu a porta da frente e, ao entrar, percebi que a casa tinha um cheiro diferente, o cheiro do jantar de ontem à noite, como quando a gente janta comida mexicana e deixa a louça na bancada da cozinha até o dia seguinte. Era bom. Eu preferia esse a qualquer purificador de ar.

— Shane! Flynn está aqui!

Ela também parecia diferente. Um pouco mais relaxada? Não sei. O cabelo não parecia tão arrumadinho quanto normalmente está.

— Como vai a sua mãe? Quer café?

— Ela está ok, eu acho. Cansada. Amanhã é o dia da grande cirurgia. Sim, por favor.

Ela pega essa coisa metálica que gira, onde guarda as cápsulas.

— Muito bem. Tenho cappuccino, latte, latte com caramelo, macchiato...

— Hã...

— Ou chocolate quente? *Mocha?*

— Hum, só um café simples. Por favor.

— Americano. Ok. Como está a disposição dela em relação à cirurgia?

— Nervosa, acho.

— Deve estar... E você e sua irmã? Como estão indo as coisas com Tom? Imagino que deva ser um pouco estranho...

Eu a observava enquanto ela desajeitadamente corria de um armário para o outro, pegando xícaras, açúcar e biscoitos.

— E como está Kate? Ela é tão bonita, não é?

— Ela está bem. Viajou essa semana para visitar parentes. — Cocei a nuca, tentando não sorrir como um idiota, como acontece todas as vezes que alguém menciona como minha Kate é bonita.

— Ei. — Shane apareceu com os cabelos molhados, cheirando a gel de banho. Jo dirigiu a ele um sorriso estranho e, então, se virou para pegar a xícara de café na máquina, colocando outra cápsula para Shane. — Está tudo bem?

— Sim, mais ou menos, acho... Eu, hã, preciso de sua ajuda com uma coisa.

— Ok...

Jo pôs o café na nossa frente e então pediu licença, dizendo que tinha que subir para arrumar umas roupas ou algo assim.

— Preciso parar de brigar.

Ele riu e então tomou um gole de seu café, estremecendo ligeiramente.

— Argh, caramelo. — Afastou a xícara, como se ela contivesse veneno.
— Então, de onde você tirou essa ideia estranha de que brigar pode ser uma
coisa ruim? — Ele sorriu para mim. Não de forma condescendente nem
nada, estava apenas sendo sarcástico. Um de meus outros "orientadores"
havia me explicado que eles não deveriam usar sarcasmo, pois isso "passava
a mensagem errada". Eu me lembro de ter pensado na ocasião que aquilo
não passava de um monte de bobagens.

— Dei uma boa olhada em mim mesmo, e com o que está acontecendo
com mamãe e tudo mais... Ela realmente não precisa das minhas merdas
no momento e, bem, para ser realista, ela pode ficar doente por muito
tempo e sei que preciso mudar. Só não sei como. Parece que uma névoa
me envolve quando perco o controle, e não sei como detê-la.

— Já conversamos sobre maneiras de controlar a sua raiva...

— Sim, mas eu não tentei de verdade. — Ele arqueou as sobrancelhas
e estalou a língua. Tsc, tsc, tsc. — Quero dizer, eu tentei, mas não tentei
de verdade, se você entende o que quero dizer.

— Ok, então me diga o que você tentou.

— Hummm, tentei a história de contar até dez.

— E...?

— Bem, contei muito rápido.

— Ok, e o que me diz de abrir e fechar as mãos?

— Sim, isso funcionou, um pouco.

— E os balões de ar?

— Eu não vou ficar soprando e esvaziando balões de ar, cara. Não sou
totalmente idiota.

— Acho que você precisa descobrir o que ajuda de fato. Que tal fazer
um diário que vai ajudá-lo a entender o que funciona como gatilho para
você? Anote quantas horas você dormiu, o que comeu, como reage a
diferentes situações.

— Sim, preciso me esforçar para ser... bem, normal.

— Por que você ia querer ser normal? É chato. Por que não tentar
apenas ser um você melhor?

★ ★ ★

Quando voltei, pude ouvir mamãe e Tom conversando baixinho na sala. Ao pé da escada estava uma mala pequena — arrumada, imaginei, para o dia seguinte. Rose se encontrava sentada no alto da escada. Ela levou um dedo aos lábios, no gesto de "shhhh". Subi os degraus e me sentei ao lado dela.

— Você está bem? — sussurrou ela.

— Sim, estou... vou ficar. Vou tentar, Rose, de verdade.

— Ótimo. Preciso de você, aqui, comigo. Também estou me esforçando. — Nos apoiamos um no outro, como costumávamos fazer quando éramos crianças.

— Você voltou a fazer aquilo?

— Não. Mas tenho vontade.

— Isso é bom então, que você tenha vontade, mas não tenha feito... Por que estamos sussurrando?

— Ouça...

Eu podia ouvir a voz da mamãe, suave e relaxada.

— Quando Rose tinha 3 anos economizei o suficiente para podermos passar uma semana em Borth. O tempo ficou horrível quase a semana toda, mas eu colocava galochas nos dois... a da Rose era rosa com florezinhas... e saíamos para caminhar. Do nada o tempo mudou, o sol saiu e passamos algumas horas na praia... Rose acabou de calcinha rosa e uma camiseta com renda branca na barra, que ficou encharcada quando ela começou a pular as ondas. Flynn estava interessado em coisas de escotismo na época e escalava uma pilha de pedras nas proximidades, procurando pedaços de corda velha e madeira para fazer uma fogueira. Lembro da risada de Rose... era tão travessa e sonora... quando caiu na água. Olhei para o alto e Flynn havia feito uma bandeira com uma vara e um pedaço de rede de pesca, e ria e acenava para nós. Foi a primeira vez, depois que você desapareceu, que me senti feliz sem você, mas, mesmo assim, naquele momento, fingi que você estava em pé atrás de mim, me abraçando pela cintura, observando nossos filhos perfeitos... o melhor de nós.

— Sinto muito por não estar lá.

— Você estava, em parte. Para mim, pelo menos... Estou com medo, Tom.

— Eu sei.

— E se der alguma coisa errada na cirurgia? E se eu nunca mais puder vê-los se divertindo na praia?

— Você vai ficar bem. — A voz de Tom estava abafada, como se ele estivesse falando com a boca encostada nos cabelos dela. — Você vai ficar bem — repetiu ele.

Rose e eu nos entreolhamos.

— E se não ficar? — perguntou ela, os olhos se enchendo de lágrimas.

— Então nós vamos ter que ficar. Do contrário, tudo que ela fez por nós terá sido em vão.

# 36

# Rose

*19 de outubro*

Abri as cortinas, mesmo sabendo que ainda não havia amanhecido totalmente. O céu estava opaco e pesado, e chuviscava. Eu sempre acho que essa é uma palavra bem ruim para descrever a chuva. Quero dizer, se você se refere ao doce chuvisco, pode ser gostoso. Mas quando está chuviscando sobre a gente? Tudo que sentimos é frio e umidade; não há absolutamente nada de gostoso nisso.

Mamãe foi para o hospital hoje.

Passei as pernas pela borda da cama e me abaixei, me apoiando nas mãos abertas, fazendo força com as mãos para ajudar a aliviar um pouco a tensão. Depois de alguns minutos, tracei com o dedo as cicatrizes. Também as apertei com força; pode parecer estúpido, mas é quase como se eu estivesse me aliviando rapidinho. As cicatrizes agora se tornaram pequenas linhas prateadas e, estranhamente, ficaram bem bonitas, quase como uma tatuagem. É assim que gosto de pensar nelas agora, tatuagens. Isso me faz sentir menos um peixe fora da água, afinal muita gente faz tatuagens das quais mais tarde tem vontade de se livrar, certo? Noites bêbadas com parceiros ou nomes de namorados e namoradas que há muito se tornaram ex. Esses são meus pequenos erros, meu caso de amor que foi bom enquanto durou, mas agora acabou. Isso não quer dizer que eu não sinta vontade de fazer a mesma coisa, assim como aposto que as mulheres mais velhas gostariam que pudessem voltar a... Aonde as pessoas iam na primeira década do século?

Magaluf? Ibiza? Seja como for, aposto que, quando estão arrastando os filhos pelo supermercado, uma parte delas deseja que estivessem de férias com os amigos, bêbadas, ou tendo um último encontro com um amor há muito perdido.

Hoje é o dia em que posso perdê-la. Sei que não deveria ter pesquisado, mas não pude evitar, não pude deixar de procurar no Google tumores cerebrais e o que acontece quando se tenta removê-los. Os efeitos colaterais possíveis — não, possíveis não, prováveis — são infinitos, até por causa do contraste que injetam nela, que pode torná-la sensível à luz e que pode fazer com que o fígado entre em colapso e a pressão despenque, e olha que ainda nem estamos falando da cirurgia propriamente dita. Olhei para o relógio e o vi brilhando com seus braços luminosos, alongando-se até as cinco e meia. Eu queria ir para o quarto dela e me aconchegar nela como sempre fizemos, mas não podia porque Tom está aqui. Eu ouvia os ruídos abafados no andar de baixo, o barulho da água correndo nos canos ao encher a chaleira e o clique do interruptor quando ela começou a estalar e gemer com o esforço de aquecer a água. Juntando o cabelo em um rabo de cavalo, suspirei e corri os olhos pelo quarto, desejando não ser tão bagunceira. Passei pelas portas fechadas e fui silenciosamente para o banheiro, onde escovei os dentes, escutando os roncos suaves de mamãe do outro lado da parede. A porta do quarto dela estava entreaberta e a empurrei ligeiramente, percebendo que devia ser Tom no andar de baixo. Eu não queria acordá-la, mas também não queria que ela fosse para o hospital. Meu estômago parecia prestes a ir parar no chão enquanto eu pensava que essa poderia ser a última vez que eu a via dormindo, a última vez que eu poderia ter a chance de me aninhar junto a ela. A cama afundou um pouco quando me arrastei pelo edredom e me enfiei debaixo dele. Os lençóis cheiravam levemente a Tom, o que era estranho, mas não horrível. Quando passei o braço pela cintura fina de mamãe, fui tomada por todos os cheiros que são exclusivos da minha mãe.

Nas aulas de biologia, aprendemos que um bebê pode reconhecer o cheiro do líquido amniótico da mãe poucos dias após o nascimento, e que eles podem distinguir entre o cheiro da mãe e o de um estranho. No começo, achei que aquilo era um monte de bobagens, mas depois comecei a pensar e concluí: bem, sim, acho que até de olhos vendados eu distinguiria minha mãe de outra mulher. Fechei os olhos e me concentrei em guardar o cheiro da mamãe na memória, porque, se algo acontecesse com ela, eu poderia ver fotos, vídeos e outras coisas, mas não sentiria o cheiro dela.

É engraçado, eu costumava me perguntar como seria o cheiro do papai, e agora estou cercada pelo cheiro dele, mas posso perder o dela. Fiquei muito quieta deitada ali, de olhos fechados, ouvindo-a ressonar, pensando em coisas como quando conheci Tom. Quando o vi de pé com os braços envolvendo Flynn, senti um ódio, uma raiva dele, o que é simplesmente bizarro, considerando-se que fui eu quem viveu todos esses anos obcecada em encontrá-lo. Mas, quando vi o rosto de Flynn franzido como o de um garotinho que acabou de roçar o joelho, fiquei tão furiosa, sabe? Tipo, como ele ousa abraçar Flynn agora depois de ter desaparecido de nossa vida por tanto tempo? Eu odeio ver meu irmão chateado, mas odeio ainda mais vê-lo desesperado... Até que ele começou a nos contar que não tinha nenhuma lembrança da gente — e quando ele falou sobre a mamãe? A maneira como o rosto dele mudou? Foi como nos filmes, dava realmente para ver o quanto ele a ama. Sei que parece um pouco piegas, mas é verdade.

— Ah, ei — sussurrou ele ao entrar carregando duas xícaras de chá. Pousou uma delicadamente na mesinha de cabeceira do lado da mamãe e deu a volta até o outro lado da cama e deixou a sua. — Você está bem? — ele me perguntou ao se sentar, recostado na cabeceira.

Balancei a cabeça ligeiramente.

— Não, imagino que não.

— O que vai acontecer quando ela se internar hoje?

— É como já conversamos: vão injetar o contraste e, então, depois de algumas horas, vão operá-la...

— Vão raspar o cabelo dela?

— Só de um pedacinho.

— Ela vai ficar estranha com apenas uma parte raspada.

— De qualquer forma, é provável que tenha de fazer químio após a cirurgia, portanto...

— Vou ficar careca — murmurou mamãe, antes de se esticar e mudar de posição para beijar o alto da minha cabeça. — Bom dia! Que horas são?

— Quinze para as seis. Tem uma xícara de chá para você ali. — Tom sorriu.

— Não posso. Nada para comer nem beber, lembra?

O rosto dele murchou e ele ficou com cara de quem acabou de atropelar acidentalmente uma criança e não de quem preparou uma xícara de chá.

— Me desculpa. — Ele se levantou da cama.

— Está tudo bem, Tom, de verdade. — Mamãe balançou a cabeça, olhando para ele, e revirou os olhos com um sorrisinho quando ele tirou a xícara do lado dela da cama. Ele a segurava como se pudesse detonar a qualquer instante e a colocou no peitoril da janela. Então voltou para a cama, lançando um último olhar de suspeita para a xícara, e cobriu-se com o edredom.

— Você está bem? — ela me perguntou.

— *Você* está? — foi a minha resposta.

— Estou com medo.

— Idem.

— Qual é a dessa palavra? — perguntou Tom. — Idem?
Mamãe riu baixinho.

— Coisa de jovem. É usada para concordar.

— Dãh.

— Dãh? — Tom arqueou as sobrancelhas, mas estava sorrindo para mim.

Às vezes eu o pego me observando, não de uma forma estranha nem nada. Ele parece, não sei, agradavelmente surpreso. Não digo isso pensando "Eu sou tão incrível", mas, veja bem, é como quando você acorda e pensa que está na hora de ir para a escola, mas então você lembra que é domingo. É assim que ele olha para mim, como se tivesse acabado de lembrar que é manhã de domingo... Isso faz sentido?

— Então vai ficar careca, é? Vai botar um daqueles lenços estranhos ou vai optar pelo look nude? — Eu me apoiei em um braço e enrolei uma mecha do cabelo dela em torno de um dedo.

— Não sei... podíamos nos divertir com perucas. — Ela sorriu, mas o sorriso não tomou conta do rosto.

— Você pode bancar uma careca, imagino. Tem olhos bonitos.

— Você sempre disse que meus olhos me fazem parecer uma alienígena, Rose.

— Sim, mas uma bonitinha.

Ela acariciou meu cabelo.

— Quem sabe eu não devesse tentar ser ruiva?

— Não — eu disse bruscamente. — Nã-nã-ni-na-não... É preciso sobreviver a um rito de passagem antes de se tornar ruiva de verdade. Nós, ruivos, temos que conquistar nosso status de ruivos. É preciso tolerar muitos anos de comentários sarcásticos tipo "Rápido, chamem os bombeiros! O cabelo dela está pegando fogo!" ou "Não se preocupe, vai ficar grisalho quando você envelhecer" ou "Volte para a lata, biscoito de gengibre".

— Brasinha — acrescentou Tom.

— Cabelo de fogo... a lista é infinita.

— Ok... que tal roxo? — perguntou ela, sorrindo, e, então, olhou para o relógio, dando-se conta, acho, de que nosso indolente papo matinal estava chegando ao fim. Tom tomou um gole do chá e tentou ignorar os sinais. Ela nem tentou se conter nessa manhã. Levei um momento para reconhecer os primeiros versos; o ritmo era bem lento e as notas começaram bem graves. Ela cantou sobre ficar acordada e não dormir para que pudesse me ouvir respirar. Olhou para Tom e cantou sobre observá-lo sorrir enquanto dormia um sono profundo, e então reconheci a canção daquele filme muito antigo... *Armagedom?* Aquele em que mandam um bando de perfuradores de petróleo para o espaço a fim de salvar o mundo da destruição por um asteroide... Você sabia que parece que a NASA usa esse filme em treinamentos? Eles precisam tentar identificar todos os erros. Sei que parece que estou tentando me distrair ao falar da NASA, mas, às vezes, quando ela canta, dá para ver que quer apenas terminar logo com aquela música, mas também há as ocasiões em que ela canta a letra com o coração. Flynn tinha chegado ao quarto e se deitara horizontalmente no pé da cama. Mesmo depois de ele ter se encolhido um pouco, seus pés grandes e peludos sobravam para fora da cama. A essa altura, ela já havia chegado ao refrão e chorava enquanto cantava sobre nunca querer fechar as pálpebras, nunca querer dormir porque sentiria nossa falta e não queria não estar aqui para o que viesse. Ao terminar, pediu desculpas e, então, saiu do quarto, fechando-se no banheiro. Nós três ficamos onde estávamos, ainda pensando na letra da canção, torcendo para que ela não tivesse de fazer isso.

— Tenho uma ideia — disse Tom, coçando a parte posterior da cabeça. Flynn sentou-se e cruzou as pernas, observando, através da franja, Tom levantar-se da cama de um salto.

— O que foi? — perguntei enquanto ele começava a procurar alguma coisa pelo quarto, abrindo e fechando gavetas até a encontrar. Então parou diante do espelho, ligou-a na tomada e acionou o botão da máquina de cortar cabelo, erguendo as sobrancelhas. E, com um movimento rápido, raspou uma faixa no meio do couro cabeludo. Flynn bufou e balançou a cabeça, enquanto observávamos o cabelo de Tom espalhar-se pelo chão. Quando terminou, ele esfregou a mão na cabeça raspada.

— Legal, mas fácil pra você. Seu cabelo já estava curto.

Tom ergueu a máquina na direção de Flynn, a expressão desafiadora. Flynn quase se encolheu, afastando-se dele. Eu olhava de um para o outro. Havia um nó em meu estômago enquanto eu observava Flynn. Não creio que Tom saiba a importância do cabelo de Flynn. Ele o usa para esconder-se — essa é, e sempre foi, sua maneira de se proteger. Ele jogou o cabelo para trás, olhou para mim e, em seguida, de novo para Tom.

— Manda ver — disse ele, tirando o cabelo do rosto.

— Flynn, eu... — Eu queria dizer a ele que não, que essa era uma ideia ridícula, mas não conseguia encontrar as palavras. Tom parecia subitamente desconfortável.

— Parceiro, eu só estava brincando. — Ele deu uma risadinha ao tirar a máquina da tomada e começar a enrolar o fio em torno dela.

— Eu não. Manda ver — repetiu Flynn.

— Pensa um pouco primeiro — eu disse, mas eu sabia que estava travando uma batalha perdida. Flynn sempre foi determinado. Uma vez que toma uma decisão, ele raramente muda de opinião.

— Eu disse que ia mudar, não disse?

— Pelo menos ligue para Kate, para ver o que ela acha! — Era a única coisa que me ocorria para detê-lo.

— Por quê? Você acha que ela está comigo pela minha aparência?

— Bom, não é pela sua personalidade cativante. — Dirigi a ele um sorriso sarcástico.

Ele se levantou e parou ao lado de Tom, fitando o espelho. Olhei para a parede através da qual podia ouvir o chuveiro correndo e, então, tornei a olhar para ele. Flynn se virou, olhou o próprio reflexo no espelho e puxou o cabelo para trás com a mão.

— Acho que devíamos... eu devia... consultar sua mãe. — Tom parecia nervoso, como se estivesse profundamente arrependido por toda essa conversa.

— Por quê? Você é meu pai, certo? — Flynn perguntou ao soltar o cabelo e abrir a gaveta onde mamãe guarda a tesoura, fita adesiva e cartões de aniversário de emergência. — Certo? — repetiu ele, encarando Tom.

— Sim, sou.

— Ótimo, então você pode me proteger da mamãe, porque ela vai pirar quando sair do chuveiro.

E, com isso, ele levantou a franja e a cortou. Deixei escapar um som estranho, como se estivesse engolindo em seco, e, de repente, comecei a gargalhar, o tipo de gargalhada ligeiramente histérica, enquanto via mecha após mecha do cabelo dele cair no chão. Tom tornou a desenrolar o cabo da máquina e finalizou o serviço.

— Porra — disse Flynn ao dar um passo à frente, esfregando a cabeça do mesmo jeito que Tom fizera quinze minutos antes.

— Você deveria: "Não fale porra" — censurei Tom.

— Ah, hã, não fale porra. — Tom pôs as mãos em ambos os lados do próprio rosto, me fazendo lembrar daquele personagem do filme de terror *Pânico*. — Mas... porra.

— Está tão ruim assim? — perguntou Flynn ao seu reflexo com Tom parado atrás dele.

— O quê? Não! É só que somos tão parecidos... Que doido. — Ele riu.

Levantei-me da cama e me postei ao lado deles. São mesmo muito parecidos. Isto é, não há mais como esconder a cicatriz, ou o olho, de Flynn, mas sinceramente não ficou tão ruim quanto pensei que ficaria. E, então, me dei conta de que mais uma vez eu era a diferente. Mais uma vez. Não me lembro de fato de pensar sim eu vou fazer isso, ou o que vai acontecer quando eu chegar à escola ou o quão idiota eu pareceria... eu simplesmente peguei a tesoura e cortei. Uma imensa mecha no meio do couro cabeludo, exatamente onde r+aspariam o de mamãe.

— Rose, não!

Flynn quis tomar a tesoura de mim, mas já era tarde demais. Uma vez começado, eu não podia mais parar. Tom parecia prestes a vomitar à medida que meus cabelos ruivos flutuavam em grandes chumaços em direção ao chão. Mal notei o som do chuveiro sendo desligado enquanto cortava e, ah meu Deus, a sensação de cortar era boa: o peso dele caindo; todos os comentários horríveis que já ouvira, a zoeira, os comentários de "Peixinho Dourado", tudo isso simplesmente desapareceu. Registrei o som de mamãe vomitando no banheiro antes de estender a mão para Tom, pedindo a máquina.

— Eu faço. Aí você pode me culpar — disse ele, nervoso, olhando sobre o ombro na direção do banheiro antes de balançar a cabeça e o zumbido da máquina recomeçar.

Ficamos ali parados, olhando nossos reflexos, como três pessoas em fila diante de um campo de concentração.

— Vou ficar feliz quando não vomitar mais todos os... Aaaiiii!

Todos nos viramos para mamãe. A mão dela havia voado para a boca e seus olhos estavam arregalados de pavor, sob a cabeça envolta na toalha como se fosse um turbante.

— O que foi que vocês fizeram?!

— Hã... estamos mostrando nossa solidariedade? — arriscou Flynn.

— So-li-da-ri-e-da-de?! Não sei o que dizer. Vocês todos parecem tão, tão...

— Carecas? — sugeri.

— Bem, sim, mas meu Deus... — E com isso ela voltou correndo para o banheiro, passando mal outra vez.

Estávamos todos sentados ao redor da mesa da cozinha, simultaneamente comendo nossas tigelas de cereais e esfregando nossa cabeça raspada. Mamãe entrou e olhou lentamente de um para o outro, e então começou a rir, aquele tipo de riso que faz lacrimejar e causa soluço. Era contagiante e logo todos fazíamos o mesmo. Na verdade, eu ri tanto que o leite do cereal saiu pelas narinas, o que só fez aumentar as gargalhadas. Levou um tempo até conseguirmos conversar novamente, mas, como sempre acontece, o tempo voou e fomos obrigados a aceitar que, em dez minutos, o táxi chegaria e mamãe e Tom iriam para o hospital, enquanto eu iria para a escola, e Flynn, para a faculdade. Cumprimos a tarefa de lavar os pratos. Mamãe checou duas vezes suas bolsas e insistiu que Tom levasse bastante coisa para ler, porque a cirurgia levaria pelo menos quatro horas e ele ficaria entediado. O celular de Tom vibrou e todos paramos e olhamos para ele quando ele nos disse que o táxi havia chegado. Ele foi até a porta e falou com o motorista, que saltou e abriu o porta-malas para a bagagem da mamãe. Nós três ficamos parados sem jeito na porta, enquanto os olhos da mamãe disparavam ansiosamente de um lado para o outro, como se estivesse procurando algo.

— Pronta? — Tom perguntou a ela, que assentiu brevemente com a cabeça e, então, começou a cantar essa música sobre ser a hora da "contagem regressiva final", continuou cantando "did-do-der-dooooh-di-
-doh-duh-do-doooh", prosseguindo então com "dum, du-du-dum, der, dum, bedudump-pum-pum-pum-poooooom!". Ela parecia muito chateada enquanto cantava, como se quisesse que o momento não fosse um soft rock dos anos oitenta. Quando terminou, começou a nos abraçar e beijar o topo de nossa careca antes de — com um último beijo — dizer que nos amava e que tudo ficaria bem. Então deu as costas e seguiu Tom até o carro. Deixamos a casa e atravessamos o jardim, parando junto ao meio-fio. Não sei descrever como me senti ao vê-la entrar no carro. Todas as coisas ruins que eu tinha lido, todos os riscos que eu sabia que ela ia

enfrentar, lançaram-se sobre mim — tudo de uma vez. Comecei a pensar que talvez fosse melhor ela não correr o risco da cirurgia — e se ela fizesse apenas quimio? Certamente isso seria menos arriscado do que ter o couro cabeludo aberto... A porta se fechou com um ruído suave enquanto eu a observava mexer-se no banco do automóvel e tentar encaixar o cinto de segurança no lugar. Suas mãos deviam estar tremendo porque Tom se inclinou e prendeu o cinto para ela. Mamãe se virou para nos olhar então. O corpo todo dela parecia assustado, até as narinas, que estavam ligeiramente infladas. Ela tentou nos dirigir um sorriso tranquilizador, mas sua mão se estendeu para a maçaneta da porta, como se pensasse melhor e quisesse sair, mas, antes que pudesse, o carro começou a se afastar do meio-fio. Pela janela de trás, a cabeça da mamãe se virou para nós e, antes que eu pudesse me deter, comecei a correr atrás dela. Flynn tentou agarrar meu braço, mas eu me soltei dele. Eu me lembro vagamente de ouvi-lo gritando meu nome. Meus pés estavam descalços e eu podia sentir o cascalho cravando-se nas solas deles enquanto eu perseguia o táxi prateado. Não conseguia acompanhá-lo, mas, depois de um minuto, ele parou ao lado das casas populares de telhado, escoradas por fumantes inveterados e desnutridos e adolescentes grávidas que ficavam ali matando o tempo. Mamãe desceu do carro, me puxando para ela enquanto eu soluçava e implorava que não fosse: os prisioneiros do concreto observaram e depois viraram as costas, retornando às suas sentenças de prisão perpétua.

Analisando agora em retrospecto, eu não poderia ter lidado pior com a situação. Mesmo. De qualquer forma, eu estava mais calma quando ela votou para o carro, como se eu tivesse tido um adeus final adequado. A essa altura, Flynn havia me alcançado e tinha o braço em torno do meu ombro enquanto o carro se afastava mais uma vez.

Fico feliz que isso tenha acontecido porque me sentia quase anestesiada ao chegar à escola. Eu nem estava nervosa com o que as pessoas iam dizer quando me vissem. Ouvi risadas e vi cutucões, mas, enquanto atravessava os corredores em direção ao auditório, não estava nem aí para o que diziam ou faziam. A única coisa em que conseguia pensar era que talvez nunca mais visse minha mãe.

A palestra no auditório era sobre segurança no trânsito, ironicamente, e eu me desligara do tom monótono do vice-diretor à medida que ele falava sobre olhar para os dois lados, blá-blá-blá. Ele, então, começara a discorrer — de novo — sobre uniforme quando me dei conta de que ele estava falando meu nome. A escola inteira parecia estar reprimindo o riso e eu podia sentir minhas bochechas ficando vermelhas.

— Rose King, espero que esteja prestando atenção! — disse ele, franzindo a testa e balançando-se para a frente e para trás como um joão--bobo. — Cortes de cabelo radicais são uma das coisas de que falamos recentemente e, como registrado na última circular, não serão tolerados. Por favor, vá para o meu gabinete.

Eu me levantei com as pernas trêmulas. Ao escrever isto, não me lembro, de fato, de estar ali... Eu devia estar em choque ou algo assim, mas, qualquer que fosse a razão, eu fiquei parada e disse:

— Não.

— Como é que é?! — gritou ele.

Todas as cabeças nas fileiras da frente se viraram na minha direção, e os funcionários nas laterais do auditório se entreolhavam chocados.

— Não — repeti, a voz clara e forte. — Isso não é um corte de cabelo radical.

Olhei os rostos com seus sorrisos cínicos à minha volta e fiz contato visual com o maior número possível deles, como se estivesse me dirigindo a cada uma das pessoas naquele auditório.

— Minha mãe está com câncer. Câncer. Não é um palavrão, mas não é uma coisa agradável de dizer. Tenho certeza de que, em algum momento, vocês serão afetados por ele. Nesse momento, minha mãe está no hospital tendo o crânio cortado. Eles estão cavando no cérebro dela para tentar extraí-lo. — Os risinhos reprimidos haviam se transformado em expressões preocupadas, empáticas ou patéticas, não sei bem. — Mas a probabilidade é de que não consigam, o que significa que ela vai fazer quimioterapia e vai perder o cabelo. É por isso que fiz esse — faço aspas no ar — corte radical. Porque eu queria fazer algo para apoiá-la, queria que ela se sentisse menos estranha... Se alguém quiser me zoar por isso, ou me xingar, então sinta-se à vontade, porque se existe alguém que acha que câncer é algo engraçado, motivo de riso ou de piada, então posso sinceramente afirmar que não dou a mínima para o que essa pessoa tem a dizer. Câncer não é uma piada, e não é algo para ser ridicularizado. — Ao dizer esta última parte, podia sentir minhas pernas tremendo e tive medo de desabar antes de poder me sentar. Mas acabei não precisando porque a Srta. Singh começou a bater palmas e, então, se levantou... assim como o restante dos funcionários e em seguida, ok, alguns dos alunos tinham uma expressão debochada quando a imitaram, mas também se levantaram, até que me vi cercada por toda a escola aplaudindo e sorrindo para mim.

Depois da escola, Megan me procurou e perguntou se eu queria ir ao KFC na terça. Disse que sentia falta das nossas conversas. Eu respondi que gostaria, mas não tinha certeza agora se estaria livre. Eu queria dizer sim de cara, mas tem aquela partezinha de mim que ainda está magoada por todos eles terem me abandonado. Lisa me falou que eu estava parecendo uma doida, mas disse de uma forma simpática e contou que todo mundo estava falando o quanto fora legal eu esculachar o Sr. Greene na frente da escola inteira. Desculpe por ficar de blá-blá-blá, mas estou tentando ignorar o tempo. Estamos esperando a ligação de Tom. Ah, meu telefone está tocando!

Era Tom. Eles não conseguiram tirar tudo.

## 37

# Melody

Quando acordei no hospital, estava sozinha. É uma palavra engraçada, sozinha; ela pode ter tantos significados. Tem o sozinha de quando você põe as crianças na cama e abre uma garrafa de vinho: a sensação de paz e calma, e o alívio e o prazer que vêm com ela. Há as ocasiões em que você está sozinha no banho com um bom livro, seu corpo relaxado e satisfeito; sozinha no carro com sua música favorita tocando no volume máximo no rádio enquanto você canta a plenos pulmões. Então há os momentos em que você está sozinha, apesar de se encontrar rodeada de gente: o primeiro dia na escola, quando você solta a mão da mãe e passa pela porta da sala de aula. Aquele sozinha constrangedor de quando, no primeiro dia de um curso, você tem que se apresentar; ou aquela sensação de estar sozinha, cansada e pegajosa no trem, indo do trabalho para casa. Ali deitada, em um hospital cheio de centenas de pessoas, acho que nunca me senti tão sozinha. Eu sabia. É claro que sabia que não tinham conseguido remover todo o tumor. Sabia porque estava cantando sobre estar sozinha em mais um clássico dos anos oitenta, das deusas do rock da banda Heart. Eu sabia, pois cantava sobre o tique- -taque do relógio e o fato de ninguém atender o telefone e — à medida que minha faixa de acompanhamento tocava — dava uma profunda explicação sobre, até recentemente, eu ter sempre vivido sozinha e não ter me importado com isso até conhecer Benê (Benê?) e como isso agora me gela os ossos. Quando a cortina foi aberta por uma enfermeira de ar cansado (que eu tinha certeza não podia ser muito mais velha que Rose), continuei a perguntar a ela como podia encontrá-la sozinha.

Desde então, o tempo passou, e meu corpo foi acariciado pelos raios quentes da radioterapia, sua energia mudando minhas células, tentando destruir o câncer e deixar em paz as que estivessem saudáveis. Eu ficava deitada imóvel, usando uma máscara facial de perspex — o que fazia parecer que eu estava prestes a ir para uma sessão de esgrima —, enquanto as ondas de radiação me envolviam. Eu resistia ao impulso de dizer *"en garde"* no início de cada sessão.

Consegui manter o cabelo por um tempo, mas, assim que ele começou a cair em pequenos tufos, fiz como o restante da minha família maluca e raspei. Vocês deviam ver as reações que causávamos quando saíamos.

Um dia fomos assistir a um espetáculo na faculdade de Flynn, que tem um departamento de artes cênicas muito talentoso, e ele, que participara da criação de parte do cenário, sugeriu que fôssemos fazer um programa barato. Enquanto esperávamos na fila, passando pela cantina com seus pôsteres antidrogas ao lado de anúncios de comida em promoção, não pudemos deixar de ouvir a conversa atrás de nós. Um casal — já chegando aos 50, calculo — estava falando sobre nós. Ouvimos alguém mencionar o nome de Flynn em tom de murmúrio antes, mas agora a pessoa falava bem mais alto:

— E o que se pode esperar quando a família inteira parece um bando de delinquentes? São os pais que eu culpo.

Fiz menção de me virar para trás, mas Flynn simplesmente revirou os olhos, demonstrando que não estava chateado com os comentários. Tom, porém, não pareceu perceber o descaso de Flynn e virou-se para encará-los.

— Vocês sempre foram desprovidos de etiqueta social ou isso é uma coisa da meia-idade? — perguntou ele.

Rose, Flynn e eu estávamos bastante impressionados com o duplo golpe de insultos em sua frase inicial.

— Como é?

— Ah, me desculpe, devo falar mais alto? — Ele pigarreou e falou, em um tom exagerado: — ELA TEM CÂNCER, E NÓS RASPAMOS A CABEÇA

PARA AJUDA-LA A SE SENTIR MELHOR EM RELAÇÃO À QUEDA DO CABELO.
— Com isso, as cabeças começaram a se virar para nós, fazendo com que eu me sentisse constrangida. — NO HALL DE ENTRADA, HÁ UMA CAIXA DE CONTRIBUIÇÃO PARA A PESQUISA DO CÂNCER, CASO VOCÊS SE SINTAM SUFICIENTEMENTE GENEROSOS PARA FAZER UMA DOAÇÃO QUE, DE ALGUMA FORMA, SIRVA COMO UM PEDIDO DE DESCULPAS POR IMPLICAR COM UMA MULHER DESENGANADA.

Eles se remexeram completamente sob os olhares de reprovação lançados em sua direção, e meu constrangimento foi aliviado por suas expressões envergonhadas. Parece que, depois do espetáculo, eles doaram cinquenta libras.

Por outro lado, há as reações completamente opostas, como a ocasião em que estávamos no supermercado e um garotinho de uns 4 anos começou a apontar para nossa direção, perguntando à mãe por que não tínhamos cabelo. A mãe agachou-se e disse que era porque não estávamos bem. Ela então nos olhou e disse, à beira de um mal contido colapso emocional, que "fôssemos fortes".

Rose ficara furiosa com isso e jurou que jamais usaria batom de cor nude novamente, se a fazia parecer alguém à beira da morte.

Eu não me senti muito diferente nas primeiras semanas de radioterapia, mas depois meu estado piorou, aparentemente por causa do inchaço no cérebro. Sem mais nem menos, comecei a cantar canções de musicais, de "Don't Cry for Me Argentina" (enquanto eu tentava escorrer o espaguete) a "Jesus Christ Superstar" (a versão do "dobrou a esquina em uma Yamaha") no meio de um centro de jardinagem. As crianças e Tom pareciam mais exaustos do que eu naquela primeira semana, o que não é de surpreender quando você tem "The Music of the Night", do *Fantasma da Ópera*, sendo cantada mal por horas a fio. Por isso, perguntei a Jo se, no fim, eles poderiam ficar lá.

Shane também estava lá quando cheguei, e pude perceber pelos olhares tímidos que lançavam um ao outro, e pelos sorrisos não tão discretos, que o relacionamento deles havia mudado. Era encantador o modo como se olhavam ao me contar que tinham decidido se dar outra chance, quase como se contassem aos pais que estavam "saindo" juntos. Um pouco depois, Shane saiu e Jo passou imediatamente para o modo adolescente fofocando, descrevendo como haviam "se apaixonado novamente" e que tinham conversado a noite inteira no dia em que eu voltara para casa depois da biópsia, e, com as bochechas coradas, ela me contou que desde então não conseguiam manter as mãos longe um do outro. Ela parecia muito mais relaxada do que a mulher que conheci; parecia também ter ganhado um pouco de peso, e as curvas lhe caíam bem. Eles ficaram mais do que felizes em acomodar as crianças ali naquela semana, até meus sintomas começarem a desaparecer. De fato, somente mais uma semana transcorreu antes que a música diminuísse a intensidade e as crianças conseguissem dormir em casa novamente. No entanto, a partir daí tiveram início os outros efeitos colaterais.

A náusea era aliviada por comprimidos, embora eles não acabassem totalmente com a sensação do enjoo, mas o cansaço era — é — o que estou combatendo.

Já é quase Natal e, nas palavras do Wham, este será o meu "Last Christmas", meu último Natal.

O tratamento não está funcionando. O *tumor* é demasiadamente agressivo.

— Mãe?! Onde estão os enfeites da árvore? — Rose repassa a mensagem de Tom das profundezas do sótão.

— Perto da... — Procuro a palavra, mas não consigo encontrá-la. É quadrada e marrom e tem as palavras "livros escolares" escritas nela, mas não consigo lembrar o nome... Sinto as letras escapulirem, um pedaço de papel picado em pedaços que agora flutuam no ar, levados pela brisa. Fecho os olhos e tento agarrá-los, pego um "c", e então luto para pegar os outros pedaços. Meus olhos se abrem. — ... caixa! A caixa com os livros escolares.

Isso vem acontecendo muito ultimamente. Estou sempre esquecendo coisas, perdendo a noção do tempo. Ontem eu estava na cozinha descascando uma batata e então, de repente, me vi dormindo no sofá. Não consigo me lembrar da transição entre sair da cozinha e adormecer.

Ainda não contei a eles... Isso pode esperar.

Este é o primeiro Natal de que Rose irá se lembrar com a família completa. Flynn ainda se lembra de fragmentos de Natais com o pai, mas Rose era muito pequena. Ainda restam duas semanas antes do grande dia e eu pretendo desfrutar cada momento, cada aroma de pinheiro, cada cenário de neve tremeluzente nos cartões, cada criança empolgada nas ruas vestida como pastor ou rei.

A luta contra o câncer é a maior batalha que você pode travar na vida. Ele devora seu corpo e seus pensamentos, mas a parte mais extenuante é a esperança: ele fica balançando a esperança à sua frente. Ela está lá quando você acorda; está lá enquanto você recebe radiação e está lá quando você está tão cansada que até levantar o braço para se coçar deixa você esgotada. Ela sussurra em seu ouvido: você precisa descansar para melhorar; você não enjoou hoje, isso significa que ele está indo embora; veja como está desperta esta manhã, ele deve estar encolhendo. Mas agora que a esperança me foi tirada, tenho a sensação de que venci. Agora não preciso desperdiçar minha energia tendo esperanças para mim, posso tê-las pelo futuro da minha família, e isso é muito mais prazeroso.

Não estarei aqui para o nascimento de seus filhos ou no dia do casamento. Não estarei aqui para a formatura na faculdade ou para ver Tom envelhecer. Não seremos o casal idoso que ainda fica de mãos dadas em público ou se senta em um silêncio agradável no banco de praça favorito, mas... posso fazer planos para essas ocasiões.

O lado bom de se ter uma doença terminal é que é muito difícil as pessoas recusarem (especialmente se dito com olhos brilhantes e lábios trêmulos) seus desejos de moribundo. Motivo por que pedi a Jo e Shane que viessem hoje à tarde, enquanto os outros vão às compras de Natal, para finalizar minha lista. Até o momento, escrevi cartões para cada aniversário das crianças até os 21 anos. Tentei programar coisas que os façam sorrir, coisas normais, não algo como dar o nome deles a uma estrela ou coisas assim, mas, por exemplo, para os 18 anos de Rose, comprei meus doze romances favoritos para que ela leia um em cada mês de seu décimo oitavo ano de vida. Ela lê muito — no momento, todos os livros têm vampiros e adolescentes espiões, mas sempre planejei compartilhar meus romances favoritos com ela quando estivesse um pouco mais velha. Para os 18 anos de Flynn, contratei aulas de direção para ele (verifiquei, e ele ainda pode dirigir, mesmo com a visão de apenas um olho) e, no Natal desse mesmo ano, três voltas em um carro de Fórmula 1. Os presentes mais sentimentais virão nos grandes marcos. Para o nascimento do primeiro filho de cada um deles, mandei fazer uma colcha de retalhos do tamanho de um berço com pedaços de suas primeiras roupinhas de bebê (o primeiro traje de Flynn era bege-claro com coelhinhos e o de Rose era amarelo-limão com patinhos). Pedi que fossem debruadas com a renda do meu vestido de noiva. Quando Rose se mudar para sua primeira casa, ela ganhará todos os meus livros de receitas (com manchas de bolos de chocolate e de ceias de Natal)... Ela acha que eu os joguei fora e fez um escarcéu porque não teríamos as receitas de seus bolos favoritos. E, para a véspera do dia de seu casamento, gravei um DVD contando minhas lembranças mais queridas e, vocês sabem, essas coisas de mãe.

Rose entra na sala, carregando os enfeites e exibindo brincos no formato de meias de Natal logo abaixo da cabeça onde começam a crescer os cabelos ruivos. Flynn está escolhendo a trilha sonora de Natal e Tom aparece, o rosto e o corpo ocultos por partes da árvore de Natal artificial de 1,80 metro de altura que compramos no início do casamento. Sou tomada pela emoção quando o vejo carregando a árvore, me lembrando dos nós em meu estômago nos anos que se seguiram ao seu desaparecimento. De como eu me esforçava para que a montagem da árvore fosse divertida quando tudo que eu queria era chorar e gritar.

— O que houve? — Ele se ajoelha aos meus pés, pedaços da árvore artificial em seus ombros.

No ano passado, um galho inteiro tinha se soltado, mas eu não quis me desfazer dela. Tínhamos simplesmente virado aquela parte para a parede para que ninguém pudesse ver a falha.

— Nada. — Enxugo os olhos com a manga. — É que é tão bom ver você aqui, com a árvore.

Ele franze a testa.

— Nós a compramos no nosso primeiro ano juntos e eu sempre achei tão difícil montá-la sem você. Mas agora você está aqui.

Eu rio em meio às lágrimas. Os tons melódicos de George Michael enchem a sala à medida que ele canta seus "whooooo-hooooos-ooooooh--ohhhhhhh-hu-hooooos..." Flynn pega uma garrafa de vinho e começa a picar laranja e despejá-la na panela elétrica para preparar o vinho quente, como fizemos no ano anterior. Rose procura o óleo de vela com aroma de canela e o acende, instruindo Tom para que, sob nenhuma circunstância, ele comece a pendurar os enfeites na árvore até que — nós três dizemos em uníssono — "a casa esteja com cheiro de Natal!".

Ele delicadamente arruma os galhos e monta a árvore enquanto eu bebo o vinho aquecido. Flynn está desemaranhando o festão vermelho e eu fecho os olhos por um momento, absorvendo os sons, cheiros e gostos: guardando-os bem lá no fundo para que possa trazê-los à vida quando precisar deles. Não sou nenhuma santa, sei que estou falando a você de todas as coisas positivas de aceitar o inevitável, mas estou apavorada também. Sei que vai chegar uma hora, em um futuro não tão distante, que vou ficar fraca; que não vou conseguir cuidar de mim mesma, e sei que vou, com absoluta certeza, morrer.

Não tenho medo da morte em si. Não sou uma mulher religiosa e sinto-me grata por isso. A ideia do dia do julgamento me assustaria, como a ocasião em que viajei com as crianças no fim de semana, não lembrei de alimentar o hamster e ele morreu — será que eu estaria a caminho dos nove círculos do inferno de Dante pelo assassinato de um roedor? E quando me sentia atraída pelo professor de educação física no ensino médio? Com certeza era luxúria, se um dia já senti isso. Às vezes ainda penso nas coxas dele. E o que mais? Gula, avareza, ira — posso sentir tudo isso numa noite de sexta-feira ao comer um pote inteiro de sorvete e ainda me irritar quando acaba. Acho que o único círculo do inferno contra o qual eu provavelmente poderia me defender seria a violência, mas então me lembro de todas as aranhas que encontraram seu destino mole sob meu chinelo e concluo que definitivamente estaria a caminho da descida. Tenho certeza de que fraude e traição também estão entre os meus pecados — mentir sobre a idade para beber quando você é menor de idade conta? Fiz isso várias vezes quando era adolescente, então acho que isso só me exclui da heresia. Bem, gostar mais do príncipe Harry do que do príncipe William conta como heresia? Seja como for, o que quero dizer é que fico feliz de não ser religiosa porque esses são os pensamentos que poderiam estar passando pela minha cabeça, e não quero ficar pensando nas coisas erradas que fiz na vida. Quero saborear todas as coisas boas até o momento da minha morte. Não quero ficar flutuando como um fantasma, vendo tudo e não participando de nada. Não espero ver uma luz branca e uma fila de parentes, há muito perdidos, à minha espera de braços abertos quando morrer. Acredito é que não haverá nada. E é por isso que quero aproveitar cada minuto do tempo que tenho para viver e quero partir sabendo que, mesmo tendo ido, ainda posso fazer coisas pela minha família e colocar um sorriso no rosto deles.

— Esse aqui é de quando fomos para Gales, no aniversário de 10 anos do Flynn, e choveu o tempo todo — digo ao passar para Tom o enfeite de uma ovelha com Feliz Natal escrito em galês. — E esse aqui — acaricio uma bailarina de vidro — foi de quando Rose participou de uma montagem de *O Quebra-Nozes* quando tinha 6 anos, e esse — estendo a mão para um Papai Noel retrô com uma barba comprida — foi o primeiro que compramos juntos... Ele custou cinco libras, o que era muito para a gente naquela época. — Sorrio com a lembrança e o entrego a Tom, que o segura delicadamente e o pendura na árvore.

— E esse aqui? — Tom pega um sino de poliestireno, do qual se projeta um limpador de cachimbo verde, coberto por lantejoulas coladas em um padrão caótico.

— A primeira obra de arte de Flynn. — Rose dá uma risadinha.

Eu me recosto e suspiro de satisfação. O vinho me deixou sonolenta e o fogo zumbe baixinho enquanto as lâmpadas elétricas e o ventilador criam a impressão de um fogo verdadeiro, me enchendo de felicidade antes de mergulhar em um sono profundo.

Quando acordo, a sala está completamente decorada. Galhos com pinhas e azevinho estão embaixo da lareira e um falso arco de velas repousa no peitoril da janela enquanto um Papai Noel original monta guarda segurando seu saxofone no canto da sala. Eis meu último Natal.

Flynn está sentado aos meus pés na ponta do sofá assistindo a *Esqueceram de mim*. Pressentindo que estou acordada, ele se vira para mim e sorri.

— Você quase perdeu a parte com o ferro. — Ele faz um gesto com a cabeça, indicando a tela da TV. Olho para onde ele aponta, mas há grandes pontos da tela faltando. Esfrego os olhos, me sento um pouco mais ereta, mas decididamente ainda há partes da tela faltando. O sangue flui dentro dos meus ouvidos e posso ouvir Flynn rindo do pastelão natalino, mas consigo ver apenas pequenos pedaços da tela. Correndo os olhos pela sala, minha visão fica embaçada e tenho a sensação de que uma corrente elétrica está disparando pelo meu corpo. Registro Flynn gritando "Pai!" e a próxima coisa que sei é que estou no chão. Rose chora e Tom fala ao telefone sobre meu corpo estar rígido e trêmulo.

Olho toda a sala e a sensação é de que não estou de fato ali. Os enfeites parecem espalhafatosos e brilhantes demais e os cheiros também são muito fortes. Minha perna dói, assim como um lado do meu rosto.

Pelos minutos seguintes, ou talvez horas, eu durmo e acordo. Em algum momento mais tarde, registro que há paramédicos debruçados sobre mim, e estou sentada, falando. Penso que devo estar falando há algum tempo, mas não recordo o que disse. Jo e Shane estão aqui, e se agarram um ao outro, o que me faz rir. Eu me sinto bêbada, me sinto enjoada, me sinto... doente. Tento recusar quando me dizem que preciso ir para o hospital, mas minhas palavras estão engroladas. Tento dizer "Não vai fazer nenhuma diferença", mas o que sai é "difenão".

Assim que chegamos ao hospital e sou colocada em um quarto particular, digo a Tom que ele precisa ir para casa.

— Não, acho que devo ficar — responde ele.

— Não quero que você fique.

— As crianças vão ficar bem. Shane e Jo disseram...

— Não me importa o que eles disseram! — eu grito. — Seus filhos precisam de você. Eu não quero você aqui!

— Mel, eu acho que devo ficar.

— VÁ PARA CASA! — grito e jogo um copo plástico com água do outro lado do quarto. — Você não entende? Não pode fazer nada por mim aqui. Eles precisam de você mais do que eu. — Ele pega uma toalha na bolsa que foi arrumada às pressas e enxuga a água, colocando o copo de volta no armário. Então assente lentamente com a cabeça, beija minha testa e vai embora.

— Como está se sentindo, Melody? — Dou as costas ao tom suave do médico enquanto ele fecha a porta. Não quero conversar. Estou com raiva. Estou com raiva porque o câncer estragou meus planos, arruinou meu "Dia Perfeito". — Melody? Você entende que teve uma convulsão? — Faço que sim com a cabeça. — É provável que isso volte a acontecer. Falei com o seu médico, o Dr. Rudd, e ele me disse que explicou o que esperar quando terminasse o tratamento... — Torno a assentir. Não posso responder, mesmo se quisesse. Dentro de mim, o lúgubre piano começou e Lou Reed sussurra em meu ouvido sobre um dia perfeito, um "Perfect Day", em que poderia ter bebido sangria no escuro, e, depois disso, poderia ir para casa. Nosso dueto é doce e triste, cheio de otimismo e derrota. Fico feliz por ter passado o dia com eles. Foi mesmo quase perfeito: um fim de semana cheio de diversão, perfeito. Teria sido um "dia perfeito", mas veja... esse câncer se pendura em mim, se agarra; rouba meu fim de semana perfeito e me faz esquecer quem eu sou, me transforma em outra pessoa. E continua a se pendurar em mim: esse câncer; esse tumor. Ele não pode ser colhido; não pode ser extraído ou eliminado... nunca, jamais será tirado de mim.

O médico fecha a porta silenciosamente ao sair enquanto soluço no travesseiro e, das profundezas do meu caixão branco e engomado, fito as paredes vazias.

# 38

# Flynn

A faculdade é boa. Minha arte está se tornando mais estruturada e nela há muitas "camadas", ou pelo menos é o que me dizem. Sei que pareço um idiota pretensioso, falando assim, mas minha arte está me ajudando. Está me ajudando a lidar com o que está acontecendo com a mamãe.

Ela está morrendo.

Quando teve a primeira convulsão, pouco antes do Natal, nós ainda meio que pensávamos que ela ia ficar boa, mas assim que começaram a acontecer com frequência cada vez maior, e ela nos disse que não ia mais fazer nenhum tratamento, bem, você não precisa ser nenhum gênio para deduzir o que vem a seguir. Logo vai chegar o Valentine's Day e vou levar Kate para passar o fim de semana na casa do papai, só nós dois. Parte de mim não quer ir — isto é, o que vai acontece se a mamãe, você sabe, for embora e eu não estiver aqui para me despedir? Mas parte de mim pensa: e se ela for e eu não *tiver* de estar aqui para dizer adeus? Como se faz isso? Dizer adeus à sua mãe? Alguns dias são melhores que outros, como ontem, quando ela estava acordada e lúcida por algumas horas, me perguntando sobre Kate e me pedindo que mostrasse a ela alguns dos meus trabalhos. Mas também há dias como a quinta passada, quando ela teve três convulsões durante o tempo que levei para assistir aos dois últimos episódios de *The Walking Dead*. Vê-la ficar rígida e começar a tremer é, bem, cara... é simplesmente horrível. Os olhos dela meio que reviram e a íris desaparece na órbita ocular, e às vezes aparece saliva nos cantos da boca.

Andar agora também é impossível, ela está fraca demais. Então tivemos de providenciar uma cadeira de elevação. Jesus, uma cadeira de elevação! Ano passado, nessa época, ela estava normal — bem, normal exatamente não, mas, você sabe, saudável, e agora... ela nem é mais ela, afora os pequenos períodos de tempo em que está acordada e não dopada por sei lá o quê que a enfermeira deu a ela. Ter uma enfermeira entrando e saindo da sua casa o tempo todo é muito estranho também, e quando você acorda e ela já está lá, é simplesmente esquisito.

Alguns dias mamãe se recusa a ficar na cama, mas em outros... Não creio que ela sequer se dê conta de que dormiu mais de quarenta horas direto.

Papai é incrível com ela e acho que com a gente também. Ele dá banho nela, dá comida. Conversa com ela sem parar, mesmo quando eu tenho certeza de que ela não está ouvindo o que ele está dizendo. Ela às vezes fica só olhando pela janela, tão imóvel que me dá medo de chegar perto demais e ver que chegou a hora. A HORA. Falamos bastante sobre quando chegar a HORA.

Nossa casa está à venda.

Quando ela falou sobre isso com a gente pela primeira vez, Rose e eu ficamos furiosos. Como você pode sequer pensar em vender a nossa casa?, perguntei. Para ser franco, pensei que deviam ser os medicamentos deixando-a um pouco pirada, mas ela conversou com a gente em um de seus dias "normais". Foi mais ou menos assim:

— Quando achei que seu pai estava morto, eram tantas as lembranças dele nessa casa que foi muito mais difícil para mim lidar com a situação. Eu olhava para o jardim e me lembrava das promessas dele, via um pedaço da parede sem pintura atrás de um quadro e lembrava que tínhamos caído na gargalhada porque havíamos ficado sem tinta no último minuto; o temporal que havia caído no dia em que escolhemos o tapete do quarto e como tínhamos feito a compra correndo porque estávamos ensopados, e acabamos não gostando muito dele o tempo todo em que esteve no chão; ou o fato de termos comprado a mesa no topo da escada só porque sentimos pena da mulher na barraca do mercado, então a compramos, apenas para deixá-la feliz. Eram lembranças boas que eu guardava e mesmo assim foi muito difícil. Não quero que vocês olhem a mancha no tapete e pensem: foi aqui que mamãe derrubou um copo de Coca-Cola quando teve uma convulsão ou foi ali que ela bateu a cabeça. Não quero que olhem para aquela estúpida cadeira elevador na escada e se lembrem de mim deslizando nela sem cabelos, ou olhem para esse quarto e pensem: foi aqui que ela morreu. Não quero isso para vocês. — Ela segurou minha mão e acariciou o rosto de Rose. — Quero que vocês vão morar com seu pai. Quero que tenham um novo começo.

Rose e eu não dissemos nada, apenas nos entreolhamos. Ela quer que a gente vá para longe da nossa casa, dos nossos amigos. Rose está muito quieta em relação ao assunto; estamos no início do ano da certificação geral do ensino secundário e ela está apenas começando a se ajustar aos amigos; e eu, bem, não me importo com a mudança de faculdade. Estou me saindo bem e posso me inscrever para terminar a segunda parte do meu curso na faculdade na Cornualha. Papai diz que ampliaria o estúdio também para que eu pudesse ter meu próprio local de trabalho.

Haverá um pouco mais de dinheiro após a venda da casa. Quer dizer, não vamos ser milionários nem nada, mas haverá o suficiente para ampliar o estúdio e a casa. Estou começando a gostar da ideia e Kate já estava se candidatando a universidades por lá, então acho que estaremos mais perto do que se ela estivesse indo e eu ficasse aqui. Sim, admito, estou começando a gostar da ideia. O único problema é que, quando eu nos imagino lá, sempre imagino mamãe com a gente, e ela não estará.

Dia desses eu estava olhando algumas fotos no meu telefone, aquelas que tirei quando fizemos o passeio de balão. Mamãe está tão diferente, seus olhos formam ruguinhas na lateral quando ela sorri, e agora o rosto dela todo parece enrugado. Como quando eu esquecia de tirar a camisa do uniforme da escola da máquina de lavar e de manhã ela estava toda amarrotada. E os olhos dela, não sei como descrevê-los sem usar a palavra mortos, mas é assim que eles parecem... mortos, principalmente quando ela faz aquela estranha coisa de sair do ar. Um dia desses eu a peguei no colo enquanto papai arrumava a cama. Foi como segurar um saco de ossos. Ela deve estar pesando o mesmo que uma criança de 5 anos, mal teve forças para passar os braços pelo meu pescoço.

Georgie tem vindo quase todos os fins de semana, e fico feliz que papai a tenha. Ele conversa conosco sobre o que vai acontecer depois e nos faz muitas perguntas sobre o passado, como se estivesse tentando tirar uma foto da nossa vida antes de sua partida, antes que ela vá. Acho que ele já se sente nosso pai agora. No começo, dava para ver que estava tentando quase exageradamente dizer as coisas certas, fazer as coisas certas, mas agora tudo parece muito mais natural. Comecei a chamá-lo de pai, em vez de Tom, quando mamãe teve sua primeira convulsão. Não planejei de repente começar a chamá-lo assim, foi só, sei lá... instinto? Eu fiquei tão apavorado quando ela escorregou do sofá, toda dura e tremendo, que, bem, acho que só precisei do meu pai. E ainda preciso. Estou tão feliz que o tenhamos encontrado; por termos ido atrás dele. Ele está segurando a nossa barra, e acho que Georgie segura a dele. É uma sensação boa tê-lo cuidando da gente depois de tantos anos sendo mamãe e eu. Embora ela sempre tentasse ser o responsável, eu sempre meio que senti que era minha obrigação também, ser o "homem da casa".

Eu o ouvi chorando na sala quando Georgie estava aqui no outro dia, e pensei no quanto ele deve tentar esconder da gente. Eu queria que ele soubesse que está tudo bem, que estamos acostumados a enfrentar barras pesadas, mas parecia uma coisa tão particular que eu não quis, você sabe, me intrometer.

Estou pintando um quadro bem sombrio aqui, mas não é essa a minha intenção. Mamãe ainda tem senso de humor, como no outro dia, quando estava desperta o suficiente para descer durante uma visita da vovó. Eu detesto quando a vovó vem, porque ela faz a coisa toda parecer tão desesperadora... Quero dizer, eu sei que a situação é desesperadora, mas ela faz com que pareça ainda pior, como se a morte da mamãe fosse literalmente o fim do mundo. Ok, não estou me explicando muito bem — eu sei que é horrível. O pior, certo, é a mamãe morrer. Estamos lidando com isso da nossa maneira estranha, mas, quando a vovó está aqui, ela faz parecer que toda a humanidade será extinta e a Terra se tornará um deserto, desolado e árido. De qualquer forma, depois que ela foi embora, queríamos um pouco de normalidade, então pegamos a caixa de biscoitos e as xícaras de chá e nos acomodamos para assistir a um daqueles programas de construir a própria casa. Mamãe estava se divertindo, conversando sobre o que deveríamos fazer no chalé, como se ela fosse estar lá conosco. Pode parecer um pouco, sei lá, mórbido? Ficar falando sobre isso. Mas não era, parecia bem normal, como se estivéssemos falando em redecorar a casa, como qualquer outra família. Bem, depois de algum tempo ela começou a se cansar e, assim que o programa terminou, papai a ajudou a se acomodar na cadeira elevador e depois foi buscar para ela uma daquelas bebidas com vitaminas. O zumbido da cadeira elevador começou e, de repente, mamãe estava cantando a plenos pulmões. Tão alto que todos nós corremos até lá. A música que ela estava cantando era tão perfeita para a ocasião, mas tão absurda ao mesmo tempo, que todos caímos na gargalhada. Ela estava cantando "Spirit in the Sky", com a banda Doctor and the Medics.

De início parecia chocada com o que estava cantando e tentou cobrir a boca, mas então começou a rir entre os versos e tentou fazer uma dança estranha com os braços, que ficavam batendo no botão da cadeira. Cada vez que ela chegava ao coro, a cadeira dava uma espécie de solavanco, parando brevemente, então subia e parava de novo. Quando ela chegou perto do "espírito do céu", parecia exausta, e papai foi até o alto da escada para ajudá-la a sair, mas a essa altura ele também não conseguia parar de rir, risadas estridentes e tudo mais. Mamãe finalmente conseguiu se controlar e disse a ele, com uma falsa irritação na voz, que ainda bem que não era a hora de seu descanso final porque seu marido horrível estava muito ocupado rindo de sua pobre esposa moribunda para conseguir levá-la para aquele lugar que se supõe seja o melhor.

Bem, como eu ia dizendo, já é quase o Dia de São Valentim, e queríamos fazer com que fosse um dia especial para mamãe. Eu e papai estamos trabalhando nisso há algum tempo e tudo deve estar pronto para o grande dia, e Rose também está cuidando da sua parte. Mamãe sempre nos disse que papai era romântico... Não sei como ele teve a ideia, mas é perfeita. Vai ser tudo perfeito e eu mal posso esperar para ver a expressão no rosto dela quando vir o que fizemos.

# 39

# Melody

Ele está quase aqui... o fim.

Eu não estou triste, então, por favor, não fiquem. O fim raramente é uma coisa ruim. O fim de uma boa refeição, quando você se sente saciado e satisfeito, o fim de uma jornada, quando você pode finalmente se deitar na sua cama, e o fim de um bom filme, quando você se levanta e pensa que precisa recomendá-lo a outra pessoa. Naturalmente, os fins podem ser agridoces: o fim de um relacionamento turbulento — as lembranças boas ofuscadas pelas más — ou o fim de uma série, quando você lamenta se despedir dos personagens e cenários até encontrar a próxima série para substituí-la; o fim de um bom livro, quando você vira a última página, desesperada para terminar, mas ao mesmo tempo relutante.

Meu fim está vindo em sonhos doces e benevolentes. Minha vida, minhas lembranças estão se escondendo atrás de minhas pálpebras fechadas. Estou de pé no jardim, observando Rose em seu pijama rosa florido enfiado nas galochas, enquanto ela anda de um lado para o outro, regando o mato com seu regador de detergente líquido. Flynn — com os joelhos arranhados e uma camiseta de super-herói — está pendurado de cabeça para baixo em uma árvore, de olhos fechados, como um morcego. Posso sentir o gosto do café na minha caneca branca que tem as impressões digitais de Flynn aos 6 anos dispostas como uma flor ligeiramente deformada, e posso ouvir no rádio da cozinha Beyoncé cantando "Single Ladies". Dev vem e se senta ao meu lado e eu repouso a cabeça em seu ombro.

— Eles estão crescendo — digo a ele.

— Estão — replica ele e beija o alto da minha cabeça.

— Já é hora de ir? — pergunto. — Tenho a sensação de que preciso estar em outro lugar.

— Ainda não. Tenho uma surpresa.

— Que surpresa? — Flynn se ergue, não mais um garoto sujinho, mas um rapaz confiante. Ele desce da árvore e Rose deixa de lado o regador, as pernas do pijama transformadas em bermudas. O cabelo dela está trançado, descendo pelas costas. Eles estão sorrindo para mim. Eu me viro para Dev e ele tem a mão estendida.

Levo algum tempo para abrir os olhos, minutos preciosos desperdiçados no esforço de recolher as pálpebras, me arrancando dos meus sonhos de uma vida sem câncer.

— Acorda, mãe! Temos uma surpresa para você. — Rose está usando um vestido rosa-escuro que deixa seus ombros nus e é debruado com uma renda delicada da mesma cor. Flynn está de terno verde-escuro. Por um momento, confusa, tento abrir caminho em meio aos meus pensamentos viscosos, me esforçando para encontrar um convite ou uma mensagem que tenha me passado despercebido, mas então meu cérebro cansado e danificado processa a palavra "surpresa" e sei que não esqueci nada. Hesitante, porém com determinação, Flynn me ajuda a me sentar na cama e me apoia com almofadas extras, e Rose se senta ao meu lado, abrindo, com um sorriso, seu estojo de maquiagem.

Posso ouvir música clássica flutuando em minha direção, vinda de algum lugar da casa, enquanto ela aperta os lábios, concentrada. Quero perguntar o que está acontecendo, mas manter-me ereta e acordada está exigindo tanto da minha energia que fico feliz em apenas observá-la. Fechando os olhos a seu pedido, sinto as sombras do pincel para os olhos trazendo vida à minha pele sem vida. Sinto o sabor adocicado do gloss de cereja despertando meus lábios rachados e o blush traz de volta às minhas bochechas um pouco de rubor. Flynn ajuda a me deslizar para cima na cama e, então, é expulso do quarto quando minha camisola azul-clara é descartada e substituída por um vestido creme. Olhando para baixo, vejo que a estampa mostra minúsculos pombos pousados em roseiras descendo na diagonal, e sei que esse desenho é de Tom. A lama no meu cérebro se estica e se rompe, abrindo caminho para uma clareza afiada e cortante.

É um vestido de casamento. A adrenalina dispara pelo meu corpo débil, forçando-o a reagir, e sou recompensada com um sorriso, meu rosto obedecendo aos pensamentos, pelo menos dessa vez sem o suborno e a concentração que, em geral, tenho que empregar para fazer esta carcaça desmoronando obedecer a meus comandos.

Flynn retorna ao quarto, olhos ao mesmo tempo tristes e felizes sorrindo para mim ao perguntar se estou pronta. Com um profundo esforço de concentração, faço que sim com a cabeça e ele me ergue nos braços com a mesma facilidade com que o ergui tantas vezes na vida. O vestido silencia o gemido do meu desconforto enquanto ele me carrega até o patamar. A música está mais alta e o cheiro de — vasculho meu cérebro à procura da conexão certa — grama cortada perfuma meus pensamentos, e arquejo quando vejo o que eles fizeram. Entrelaçadas no corrimão veem-se folhagens entrelaçadas com fios de luz. Uma risadinha escapa dos meus lábios quando vejo que a odiada cadeira elevador foi enfeitada para a ocasião, assim como o saguão. Minha casa foi transformada no campo inglês. As pinturas de Flynn cobrem as paredes. Nas extremidades de cada degrau há vasos cheios de gramíneas altas, erva-cicutária e botões-de-ouro. A cadeira elevador se encontra diante da pintura de um automóvel antigo, a tradicional fita anunciando os recém-casados estendendo-se tridimensionalmente dela. Tudo que quero dizer sai em grito soluçado, mas meu corpo expressa meus pensamentos por mim: estou sorrindo e gargalhando, e Flynn me coloca na cadeira-carro. Eu seguro seu braço e tento demonstrar o quanto me sinto grata e orgulhosa. Ele encosta a testa na minha e diz:

— Por nada.

— Ah, espere! — Rose vai correndo até seu quarto e traz duas correntes de margaridas.

Momentaneamente me pergunto onde ela encontrou margaridas em fevereiro, mas então me lembro do dia em que batemos nosso recorde de corrente de margaridas mais longa feitas por nós. Depois não quisemos nos desfazer delas, então as congelamos: as mantivemos com aspecto de vivas mesmo quando, na verdade, estavam mortas.

Ela coloca uma na própria cabeça — uma coroa em torno de seus cabelos curtos — e a outra na minha. Ela me pesa como se eu estivesse usando as joias da Coroa, mas me faz querer manter a cabeça um pouco mais alta, tornando minha postura um pouco mais ereta.

À medida que faço minha jornada para o campo lá embaixo, mais do ambiente se revela e eu absorvo todos os detalhes — do camundongo espiando sob a sebe, que tínhamos visto em um passeio no dia do sétimo aniversário de Rose — até o balão de ar quente voando sobre os campos de trigo: seus três passageiros observando de cima a beleza do dia. Há uma praia ao longe e lá está Rose com suas galochas, segurando uma rede de pesca... Passo por Flynn perseguindo sapos no velho lago no quintal da casa de mamãe e, pela janela da nossa casa, vemos Rose e eu, cortando biscoitos de gengibre, como costumávamos fazer quando havia festa na escola. Depois, lá estamos nós três tentando empinar uma pipa: o rosto de Flynn um retrato de concentração; o de Rose, esperançoso, enquanto eu, de pé — de jeans e blusa azul listrada que eu havia esquecido que já tive um dia —, tento fazer a pipa subir. Continuo minha descida em direção a uma Rose aquarelada dando estrelas ao longo de um caminho — tinha esquecido como ela costumava fazer isso: estava andando normalmente e, de repente, sem aviso prévio, dava uma estrela. Estou cercada pela infância dos meus filhos e sei — se algum dia tive alguma dúvida — que sou profundamente amada.

Quando chego ao pé da escada, deparo com um caminho de cascalho levando à porta da sala, que foi transformada em portas duplas de carvalho. Há vitrais de ambos os lados, pendurados sobre as paredes normalmente caiadas de branco, que foram substituídas pelos tijolos envelhecidos de uma igreja. A combinação da arte de Flynn com as esculturas de Tom é de tirar o fôlego.

Fios de luz pendem dos pinheiros de ambos os lados da porta — os toques de Rose em meio à arte dos garotos.

Flynn me pega no colo e Rose coloca um delicado buquê de erva-
-cicutária, botão-de-ouro e gramínea em minhas mãos enquanto as portas
se abrem.

O interior da sala se transformou em uma igreja, com cadeiras dispostas
como bancos e corações de madeira pendendo da extremidade de cada fileira. Enquanto entro carregada, me dou conta de que minha família e meus
amigos enchem a sala. Minha mãe está vestida toda de pêssego e funga em
um lenço de papel sob um imenso chapéu também cor de pêssego. Shane
e Jo estão vestidos com toda a elegância e sorriem para mim ao lado de
Georgie, Kate e os convidados restantes, meus filhos. Meus filhos de todas
as formas e tamanhos. Flynn criou uma montagem no fundo da sala que
parece o interior da igreja com fileiras e mais fileiras de pessoas — cada
um dos rostos, porém, mostram Rose ou Flynn retribuindo meu sorriso.
De rostinhos rechonchudos de bebês a adolescentes com espinhas. Ao olhar
mais de perto, também os vejo nos anos mais recentes. Flynn conseguiu,
de alguma forma, envelhecê-los para que eu possa vê-los como serão,
aos 20 e aos 40: ali está Rose usando um capelo na formatura; Flynn de
mãos dadas com Kate; Rose com uma enorme barriga de grávida e, mais
adiante, vejo os dois segurando a mão de crianças pequenas. Há alguns
cômicos Toms espalhados tendo acima da cabeça um balão de pensamento
com pontos de interrogação, e nas mãos um mapa. Há imagens de nós
dois também, de cabelos grisalhos e rostos flácidos. E bem na frente da
montagem, estamos Dev e eu no dia do nosso casamento. Olho para onde
um altar foi construído na outra extremidade da sala e lá está ele, à minha
espera, como o esperei por tanto tempo. Flynn pigarreia e a ave-maria
começa a tocar enquanto meu filho me carrega pelo corredor.

Flynn me passa para Tom e eu uso minha força para estender a mão e
tocar seu rosto. Ouço a voz do reverendo na frente da sala, mas as palavras dele são complicadas demais para eu entendê-las, então nem tento.
Em vez disso, passo todo o meu tempo olhando para o rosto de Tom,
concentrando-me nos vincos em torno da boca, no verde dos olhos, na
covinha do queixo. Ele diz a palavra "Aceito" e tento repeti-la. Acariciando
meu rosto, ele me diz que não preciso falar, mas abro a boca, desfrutando

o som dessa palavra. "Aceito." Ele sorri com lágrimas nos olhos e me vira para onde estão todos aplaudindo e sorrindo.

Tento retribuir os sorrisos, mas falar roubou toda a minha energia, e eu fecho os olhos só por um momento para recuperar um pouco de força.

Quando acordo, as cadeiras voltaram às posições corretas, o altar desapareceu e foi substituído por comida. Posso ouvir o tilintar de copos e conversas abafadas. Tom está sentado a meus pés, girando uma taça de champanhe entre as mãos, e Rose se encontra sentada no braço do sofá, ao lado de onde estou deitada. Flynn, sentado no sofá oposto, apoia o braço nos ombros de Kate e sorri ao me ver olhando para ele. Retribuo o sorriso e torno a fechar as pálpebras.

Mamãe sacode meu ombro gentilmente, seu familiar cheiro de pó de arroz me traz memórias de infância, de não querer soltar sua mão no primeiro dia na escolinha. A sensação da flanela "mágica" molhada que ela colocava na minha cabeça quando eu estava doente e da maneira como ela batia palmas quando estava animada com alguma coisa. Eu me preocupo com a forma como ela vai lidar com a minha morte. Mamãe sempre foi otimista; mesmo agora, ao beijar meu rosto e dizer que voltará na semana seguinte, no fundo não penso que ela acredita que vou morrer. É como se eu tivesse um vírus nefasto do qual vou me curar. Queria que ela pudesse colocar a flanela mágica na minha cabeça agora. O pior em relação ao câncer é que ele tirou de mim tudo que poderia ter tirado. Até minhas últimas palavras. Quero dizer a ela que aproveite o restante de sua vida, que desfrute os netos. Quero dizer a ela o quanto a amo e como tenho sorte de tê-la tido como mãe, mas, em vez disso, apenas babo, enquanto meu lábio superior tenta falar.

Está escurecendo quando volto a acordar. A sala-igreja agora está iluminada com luzinhas em todas as superfícies e, no fundo da sala, posso ouvir a discussão animada e acalorada na escolha da playlist.

— Mas essa música é tão depressiva! — geme Rose.

— Que tal...

— Não, não, não! Pai, existem músicas que vêm de outras décadas além dos anos noventa, você sabe.

— Que tal essa aqui?

— Ah, mamãe ama essa música.

Estou com sede, mas não quero interrompê-los, quero ouvi-los sendo normais. Tento me mexer, mas não consigo. Meus braços não têm mais força suficiente para levantar o corpo e eu emito um horrível ruído gorgolejante quando tento me mover. Os três surgem ao meu lado e seus rostos preocupados e ordens de "vamos levantá-la" e "pegue um copo de água" são como facas cortando a normalidade que enchia a sala há poucos instantes. É nesse momento que decido que quero morrer. Quero deixar todos eles, deixar que continuem com suas vidas, de modo que não tenham de conversar constantemente baixinho porque estou dormindo, para que não precisem verificar como estou a cada poucos minutos.

Encaro seus rostos enquanto me mudam de posição, uma marionete cujos pontos mal sustentam a costura. Ternamente limpam a baba que escorre da minha boca enquanto Tom me toma nos braços.

— Vamos levá-la para a cama.

Não quero ir lá para cima. Quero ficar nesta sala bonita, cercada pelas imagens do futuro deles. Tento dizer que não quero ir, mas minha boca está muito ocupada babando. Tento balançar a cabeça e os braços, mas isso só serve para confundi-los.

— Ela vai ter uma convulsão? — pergunta Flynn.

— Ponha-a de novo no sofá, pai — instrui Rose.

Tom olha de um para o outro e então retorna a mim. Eu me acalmo para que ele veja que não vou ter um ataque. A música, sobre a qual falavam antes, enche a sala.

É a minha canção favorita. "This Woman's Work", de Kate Bush. Eu devo demonstrar algum tipo de reconhecimento porque todos eles riem suavemente. Deixo as primeiras notas aliviar minha pele cansada à medida que ela canta "ah-haaaaaaaa-oooooooh-huh-hooooo... ah-haaaaaaaa--oooooooh-oooooh-hooos".

— Ah! — Rose bate na boca com a mão e então sorri. — Vocês não tiveram sua dança do casamento.

Tom sorri para mim.

— Você está confortável? Quer que eu a deite?

Solto um gemido, que espero que soe como uma negativa, e eles todos riem.

— Me concede essa dança? — pergunta ele, ao acariciar meu rosto.

Recorro aos últimos fragmentos da minha energia para assentir e ele beija o topo da minha cabeça.

Vou me juntar a vocês todos agora.

Enquanto estou sendo embalada nos braços do meu marido, dou um passo para fora daquele corpo que, de tão frágil, parece de vidro, e me posto ao lado de vocês, observando a última cena da minha vida nesta terra. Vejo como a cabeça de Rose se apoia no ombro de Flynn, a cabeça dele encostada na dela, os dois com lágrimas silenciosas escorrendo pelo rosto. De pé ao seu lado, meu corpo de volta ao que era antes, minha voz obedecendo a meus comandos como antes, observo o jeito como ele me olha, como se estivesse olhando para a criatura mais rara e linda da Terra. Vai ser difícil para ele, mudar de simples homem para pai. A tristeza toma conta de mim enquanto o vejo me dizer que tenho um pouco mais de vida em mim, um pouco mais de força.

Eu poderia chorar agora, mas não quero deixar minha tristeza transparecer.

Ele está me falando de tudo que poderia ter me dito, mas não disse, todos os lugares onde poderíamos ter ido, se ele não tivesse desaparecido e de todas as coisas que eu havia precisado dele, mas que ele não pôde me dar.

Desesperadamente, quero dizer a ele que a dor de me ver definhar está quase chegando ao fim e que ele finalmente terá aquilo que vem buscando há tanto tempo: pertencimento.

Ele irá pertencer... a eles.

Olhando as imagens à minha volta, versões futuras de mim mesma assombram meus pensamentos como erros passados: erros que não podem ser modificados — assim como o futuro. Então folheio minhas lembranças como um álbum de fotografias: um boneco de neve construído com a minha mãe; Rose gritando enquanto eu tentava colocar nela um vestido de princesa — o rosto vermelho de raiva, sujo de glitter — e Flynn... punhos machucados e olhos que contêm arrependimento e confusão, como a capa de um mágico: os mesmos olhos que haviam formado trilhas de lágrimas no rosto pegajoso de geleia enquanto eu o beijava, afugentando a dor da queda nos primeiros passos... E desejei ter só mais um daqueles dias de volta: queria poder vivê-lo mais uma vez.

A incredulidade toma conta do rosto de Tom quando ele registra que meu corpo está ficando um pouco mais flácido, e logo meu peito não subirá novamente; minha voz nunca mais cantará outra música. Erguendo os olhos, vejo os de Tom tentando focar o rosto de seus filhos. A mão de Rose cobre a boca e Flynn baixa os olhos à medida que se dão conta de que "This Woman's Work", o trabalho dessa mulher, chegou ao fim.

# Epílogo

*Devon*

Faz seis anos que você se foi.

Feliz Dia dos Namorados, Mel.

Sei como devo parecer aos olhos dos outros tristes visitantes deste cemitério, ajoelhado aqui plantando sementes de flores silvestres em fevereiro. Pois, para início de conversa, quem planta sementes em fevereiro, não é mesmo? O que posso dizer, Mel? Você sempre gostou de um desafio, sempre lutou pelo que tinha, então isso é algo que fazemos juntos, tentar derrotar as adversidades. Quando a visitamos em seu aniversário, em junho, ficamos na expectativa de ver por qual flor você escolheu lutar. Tornou-se uma espécie de desafio entre nós e apostamos em que flor vencerá. O vencedor fica liberado de cuidar da roupa por um mês. No ano passado, foram bocas-de-leão, um monte delas, e Flynn foi o vencedor... Vamos ver o que você nos dá este ano.

Há um casal idoso que muitas vezes está aqui quando venho. Eles colocaram um ursinho de pelúcia perto da lápide. Da última vez que estive aqui, olhei e vi que a garotinha, "May", havia morrido em 1957, com apenas 6 anos. Triste, não é? Eles devem me olhar com a mesma pena com que eu os olho; devem olhar para cá e ter pena de um homem no auge da vida passando o Dia dos Namorados ao lado de um túmulo. Mas não poderiam estar mais equivocados em sua piedade. Sei que parece idiota, mas estou feliz. Eu gosto de vir aqui.

Depois de todo esse tempo, as crianças agora finalmente concordaram que foi mesmo a coisa certa a fazer naquela ocasião: vender a casa e deixar suas cinzas aqui neste cemitério da igreja, onde você costumava fazer trabalhos de arte "decalcando" túmulos quando era criança. Agora elas entendem por que você deixou instruções estritas para não ser enterrada em um lugar a que nos sentiríamos obrigados a ir toda semana, e assim fazemos a viagem até aqui duas vezes por ano. Gosto de visitar você e contar a minha história; falar da primeira vez que vi você bebendo daquela garrafa de água e olhando para a fachada da galeria, como me senti quando as borboletas verdes caíram, girando ao seu redor, e você, ali parada naquele vestido vermelho, como estava linda.

Ah, tenho algumas novidades. Finalmente recebi um diagnóstico. Está preparada? Amnésia psicogênica/amnésia dissociativa (o nome depende do médico com quem falo), que aparentemente é um sintoma do transtorno de estresse pós-traumático, ou TEPT, como dizem. Eu sei, justamente eu, a pessoa que não consegue assistir a filmes de guerra porque são violentos demais. Ok, então resumindo e sem todo o jargão médico, porque sei o quanto você o odeia, isso basicamente significa que, por causa do estresse psicológico por que passei no acidente — que, eu acho, foi a culpa, a imagem de Flynn sendo lançado para a frente e o medo imenso de ter quase matado meus filhos —, meu cérebro reprimiu as lembranças. Eles acham que pode ter algo a ver com o que senti quando mamãe e papai morreram também. Há muita pesquisa sobre isso, mas, para ser sincero, fico feliz em saber que não deixei vocês porque era um idiota, mas porque o medo de machucá-los era demais para eu lidar. Fica mais fácil para mim me perdoar por deixar você e as crianças, e é claro que fica mais fácil para eles entenderem — especialmente Flynn. É bom que eles saibam que os deixei, não porque eu não os amasse, mas justamente porque os *amava*. O TEPT afeta pessoas que viram todos os tipos de horrores, mas eu? Pôr meus filhos em tamanho perigo, acho, foi a coisa mais traumática e horrível que poderia imaginar acontecendo comigo. Agora que sei disso, posso controlar o pânico um pouco melhor. Se um barulho me assusta ou quando tenho a sensação de que as coisas estão me sufocando, argumentar comigo e explicar a mim mesmo por que me sinto assim me ajuda a lidar com a situação.

Deixe-me só tirar esses bulbos daqui. Não importa quantas vezes eu diga à sua mãe que você odeia narcisos, ela continua a plantá-los. Ela está bem, por falar nisso — conheceu um homem, James, muito simpático... gosta de trem um pouco demais para o meu gosto, mas eles parecem felizes. Ela ficou um pouco conosco quando Rose estava, você sabe, passando por um período difícil.

Bem, voltando à minha história, então, quando você morreu... foi duro, Mel, eu não vou mentir. Alguns dias as crianças e eu não falávamos um com os outros, quase que só sobrevivíamos. Os arranjos para o enterro já tinham sido todos providenciados — aliás, quando foi que você fez isso? E, então, veio a venda da casa. Para os meninos, isso foi muito difícil. Tivemos algumas brigas com gritos nessa época, mas — não sei como você os educou assim — eles sempre acabavam rindo ou zombando de mim ou um do outro quando apenas alguns minutos antes estavam lançando insultos contra o outro. Foi o que nos manteve unidos naquele tempo: a habilidade deles de brigarem e depois se recuperarem com uma piada ou — percebi isso com Flynn — compartilhando uma xícara de chá ou uma lata de cerveja. É o jeito dele de fazer as pazes sem ter que falar, eu acho.

Nossa, está frio.

Eles vão chegar daqui a pouco. Sempre tentamos dar ao outro um pouco de espaço quando visitamos você, de modo que possamos ter você só para nós um pouco, mas esta é a primeira vez que chegamos separados. Um sinal de que eles estão crescendo, creio, tornando-se mais independentes. Flynn está vindo de carro depois da exposição — vou deixar que ele conte a você sobre isso —, e Rose estará aqui esta tarde. Ela está muito melhor agora e também tem novidades empolgantes para contar.

Mudar de escola não foi tão difícil para ela quanto pensei. Sem ninguém saber como Flynn costumava ser e sem, bem, a história toda da mãe que cantava — sem ofensa, meu amor —, ela se adaptou facilmente. Fez novos amigos e passou a surfar. Ela é um verdadeiro peixinho e morar à beira-mar é bom para ela. Você se lembra que eu disse que ela concluiu com conceito A? De quem ela herdou esse cérebro? O problema é que, com Rose, você acha que ela está bem e, então, você sabe... Ano passado foi difícil, mas agora ela está muito melhor e encontrou uma maneira nova e produtiva de enfrentar os problemas. Ela conseguiu um bom estágio no jornal local e está gostando muito. Desculpe, provavelmente estou me repetindo. Seja como for... as coisas estão indo bem. Vou ter que ir em um minuto. Kate vai lá para casa hoje à noite e a casa está uma bagunça. Não vai demorar para eles acabarem morando juntos, eu acho. Flynn está ganhando um bom dinheiro com as vendas agora, e Kate acabou de conseguir um emprego com um advogado a cerca de meia hora de nós, então... Vou sentir falta dele; trabalhamos bem juntos. Ele me diz se acha que estou errando nas dimensões e eu digo a ele quando suas linhas não estão suficientemente precisas — além disso, aprendemos a cozinhar. E não apenas ovos, embora eu ainda faça uma boa omelete. Nós cozinhamos juntos na maioria das noites e Rose limpa a cozinha. Estamos realmente bem, Mel, você ficaria orgulhosa da família que nos tornamos. Frequentemente eles me provocam por estar solteiro, me dizendo que eu deveria ir "para a pista", mas não estou pronto. Sabe, a questão é que estou recuperando um pouco da minha memória.

Acontece quase todos os dias agora: eu me lembro um pouco mais e as lembranças são tão vivas que é como se eu estivesse lá novamente. Todo dia, acordo e me pergunto o que vamos fazer hoje. Como ontem, quando estava amarrando meus cadarços e lá estava você, nítida como o dia, em pé atrás de Flynn, segurando as mãozinhas dele acima da cabeça, ajudando-o a dar os primeiros passinhos vacilantes em minha direção. Você olhou para mim; seu cabelo estava balançando para a frente enquanto você sorria e o encorajava a andar até o papai. Eu podia sentir o cheiro do amaciante nas minhas roupas e ouvir a televisão das crianças ao fundo e, de repente, você se foi... mas você não fica longe por muito tempo. Então veja só, Mel, para mim, você não se foi, está apenas esperando por mim, esperando que eu me lembre, lembre que meu nome é Devon King, que eu sou um bom homem, um bom pai e, o mais importante, de como fui amado.

*Flynn*

Ei, mãe. Só um segundo. Deixa só eu plantar estas sementes. Eu ia optar pelas ervilhas-de-cheiro este ano, mas achei que ia estragar o jogo. Afinal, por que mexer em time que está ganhando? Bocas-de-leão para a vitória. Cara... Não posso acreditar que já faz seis anos que você foi embora. É estranho, tipo, parece que você morreu só ano passado, mas, ao mesmo tempo, tanta coisa aconteceu desde que você morreu que parece que faz séculos. Acabei de fazer minha segunda exposição e foi muito bom, quero dizer, não no mesmo nível da do papai quando ele expôs as esculturas que fez de você, mas vendi bem e não estava tão nervoso quanto da última vez.

Shane e Jo vieram. Cara, ela está imensa! Sinceramente, mãe, é como se ela tivesse sido picada por um enxame inteiro de abelhas! Mas acho que quando se está grávida de gêmeos é de se esperar a semelhança com uma baleia. Ela esteve aqui, dá pra ver, pois não tem nenhuma mancha no granito. Eu me pergunto como ela vai conseguir manter a casa limpa quando as meninas chegarem — já falei que eram meninas, certo? Mudando de assunto: Kate conseguiu um emprego em um escritório de advocacia. Nunca pensei que ela teria coragem de fazer algo assim, principalmente por causa, você sabe, da gagueira, mas teve e não vai demorar para que receba um bom salário.

Decidimos ir morar juntos no verão. Ainda não contei pro papai. Acho que ele vai receber bem a notícia e espero ainda poder usar o galpão do jardim. Os apartamentos e casas que estamos olhando não são muito distantes e posso ir de carro até lá. Mas vou sentir saudades de morar com ele. Vou sentir saudade do som do seu sininho quando papai anda pela casa — ele ainda usa a pulseira, você sabe. Pode parecer irritante o sininho tilintando sempre que ele se movimenta, mas é como se fosse parte dele, como se você ainda fosse parte dele.

O carro que você me deu no meu aniversário de 21 anos ainda está funcionando como um anjo. Kate diz que sou obcecado por ele, o que não é verdade. Ela só tem ciúmes porque eu chamo o carro de docinho enquanto a chamo de... bem, Kate.

Você vai ficar feliz de saber que há mais de cinco anos não me envolvo em nenhuma briga. Acho que a ideia do papai de termos um saco de pancada e alguns aparelhos de academia no galpão foi a solução para mim, para ser sincero. Quer dizer, não é que eu agora não fique furioso, mas malhar realmente ajuda quando tenho um dia ruim. Como quando aceitei uma encomenda de uma senhora na vila e pensei: É, por que não? Ela é de família rica e tradicional, e mora em uma das casas enormes e muito antigas nos arredores da cidade. Pensei que seria uma paisagem, sabe? Com o meu estilo, como nos trabalhos que tinha acabado de exibir, aqueles com uma pequena rachadura no céu e outra paisagem aparecendo — eu te falei sobre eles, certo? Elas não são óbvias, as rachaduras, é preciso procurá-las, então acho que isso ajuda a explicar por que ela deve ter pensado que eu era mais um artista comum. No entanto, quando cheguei lá, ela queria que eu pintasse a porra do cachorro dela, mãe. Um cachorro. Um setter vermelho, para ser mais preciso. Bem, ela me ofereceu uma boa quantia, e eu e Kate queríamos ir para a Itália nas férias, e foi maravilhoso, mãe — você teria adorado. Mas, meu Deus, levei uma eternidade para terminar esse quadro. O saco de pancadas sofreu por mais ou menos um mês, mas, ei, melhor do que um coitado que, por acaso, me olhasse da maneira errada. E, além disso, usei uma das versões não aproveitadas como presente de Natal para Rose: coloquei o rosto dela no cachorro. Ela morreu de rir porque realmente eram parecidos. Ela o pendurou na parede do escritório em casa, então deve ter gostado. Ela está muito melhor, papai já contou? Aliás, daqui a pouco ela estará aqui.

Papai está bem. Ele já te contou que começou a recuperar a memória? Estávamos jantando no outro dia e ele desatou a rir. Eu e Rose não sabíamos o que havia acontecido de tão engraçado, mas ele disse que tinha se lembrado de um dia em que aparentemente você rira tanto de um tombo dele depois de um show que você peidou muito alto, e quanto mais ria, mais peidava. Bem, ele ainda estava rindo ao ir para a cama naquela noite. Achamos que ele deveria começar a sair um pouco, sabe? Ele está feliz e tudo mais, mas nos preocupamos que fique sozinho quando começarmos a seguir nosso caminho. Bom, acho que isso vai acontecer no tempo certo. É como se ele estivesse em um novo relacionamento com você no momento.

Sinto sua falta à noite. Às vezes acordo e penso que posso ouvir você cantando, mas em geral é só papai roncando.

Bem, é melhor eu me apressar. Vou ter que buscar a Kate mais tarde. Ela vai passar o fim de semana com a gente e eu e papai prometemos que íamos preparar batatas com chili e queijo, então preciso colocar na panela.

Te amo.

*Rose*

Oi, mãe. Só um minuto. Vou só plantar estas ervilhas-de-cheiro. Sem chance de eu deixar Flynn ganhar de novo. Sério, lavar as calças do irmão é algo que nenhuma garota deveria ter que fazer. Pronto. As ervilhas-de--cheiro vão triunfar.

Agora parece diferente vir aqui. Como se eu entendesse você melhor do que nunca.

Seus meninos estão se saindo bem. Flynn está tão diferente do garoto que você conheceu. Não acho que eu teria conseguido enfrentar o último ano sem ele.

Eu realmente não tinha percebido nada — a necessidade de sentir novamente o controle, o alívio. Acho que estava fingindo ignorá-la, ignorar os sussurros de "só uma vez não vai fazer mal", mas, no fim, a escolha foi feita para mim. Eu estava lavando a louça e cortei o dedo numa faca. Estou sempre dizendo a eles que não coloquem facas dentro da pia, mas eles nunca me ouvem. Enfim, Flynn parou o que estava fazendo e ficou me encarando. Eu perguntei a ele: o que foi? Ele foi buscar o band-aid enquanto eu enrolava papel-toalha no dedo. Quando voltou, pegou minha mão e colocou o band-aid, como se eu fosse criança. Foi estranho e eu disse isso a ele. "Você está cantando", ele disse, sorrindo. Pronto. Eu estava cantando e nem tinha me dado conta. A música foi uma que você cantou quando eu passei pela minha fase de automutilação, então eu devia conhecer a letra através de você. Pesquisei no Google depois e é uma canção de Cat Stevens chamada "The First Cut Is the Deepest". A sensação da lâmina e da picada me encheu com uma onda de adrenalina tão poderosa, mãe, que foi como um dependente deve sentir quando usa uma última dose. Mas lá estava você, ali conosco, me acalmando exatamente como fazia quando estava viva. O momento não poderia ter sido pior se eu seguisse novamente por aquele caminho, pois eu estava começando um estágio no jornal local. Agora entendo um pouco da sensação que dá. Essa liberação maravilhosa quando você está aborrecida ou estressada. É mesmo como uma droga.

Depois desse dia, decidi fazer algo positivo com esse sentimento, então comecei a escrever um blog. Para pessoas com problemas de ansiedade. Já mencionei você algumas vezes, espero que não se importe. Tentei incorporar a forma como usamos técnicas de atenção plena no início e como o canto pode ajudar a liberar dopamina — o hormônio da felicidade — no cérebro. Desenterrei meus velhos diários e os usei para ajudar outras pessoas a entender as pressões que você pode sentir aos 13 anos. Tive infinitas conversas com papai e Flynn sobre o que eles pensavam e faziam nesse período. Não posso expressar o quanto foi bom poder passar por essa fase com um propósito. Mesmo que eu ajude apenas uma pessoa, terá valido a pena. Me fez sentir mais perto de você, voltando àquele tempo; me fez entender a mulher que você foi, como lidou comigo e com Flynn e com todos os problemas pelos quais fizemos você passar. Como éramos egoístas e como foi difícil para papai se tornar nosso pai depois de ter lutado tanto para encontrar estabilidade e um lugar que pudesse chamar de lar. Ele me contou algumas histórias horríveis sobre como era a vida nas ruas. Até o convenci a escrever um texto sobre os horrores que teve de enfrentar, o quanto se sentira inútil e perdido.

E quanto a mim, mãe — quero te agradecer. De cada parte de mim para cada parte de você. Obrigada.

*Melody*

Já falei antes sobre o que pensei que aconteceria quando eu morresse. Disse a vocês que achava que não haveria nada, nem luz branca, nem exército de antepassados, mas eu não havia pensado na minha energia. Falamos que não temos nenhuma no fim de uma semana de trabalho agitada. Falamos em ter que queimá-la quando a temos em excesso; tomamos bebidas que supostamente a fornecem e evitamos o açúcar para nos livrar dela, mas o que realmente acontece com essa energia? Einstein nos ensinou que a energia nunca morre, apenas se transforma em outra coisa. Assim, eis o que acho que aconteceu com a minha. Quando eu estava viva, toda a minha energia ia para a minha família, meus pensamentos, minhas preocupações, minha alegria e minha tristeza. Como tudo isso pode simplesmente desaparecer? Einstein nos diz que não pode, e quem sou eu para discutir com um gênio? Então, quando dei meu último suspiro, quando deixei de usá-la, ela morreu comigo? Não creio que isso fosse possível. Se a física merece crédito, então ela apenas se transformou em algo diferente.

Sabe aquela sensação de quando você está se concentrando em alguma coisa e, de repente, há uma canção, uma melodia em sua cabeça, e você simplesmente não consegue se livrar dela? Bem, é isso. Meu presente para você: uma melodia em sua cabeça.

Neste exato momento, estou andando à luz do sol, "I'm Walking on Sunshine", e "woow-oooh"... e isso não parece bom?

# Agradecimentos

Por onde começar?

Este livro não estaria na sua frente se uma pessoa não tivesse pedido para ler o manuscrito inteiro, portanto um grande obrigado à minha agente, Amanda Preston. Eu já agradeci a você um zilhão de vezes, mas isso ainda não parece suficiente, então vou dizer mais algumas vezes: obrigada por acreditar em mim, por seu constante entusiasmo e apoio. Você mudou minha vida.

Um imenso agradecimento a todos na International Literacy Association, cujo trabalho árduo possibilitou que meu sonho de ser escritora em tempo integral se tornasse realidade e deu a Melody a chance de ser ouvida no mundo todo.

Eu não tinha ideia do volume de esforço e amor necessário para polir um manuscrito, e por isso sou eternamente grata à minha equipe editorial: Jennifer Doyle, por sua inabalável crença e amor por Melody e sua família; Sara Adams e Kitty Stogdon, por adicionar a cereja no topo do bolo e me incitar a fazer de *O som do nosso coração* o melhor possível.

A todos na Headline, vocês são incríveis! E a Helena Fouracre, cujo e-mail me fez chorar quando ela "destacou alguns belos trechos". Eu sempre quis que alguém pensasse assim sobre o meu trabalho, obrigada.

A linda capa foi desenhada por Heike Schüssler. Obrigada por pensar além das imagens. Adoro ver a Melody observando os filhos voar todas as vezes que olho para ela.

É raro dizer honestamente que você ama seu trabalho e que ama as pessoas com quem trabalha, mas para mim essa é a verdade. Assim, meus sinceros agradecimentos vão para os meus incríveis colegas da Wrockwardine Wood Junior School. Para Claire Ashley e Emma Jackson, que acreditaram em mim, me apoiaram nos tempos difíceis e comemoraram os bons. Para David Kirkpatrick, que aguentou as minhas constantes lágrimas e frustrações durante o processo de envio do manuscrito a editoras, e que me fez chorar de rir nos dias em que senti que minha carreira de escritora estava no fundo do poço. Para Molly Clark, por seus intermináveis conselhos gramaticais e por revisar os três primeiros capítulos. Agradecimentos também a Julie Henry, por ser a melhor chefe do mundo! A Louise Brindley-Jones, por sua constante amizade, a Cara Leck, por seu entusiasmo e a Alison Williams, que ficou acordada até tarde da noite e chegou ao trabalho com os olhos cansados, porque não conseguiu dormir sem saber o que ia acontecer com Melody. Sinto imensamente a falta de todos vocês.

Aos meus novos "colegas": os membros do grupo no Facebook The Fiction Café Writers Group. Em particular, Wendy Clarke, Cath Deacon, Mooky Holden, Jennifer Gilmore, Kiltie Jackson, Jennifer Kennedy e Natali Drake, para citar apenas alguns! Obrigada por seu apoio, suas piadas e seus conselhos. Eu não poderia ter passado pelo processo de edição sem todos vocês.

A Bev Osborne, meu amigo e primeiro revisor, que me deu conselhos e incentivos inestimáveis, identificando meus erros e telefonando para mim no momento em que terminou, mesmo que mal pudesse falar entre lágrimas.

Nicki Smith, minha amiga de longa data e conselheira em todas as minhas "maluquices", obrigada por seus anos de amizade, sua companhia e infinita generosidade.

Dizer obrigada não parece o suficiente quando penso em todas as coisas que minha família vem fazendo para me apoiar, mas, mesmo assim, obrigada à minha mãe, por ser... bem, minha mãe, e por fazer todas as coisas que mães devem fazer. Te amo muito, muito! E obrigada ao seu maravilhoso marido, Chris, por me aturar! À minha sogra, Jackie Evans, que é a pessoa mais altruísta que já conheci. Somos muito gratos por tudo que vocês fazem — eu os amo imensamente. Agradeço à minha avó por ter lido para mim *Os tontos* repetidas vezes quando eu era pequena. Ao meu irmão, Dan, pelas entregas de prosecco, de improviso, e ao meu pai, também conhecido como Clark Griswold, que traz um significado totalmente novo à palavra "Natal".

E finalmente, Nós. Meus filhos, Ethan, Ally, Max e Delilah. Vocês fazem meu coração cantar todos os dias. Obrigada por aturarem meus ataques e minhas lágrimas depois de um dia inteiro no computador, obrigada por me fazerem rir, por me fazerem chá (Max), por me encherem de orgulho e por tornarem nossa casa bagunçada o melhor lugar do mundo. Eu não gostaria de estar em nenhum outro lugar. Ao meu Russell, meu maior defensor e mais duro crítico. Ele me suportou nos dias em que tudo o que fiz foi falar sobre a família King e nos dias em que não fiz nada além de chorar pelas intermináveis rejeições que inundavam minha caixa de entrada. Você é o meu raio de sol.

Este livro foi composto na tipografia
Bembo Std, em corpo 11,5/15,5, e impresso em
papel off-white no Sistema Cameron da
Divisão Gráfica da Distribuidora Record.